Olivier Norek

Engagé dans l'humanitaire durant la guerre en ex-Yougoslavie, puis capitaine de police à la section Enquête et Recherche de la police judiciaire du 93 pendant dix-huit ans, Olivier Norek est l'auteur de la trilogie du capitaine Coste (*Code 93*, *Territoires* et *Surtensions*) et du bouleversant roman social *Entre deux mondes*, largement salués par la critique, lauréats de nombreux prix littéraires et traduits en plus de dix langues. Avec *Surface* (Prix Maison de la Presse, Prix Relay, Prix Babelio-Polar et Prix de l'Embouchure), il nous entraîne dans une enquête aussi déroutante que dangereuse. Un retour aux sources du polar, brutal, terriblement humain, et un suspense à couper le souffle. *Impact* nous confronte aux conséquences tragiques du changement climatique. Dans son nouveau roman, *Dans les brumes de Capelans* (Prix Babelio-Polar), nous retrouvons le capitaine Coste, obligé d'enquêter à l'aveugle.

Tous ses ouvrages ont paru chez Michel Lafon et sont repris chez Pocket.

SURFACE

ÉGALEMENT CHEZ POCKET

OLIVIER NOREK

SURFACE

Pocket, une marque d'Univers Poche,
est un éditeur qui s'engage pour la préservation
de l'environnement et qui utilise du papier fabriqué
à partir de bois provenant de forêts
gérées de manière responsable.

© Éditions Michel Lafon, 2019
ISBN : 978-2-266-28799-9
Dépôt légal : mars 2020

À Babeth, Yann, Corinne, Jamy et Stéphane.
Brisés. Reconstruits. Vivants.

Pour Amandine, la jeune fille de l'eau.

PROLOGUE

Lancés à tombeau ouvert dans les rues de Paris, les deux types bringuebalés à l'arrière du véhicule s'acharnaient à lui faire lâcher son arme.

Du sang partout. Beaucoup trop de sang. Et son visage. Dieu, ce visage ! Un massacre… Çà et là, des veines apparentes et sectionnées ne menaient plus nulle part, crachant rouge en continu. Et sa joue droite, déchirée presque entièrement, révélait un rictus de souffrance.

— J'veux pas prendre une balle perdue, putain ! s'écria le chauffeur. Arrachez-lui son flingue !

Feu rouge grillé. La berline qui surgit à leur droite ne réussit pas à freiner complètement et leur arracha une partie de l'aile dans un crissement de pneus désespéré.

Ils forcèrent sur les doigts de plus belle. Tirant, écartant. En vain. La main s'était contractée en une crampe autour de la crosse du pistolet. Le doigt, enroulé autour de la détente, menaçait à chaque virage ou cahot de balancer une cartouche de 9 mm au hasard de sa trajectoire.

— Impossible, c'est de la pierre !

Derrière le volant, le chauffeur regardait par intermittence le trafic routier devant lui et la scène de chaos qui se jouait dans son dos. Éviter un accident. Éviter de se faire trouer la peau.

— Elle est tétanisée. Déboîtez-lui le pouce !

Le premier se saisit du canon du pistolet pour le maintenir stable, le deuxième tira le pouce en arrière, de toutes ses forces jusqu'à le luxer.

Enfin, l'arme chuta au sol dans un choc métallique.

Pendant cette tempête de douleur et de terreur, elle ne les avait pas quittés du regard. Paralysée mais consciente. Son œil gauche était fixé sur eux, l'autre était aveuglé par le sang.

Le calme revint et les trois ambulanciers se concentrèrent de nouveau sur leur mission.

Sauver un flic.

PREMIÈRE PARTIE

En pleine tête

– 1 –

Seize minutes plus tôt.

5 h 59. Les policiers en civil se tenaient face à la porte numéro 22 du deuxième étage mal éclairé d'un immeuble délabré de banlieue. L'heure légale d'interpellation est à 6 heures. Une minute d'avance et un vice de procédure mettrait à terre toute l'enquête. L'équipe des Stups avait sorti le fusil à pompe et les pistolets à décharges électriques pour l'occasion. Les accroches du bélier hydraulique *door breaker* furent installées de chaque côté de la porte, prêtes à la faire voler en éclats. Les soixante secondes s'égrenèrent avec une lenteur inversement proportionnelle à l'excitation angoissée qui gagnait les policiers. Le silence était lourd et seul s'entendait le frottement des vêtements dans leurs gestes impatients.

Ils vérifièrent leurs chargeurs. Resserrèrent les sangles de leur gilet pare-balles. Se remémorèrent le plan d'intervention comme le plan des lieux, imprimé la veille *via* le cadastre des HLM. Couloir. Salon. Chambre à gauche. Cuisine à droite. Salle de bains au fond. Quatre fenêtres. Pas de chien, selon le gardien.

5 h 59. Les semaines précédant cet instant avaient mis les flics sur les dents. Sohan était une ordure qui coupait sa coke avec de l'héroïne, histoire de rendre addict au premier sniff. Sohan était un dealer armé jusqu'aux dents avec, sur les mains, le sang de ses nombreux concurrents. Sohan devait tomber. C'était d'utilité publique. Nettoyer les ordures, comme les éboueurs.

5 h 59. Dans une minute, ce seraient le vacarme et les cris. Un déferlement de violence et d'adrénaline. Sohan ne se laisserait pas faire. Tout le monde en était conscient.

5 h 59. L'œil du cyclone. Un calme indécent.

Le capitaine Noémie Chastain était en première ligne. Comme toujours. Chef de groupe, ce n'est pas juste un titre.

5 heures 59 minutes et 58 secondes. Elle chaussa son pistolet. Mains moites.

6 heures. Le *door breaker* envoya une pression de dix bars. Le bois craqua timidement puis explosa d'un coup. La porte s'ouvrit sur un couloir, noir comme un gouffre ou un mauvais rêve. À l'intérieur, les doigts de Noémie tâtonnèrent le long du mur à la recherche de l'interrupteur qu'elle actionna. L'ampoule s'alluma et éclata aussitôt. Les filaments brûlèrent un bref instant avant de laisser de nouveau la place à l'obscurité. Noémie fonça vers la chambre. La mini-lampe torche fixée sur le canon de son arme dessina les contours de l'appartement. Le couloir était étroit, deux personnes ne pouvaient y marcher côte à côte. Galvanisée par la présence de son équipe à la file derrière elle, rendue invincible par la main posée sur son épaule, puisque c'était celle d'Adriel, son second, son homme de

confiance, son homme tout court depuis deux ans, elle avança.

Un coup de pied dans la porte de la chambre. Une déflagration en même temps qu'une lumière vive. Noémie ne vit plus rien, pas même le dealer totalement nu, agenouillé sur son lit et qui venait de lui tirer en plein visage au fusil de chasse.

Souffle brûlant, odeur âcre de poudre à canon. Dans les yeux, le nez, la bouche, jusqu'au fond de la gorge.

Le corps de Noémie partit en arrière. Elle percuta le mur de la chambre, s'écroula au sol, disloquée comme une poupée de chiffon, et ne sentit rien pendant quelques secondes. Puis elle hurla de douleur. Elle toucha son visage. Juste des chairs à vif. Du liquide poisseux. Son cerveau la protégea par un black-out généralisé. Sa main se serra comme un étau autour de la crosse de son arme. Elle n'eut pas conscience de ce qui se déroula ensuite. Adriel avait déjà tiré deux fois. Impact épaule gauche. Impact épaule droite. Puis l'interpellation de Sohan. Par-dessus le tumulte, la nouvelle recrue du groupe sanglotait presque dans sa radio : « Officier à terre ! Officier à terre ! » aussi fort qu'il était terrorisé. Il venait de réaliser que les flics ne mouraient pas que dans les films.

Et Adriel, agenouillé maintenant à son côté, lui soulevait un peu le buste pour la prendre dans ses bras.

— Noémie ! Noémie, putain ! Reste avec moi !

Dans les longs couloirs de l'hôpital militaire Percy, le brancard tapa contre les doubles portes battantes, les ouvrant comme le ferait un violent orage. En courant presque, accompagnant le corps transporté, l'infirmière en chef fit son compte rendu au toubib de garde.

— C'est un flic.

— Suicide ? demanda le docteur, habitué.

— Non. Intervention de police ce matin. Blessure balistique. Atteinte à la mâchoire, à l'œil, au nez et au cuir chevelu.

Elle avait posé une seule fois le regard sur le visage de Noémie et se refusait à le faire de nouveau. Dans l'urgence et les images saccadées de couloirs, néons et sang, le docteur ne réussit pas à se faire une idée claire de ce qu'il voyait à son tour. Il s'en tint à la description de l'infirmière.

— Ramenez du monde ! Il me faut un anesthésiste, un ophtalmo, un traumato, un chirurgien maxillo-facial, deux fois plus d'infirmières et un bloc libre.

*
**

Dans la salle d'attente, l'équipe des Stups de Noémie était au complet et personne n'eut le courage de leur préciser que l'endroit était non fumeur.

Adriel avait enfoui son visage entre ses mains et le relevait à chaque bruit de porte. Jonathan, le nouveau, était au téléphone avec sa femme, s'allumant des clopes avec celles qu'il terminait, dans une conversation de survivant qui se voulait rassurante. « Je vais bien. » « Passe-moi les gosses. » « Je vais bien. » « Je vais bien. » Chloé pleurait silencieusement, essuyant ses larmes d'un revers de manche de son sweat-shirt rose imprimé « U.P.D. Unicorn Police Department ».

La matinée fila. Puis le jour. Et le soleil déclina.

D'autres services de police passèrent. Des collègues, des amis. D'ici et d'autres départements. La salle d'attente oscilla ainsi entre quatre et trente visiteurs, tous sur les nerfs.

Les chirurgiens de l'hôpital Percy, spécialisés dans les gueules cassées, les soldats blessés sur le terrain et accessoirement les flics, furent obligés de se relayer. Parfois à cause de la fatigue, parfois pour changer de spécialiste, tout au long d'une opération de sauvetage qui dura sept heures et trente minutes.

– 3 –

Réunion postopératoire.
Hôpital des Armées Percy.

— À 6 h 37, par le SAMU, répondit le chirurgien à la question posée par le directeur de l'établissement.
— Poursuivez.

Le chirurgien reprit la parole, informant les autres internes de cette matinée mouvementée. Dans la grande salle vitrée, autour d'une table qui prenait quasiment tout l'espace, il détailla :

— Blessure balistique au visage. Perfusée au sérum phy et antalgiques. Intubation par l'équipe du SAMU pendant le trajet. Les fonctions vitales étaient assurées quand on l'a récupérée en salle de déchoquage. Nous avons poursuivi par un bilan lésionnel au scanner mais pas d'IRM, vu la présence de plombs, ç'aurait été une folie.

— Où ça, les plombs ?

— Un peu partout. Dans la langue, le menton, la mâchoire, le front et la joue droite qui a presque été entièrement arrachée par le blast du tir. On a recousu, c'est du joli travail mais il y aura toujours une vilaine cicatrice circulaire de vingt centimètres.

— Voilà longtemps que nous n'avions pas eu d'opération pluridisciplinaire aussi excitante, apprécia le directeur. Passons aux détails. Crâne ?

D'un coup de télécommande, le chirurgien alluma le grand écran accroché au mur et y fit défiler les radios et scanners au fur et à mesure de son exposé.

— Crâne intact, mais, à droite, le derme du cuir chevelu a partiellement brûlé, j'ignore totalement si les cheveux vont repousser et comment. De toute façon on a tout rasé pour l'opération, nous saurons bientôt.

— Oreille et conduit auditif ?

— Le tympan est pas mal irrité. Peut-être une hypoacousie temporaire, sans certitude.

— Au niveau de l'œil ?

— Hémorragie sous-conjonctivale jugulée. Elle aura un bel hématome périorbitaire pendant quelques semaines. Juste un œil noir rempli de sang, mais rien de préoccupant au niveau de la vue.

— Nez ?

— Cassé par le blast. Opéré.

— Mâchoire ?

— Fracture de la branche montante de la mandibule unilatérale. Nous avons dû visser trois plaques en acier. Elle ne risque pas de parler tout de suite. Nourriture en perfusion pendant huit à dix jours puis aliments mixés et eau gélifiée pendant trois semaines.

— Elle l'a échappé belle, visiblement.

— Oui, cinq centimètres à gauche et c'est tout le visage qui était arraché. Reste que ce ne sera pas beau à voir. Outre les soixante points de suture pour remettre la joue en place, chaque plomb laissera une

19

marque. Quoi qu'il en soit, chirurgicalement on a fait le boulot.

L'assemblée se tourna alors vers le psychiatre de l'hôpital Percy.

— Ça va vous changer de vos soldats, Melchior, ironisa le directeur.

— Pas vraiment, rebondit froidement le psy. Blessée en opération. Flic de terrain. Elle n'a rien de différent de mes soldats. J'aimerais superviser le dossier si personne n'y voit d'inconvénient.

Rentré quatre jours plus tôt de sa mission d'accompagnement des troupes françaises de la Task Force Wagram dans la vallée de l'Euphrate irakien, Melchior avait repris du service à l'hôpital militaire Percy et tournait en rond dans son bureau depuis, accusant un difficile retour à la normale. Le cas de l'officier Noémie Chastain l'avait réveillé de sa léthargie. Dépassant tout le monde d'une tête surmontée d'une tignasse blanche ramenée en arrière, et du haut de ses cinquante ans bien frappés, il prit la parole avec une autorité naturelle.

— Je propose une prise en charge immédiate en parallèle avec les soins de suite et de réadaptation. Plus tôt je lui parlerai, mieux j'évaluerai les dégâts psychiques. J'ai plusieurs patientes en une même personne. Un flic qui risque de ne jamais retrouver son service. Une femme qui risque de penser qu'elle ne séduira plus. Une entité adulte qui doit découvrir le visage d'une étrangère et vivre avec. Et une gamine qui doit être morte de peur. Il faudra la préparer avant d'essayer de la réparer. Mais ne pas lui mentir. Je peux la voir quand ?

— Le temps d'un scanner, d'un fond de l'œil pour éviter tout corps étranger résiduel et d'une rééducation maxillo-faciale si vous voulez qu'elle vous réponde, assura le chirurgien.

— Je n'ai pas encore besoin qu'elle me parle. J'ai déjà beaucoup de choses à lui dire, conclut Melchior en refermant son carnet de notes.

Lorsqu'elle ouvrit les yeux, la lumière vive du néon au plafond lui brûla les rétines, comme un coup de feu. Son cerveau fit le lien avec le dernier épisode de sa vie et Sohan lui tira dessus à nouveau. Son corps se cambra, son cœur s'accéléra et l'électrocardiogramme s'emballa, provoquant l'affolement des machines dans un concert d'alarmes suivi de la course des infirmières.

Tous les flics se levèrent à leur passage.

Une fois la lumière de la chambre éteinte, Noémie s'apaisa, referma les yeux et replongea dans un sommeil chimique facilité par les restes de l'anesthésie.

— Vous ne pourrez pas la voir tout de suite, dit l'infirmière à Adriel. Elle va bien, mais elle a besoin de temps.

*
* *

C'est en pleine nuit que Noémie se réveilla de nouveau. Plus calme dans la pénombre. Elle toucha la couverture, un peu rêche. Le drap, plus doux sous ses doigts. Elle aperçut le noir du ciel par la fenêtre entrouverte, puis la chambre, aux contours troublés par un œil rempli de sang. Elle leva la main droite, vit son pouce soutenu par une attelle et se souvint des ambulanciers et de leurs cris effrayés pendant la course vers l'hôpital. Elle posa sa main valide sur son visage et ne sentit pas sa peau. Des bandages et des pansements recouvraient tout son profil droit. Pourtant, elle sourit enfin, car elle avait pensé un moment ne jamais rouvrir les yeux. Elle se sentit vivante, tellement vivante, la douleur mise un instant de côté par la morphine délivrée dans une veine de son bras.

À quelques mètres d'elle, dans la salle d'attente, Chloé dormait sur l'épaule de Jonathan, vaincu par la fatigue et dont la tête avait basculé en arrière. Seul Adriel veillait, anxieux, amoureux. L'infirmière lui fit un signe.

— Elle s'est réveillée. Je dois prévenir les docteurs, mais vous avez une petite minute.

Il avait ressassé pendant des heures les mots qu'il lui dirait. Pour la rassurer. Pour lui montrer qu'il était là et qu'il l'aimait. Finalement il entra, s'assit sur le fauteuil qui touchait le lit, posa sa tête sur le ventre de Noémie et fondit en larmes. Doucement, elle lui caressa les cheveux, pour le rassurer, pour lui dire qu'elle était encore là et qu'elle l'aimait aussi.

La porte s'ouvrit sur Chloé et Jonathan qui restèrent sur le seuil. Ce qu'ils voyaient de là leur suffisait bien, après tout.

Il entra dans la chambre comme il l'aurait fait dans son propre salon.

— Bonjour, soldat. Je m'appelle Melchior. Les docteurs vous ont fait un point ? Vous savez qui je suis ?

Noémie détailla rapidement son interlocuteur puis acquiesça d'un signe de tête. Le psy déposa sur les draps une tablette tactile affichant un écran blanc.

— Exercice amusant, comme vous ne pouvez toujours pas me répondre, nous allons inverser les habitudes de la psychiatrie. Aujourd'hui c'est essentiellement moi qui parlerai. Vous allez voir, je suis terriblement bavard. C'est en tout cas ce que disait ma femme.

Il s'assit à son côté et ouvrit son carnet de notes.

— Vous avez de la famille ?

Noémie attrapa la tablette et pianota.

« Une mère. Londres. »

— Elle n'apparaît pas dans votre dossier d'assurance parmi les personnes à prévenir en cas d'accident. D'ailleurs, personne n'y apparaît.

« Dix ans », écrivit Noémie.

Le psy pencha la tête pour lire en même temps.

— Dix ans… que vous ne vous êtes pas vues ?

Noémie opina.

— Et ce joli garçon qui joue les fantômes dans les couloirs, il doit avoir un prénom ?

« Adriel », nota-t-elle.

— Alors vous n'êtes pas toute seule. C'est bien. Capital même. Je vais être honnête avec vous, votre visage a été sévèrement abîmé. Nous en saurons plus dans vingt-quatre heures lorsque les infirmières enlèveront les bandages. Mais, d'ici là, je voudrais que vous fassiez un petit exercice préparatoire. Une sorte de projection. Je vais nommer les parties lésées et vous devrez les imaginer comme elles sont aujourd'hui.

Noémie leva les yeux. L'un vert très pâle, comme une jeune feuille, l'autre encore noir de sang. Melchior parla d'une voix douce.

— Vos cheveux ont été rasés, mais vous avez dû le sentir sous vos doigts. Votre joue droite a été arrachée presque dans sa totalité et recousue. Votre nez cassé est aujourd'hui réparé. Encore un peu enflé, quelques hématomes, mais réparé. Les chirurgiens ont retiré quinze plombs à différents endroits de votre visage. Chacun d'entre eux, du menton au front, laissera une étoile, comme un impact qui s'atténuera au fil des années.

Noémie pianota plus durement sur la tablette.

« Je sors quand ? »

Melchior s'en amusa.

— Un soldat courageux, je ne m'étais pas trompé sur vous, dit-il en reposant son carnet. Vous avez, en plus de cela, le pouce luxé et une fracture de la mâchoire. Ça, c'est pour le physique. Mais psychologiquement, c'est une autre histoire. Ne vous trompez pas, réparer votre enveloppe ne pose pas de problème. Réparer des dégâts invisibles, c'est plus aléatoire, donc plus imprévisible, forcément. J'estime que vous pourrez nous quitter dans un mois. Mais nous aurons encore pas mal de séances par la suite. Nous allons devenir proches, vous et moi.

Hôpital des Armées Percy.
Quatrième matin.

L'infirmière laissa Melchior prendre tout le temps nécessaire pour rassurer sa patiente. Noémie avait passé les soixante-douze dernières heures à attendre ce moment qu'elle tentait maintenant de retarder un peu.

— Vous êtes prête ? demanda Melchior.

Non, fit Noémie d'un signe de tête décidé.

— D'accord. On reste comme ça, alors. Qui sait ? Les bandages seront peut-être à la mode cet été.

L'hématome périorbitaire s'était légèrement résorbé et le noir autour de sa pupille avait laissé place à un rouge carmin pas vraiment plus engageant. Malgré tout, Melchior lut derrière l'angoisse de l'instant une certaine impatience.

— On repousse à demain ?

Noémie lui prit la main, doucement, à la manière d'un enfant qui se raccroche à son grand frère. Melchior accepta le contact, peu fréquent en psychiatrie, et d'une pression des doigts lui assura qu'il ne partirait nulle part.

Avec des gestes d'une infinie douceur, l'infirmière commença par dérouler le bandage autour de la tête, révélant dans sa totalité un crâne rasé. Elle ôta ensuite successivement le large pansement qui recouvrait sa joue, celui sur la mâchoire, et termina par le front. Ne restait plus que le plâtre en forme de « T » posé sur l'arête du nez reconstruit.

La respiration de Noémie s'accélérait au fur et à mesure qu'elle sentait la fraîcheur de l'air matinal sur les zones de peau désormais libérées. Elle leva la main à hauteur de son visage sans oser l'y poser vraiment. Avant de toucher, elle voulait voir, et avant de voir par elle-même, c'est sur Melchior qu'elle posa les yeux. L'enfer reste toujours le regard que les autres portent sur nous. Comme un jugement. Le regard qui nous examine, celui qui nous empêche d'oser, celui qui nous freine, celui qui nous peine, celui qui nous fait nous aimer ou nous détester. Mais là, dans celui du psy, elle ne lut qu'une insupportable bienveillance professionnelle.

Elle se redressa dans son lit, posa doucement ses pieds nus sur le lino propre et se leva. Le mètre qui la séparait du miroir accroché au mur sembla s'étendre à l'infini à mesure qu'elle s'en approchait. Lorsqu'elle se fit enfin face, elle ne reconnut rien. Personne. Cet affreux œil de sang qu'elle avait vu si souvent sur les femmes battues, surplombant le plâtre que l'on trouve d'habitude sur le nez des boxeurs terrassés par leur adversaire, la mâchoire enflée par les trois plaques et les douze vis qui les faisaient tenir, la cicatrice en demi-cercle de sa joue comme bouffée par un chien enragé et la myriade de quinze impacts perforant toute la partie droite de son visage devenu papier à musique des vieilles orgues, tout cela aurait été insupportable s'il s'était agi du reflet de Noémie. Mais ce n'était pas elle.

Elle cligna de l'œil, une fois.

De l'autre côté du miroir, l'étrangère cligna aussi.

Elle s'était préparée à voir son visage, même accidenté, mais ce n'était plus son visage. Elle ne s'identifia pas à l'écorchée d'anatomie qui la fixait.

« C'est mon moi mort que je regarde. »

Souffle retenu, elle se figea, incrédule. Ses doigts se posèrent enfin sur l'imposante balafre. Une courbe encore boursouflée, traversée de fils de suture, qui prenait naissance à son oreille, passait sur la pommette, rejoignait le nez, frôlait les lèvres pour suivre enfin la ligne de la mâchoire jusqu'à la naissance du cou.

Instinctivement elle tourna la tête, de manière à ne laisser apparaître qu'un profil intact. Une larme perla sur son passé. Puis elle présenta son profil droit. La femme qu'elle était disparut pour laisser la place à un monstre inconnu et défiguré.

Les murs s'écartèrent d'un coup, un gouffre s'ouvrit et l'aspira. Melchior la rattrapa juste avant qu'elle s'évanouisse.

*
* *

Alitée de nouveau, le drap remonté haut dissimulant volontairement ce qu'elle ne voulait pas accepter ni montrer, même à un docteur comme Melchior, Noémie restait silencieuse. Abattue, perdue, incapable d'affronter la réalité.

— Votre cicatrice à la forme d'un croissant de lune. D'ici à quelques années ce ne sera plus qu'un léger sillon.

Le drap remonta plus haut.

— Vous savez que la constellation du Capricorne comporte quinze étoiles particulièrement lumineuses ? Autant d'étoiles que sur votre visage.

Noémie se saisit de la tablette tactile et pianota furieusement : « STOP !!!! »

Puis elle prit son temps pour exprimer une colère que plus rien ne pouvait retenir.

« Des images pour me rassurer ! Lune pour balafre. Étoiles pour cicatrices. J'ai pas cinq ans. C'est inutile. Je n'accepte pas. Allez vous faire foutre avec votre constellation du Capricorne. »

Melchior sourit tristement. Alors Noémie pianota un « Pardon » embarrassé.

— Ne vous excusez pas. Vous avez même le droit d'insulter la planète entière. Dites-moi plutôt ce que je peux faire pour vous.

« Je veux rentrer chez moi. Me cacher. Retrouver mon chat. Laissez-moi rentrer. Je vous en supplie. »

— Bientôt, Noémie, bientôt. Ne précipitons rien. Et je vous rappelle que vous avez une visite prévue cet après-midi. Aucune obligation, c'est vous qui imprimez le tempo. Vous décidez de tout. Adriel peut très bien attendre.

Noémie tressaillit. Adriel ! Hors de question ! Pas comme ça. Pas dans cet état. Pas avec cette gueule en charpie.

— Je sais que cela vous fait peur, mais votre entourage sera aussi bénéfique que n'importe quelle séance que nous ferons ensemble. Adriel peut être fort pour deux si vous ne l'êtes plus pour vous. Ne vous regardez pas dans la glace, regardez-vous dans ses yeux.

« Et s'il ne supporte pas ? »

— Alors vous saurez. C'est essentiel de savoir sur qui compter. Nous chercherons d'autres soutiens, le cas échéant. Mais, je vous en prie, ne le sous-estimez pas d'avance.

Avant de quitter la chambre, Melchior laissa aux infirmières l'instruction de le contacter dès qu'une visite se présenterait. Si le petit copain passait, il était primordial de le préparer, lui aussi.

La combinaison fortuite d'un changement de garde et d'un patient en détresse respiratoire permit à Adriel de traverser le couloir de l'hôpital sans croiser âme qui vive et de toquer à la chambre de Noémie avant que personne prenne le temps d'échanger quelques mots avec lui sur ce qu'il s'apprêtait à vivre.

Aux Stups, Chloé et Jonathan avaient compris, sans qu'il ait à le formuler, qu'il souhaitait la voir seul une première fois.

Il ouvrit doucement la porte et regarda un instant Noémie assoupie. Du seuil, il n'apercevait que le profil gauche de sa compagne, mais lorsque le mouvement d'un mauvais rêve la fit se tourner dans son lit, son cœur se serra. Elle ouvrit les yeux à cet instant et, en toute hâte, se cacha comme elle put. Le fait d'être vue contre sa volonté lui donna une impression de viol, d'agression, de violence jusque dans son intimité. Comment offrir aux yeux d'Adriel un visage qui n'était pas le sien, un visage qu'elle n'accepterait jamais ? Et même s'ils disparurent bien vite, la surprise d'Adriel et son imperceptible mouvement de recul seraient gravés dans la mémoire de Noémie.

Elle resta là, une main sur le visage, comme cachant une nudité incongrue, laissant son homme s'approcher et s'installer à son côté. La main d'Adriel rejoignit la sienne et d'un geste, presque d'une caresse, il l'invita à découvrir ses blessures.

« Ne le sous-estimez pas », avait dit Melchior.

Adriel prit-il sur lui ? Se força-t-il, même un peu ? Rien ne le laissa voir. Il demeura cette fois-ci impassible et détailla les cicatrices les unes après les autres. La honte envahit Noémie, comme si elle s'était elle-même infligé ces balafres. Chaque seconde passée à être scrutée lui était insupportable. Elle aurait voulu que le temps s'arrête et que dix années passent, pour que les cicatrices s'estompent et que cet accident ne laisse que des vestiges, ce qu'il subsisterait d'une guerre passée, comme s'érodent au fil des années les impacts de tir sur les murs d'une ville libérée. Elle aurait voulu que la fenêtre de la chambre s'ouvre en grand et qu'un courant d'air emporte Adriel dans un autre pays.

Mais la fenêtre resta fermée, et le temps passa encore plus lentement qu'à son habitude. Sa mâchoire toujours vissée lui permettait à peine un murmure ridicule et elle n'osa pas ajouter au visuel repoussant de son physique un bafouillage de mots inaudibles. Et puisque Adriel était aussi muet qu'elle, elle aurait tout donné pour mourir à cet instant.

Puis un sourire. Le sourire qui l'avait fait craquer à leur première rencontre. Un : « Je te laisse te reposer, je repasserai à la fin de mon service. » Mais surtout, aussi doux que la peau d'un nouveau-né, un baiser frôlé sur ses lèvres.

« Ne le sous-estimez pas, avait dit Melchior. Il peut être fort pour deux si vous ne l'êtes plus pour vous-même. »

*
* *

Dans le couloir de l'hôpital, la silhouette d'Adriel se découpait dans le soleil levant. À la moitié du chemin qui menait aux ascenseurs, il s'arrêta net. Il s'adossa au mur, retrouva son souffle et abandonna aussitôt le costume de bienséance qui lui pesait autant qu'une armure de plomb. Il fondit en larmes et se mit à tambouriner contre le mur. Puis à frapper vraiment, poing après poing, de plus en plus fort, ignorant la douleur et la peau qu'il s'entaillait un peu plus à chaque coup porté.

Ce visage. Pardon. Ce visage… Il n'y arriverait pas.

À sa prise de service, Melchior croisa un jeune homme terrassé par la peine. Mais aussi persécuté par tant d'autres sentiments. Le déni. L'abandon à venir. La fuite qui se préparait.

Il reconnut sans hésitation Adriel, le petit copain qui hantait les couloirs depuis l'accident.

Avait-il accepté ?

Avait-il fait semblant ?

Hôpital des Armées Percy.
Vingt-huitième matin.

Chloé et Jonathan étaient passés plusieurs fois au cours de ces quatre semaines. Les bras chargés de revues, de cigarettes en douce et même, un soir, avec l'accord complice des infirmières, d'un petit rhum arrangé qui avait fait son effet. Ses deux anciens équipiers réussissaient toujours à trouver une excuse plausible pour expliquer l'absence gênante d'Adriel. Une enquête complexe. Une opération à mettre en place dans une cité. Un indic à recadrer. Mais Noémie avait compris depuis longtemps. Probablement depuis le baiser sur les lèvres. Celui qu'elle avait pris pour de l'amour avant de réaliser qu'il n'était qu'un adieu.

Le plâtre sur le nez avait disparu, le pouce de sa main droite avait retrouvé sa mobilité et, après de longues séances de rééducation, elle arrivait maintenant à articuler correctement sans que le son de sa voix lui donne envie de rire, de rester muette pour toujours ou de pleurer. Ne subsistait que le champ de mines de ce visage. Intolérable.

En vingt-huit jours, ses cheveux avaient repoussé d'un bon centimètre et elle était passée de la coupe skinhead à la coupe chimio. Ce qui était désormais sûr, c'est que le coup de feu avait assez abîmé le derme du cuir chevelu pour que, brouillé dans ses informations génétiques, il se mette à faire n'importe quoi. Sur toute la tempe droite, le cheveu repoussait couleur argent. À terme, elle aurait donc ce que l'on appelle une coquetterie. Une mèche blanche qui viendrait trancher comme un coup de pinceau sur sa chevelure rousse.

Elle termina de faire son sac, récupéra deux ou trois choses à la salle de douche et attendit sagement, assise sur son lit, balançant ses jambes dans le vide comme les enfants impatients. Dans la chambre, chacun de ses mouvements était calculé au millimètre près pour éviter la zone du miroir. Elle aurait pu simplement l'enlever, le retourner ou le casser, mais il était la représentation des regards à venir, celui des gens qu'elle allait croiser une fois dehors. Dehors, elle pourrait baisser la tête, tourner le visage, se cacher un peu, mais elle ne pourrait pas demander aux passants de marcher en regardant en l'air, ni crever les yeux de tout le monde. Dommage. Autant s'y faire.

Quand il entra dans sa chambre, Melchior eut un pincement au cœur en la voyant prête à partir. Enfin… « prête », c'était beaucoup dire. Noémie ignorait tout de ce qu'elle allait affronter et il avait l'impression d'abandonner une gamine autiste devant les grilles d'une école publique. Mais comme, prête, Noémie ne le serait jamais réellement, aujourd'hui était un jour comme un autre pour valider son autorisation de sortie.

— Je vous rends votre tablette, lui dit-elle en guise de bonjour. Je n'en ai plus besoin, et j'ai vu tous les films qu'il y a dessus. Que des films français en noir et blanc. Il faudrait que je vous emmène au cinéma, il s'est passé des tas de choses intéressantes après les années 1970.

Melchior s'était habitué à ce parler automatique. Railleries, vulgarités, banalités, comme si le patient n'était pas concerné. À dire vrai, une simple protection de langage qui pourrait passer pour du babillage, mais qui pouvait aussi cacher un trauma profond.

Si Noémie se prétendait d'aplomb, il n'en était rien. Il préféra la prévenir une fois de plus sur l'attitude à adopter face à ses changements de comportement à venir.

— Soyez à l'écoute de vous-même et essayez d'analyser vos réactions. Si elles diffèrent de ce que vous étiez avant, l'accident peut en être la cause. Vous devrez alors les combattre.

— Du genre ?

— Vous verrez bien. Je préfère laisser venir les problèmes plutôt que de les attirer. Il suffit parfois d'évoquer un trouble pour le créer. Notre cerveau sait si bien nous rendre malades.

— Et moi je suis flic, je n'aime pas les surprises. Soyez précis et n'omettez rien.

— Comme bon vous semble, Noémie, capitula le psy.

Il se massa les tempes, le temps de chercher par où commencer, tant les effets secondaires étaient nombreux.

— Prévoyez une certaine agressivité. Parfois pour des choses futiles. À l'inverse, une passivité surprenante face à des événements graves. Dans le même ordre d'idées, anxiété, irritabilité, incapacité à la frustration mais aussi refus du moindre plaisir.

— Je suis devenue un vrai petit bonheur, en somme. Je ne devrais pas rester longtemps célibataire.

— Oui, ça aussi. Un humour grinçant de protection, rebondit Melchior. Ce sont des parades, des défenses du psychisme. Votre personnalité va changer jusque dans sa structure même. Si vous ne reconnaissez pas votre visage, vous risquez aussi d'être surprise par vos réactions, comme si vous étiez une autre. Mais tout cela, ce n'est que votre nouveau vous, avec une majeure partie de la personne que vous avez toujours été.

— J'ai l'impression que ma vie a commencé dans cet hôpital. Je ne me souviens même plus de qui j'étais avant d'avoir cette gueule de viande crue.

Il tiqua sous la violence de l'image. Le désamour de soi était à mettre en haut de la liste des réactions postopératoires, mais il n'en fit pas mention.

— Justement, à propos de vos souvenirs et de votre mémoire... Cette expérience de mort a été traumatisante et votre cerveau a réagi comme un bon soldat, il vous a couverte, mise à l'abri, a tenté d'effacer quelques données perturbantes. Mais ce qu'il tente de cacher est trop puissant. Ce serait essayer de garder un animal sauvage dans une cage en carton. Il y aura des fuites, à un moment ou à un autre. Des pensées intrusives, des flashs, provoqués par un simple son ou une odeur. Avant, pendant et après le coup de feu, il y a eu une hypercaptation mnésique.

— J'allais vous en parler, se moqua Noémie.

— Pardon. Plus simplement, nous nous souvenons tous exactement de ce que nous faisions au moment de l'attentat du 11-Septembre. Notre mémoire a capté le moment et l'a enfermé à jamais. Mais elle a aussi capté des informations parasites. La pièce dans laquelle nous nous trouvions, les gens qui nous accompagnaient, les vêtements que l'on portait, la couleur du ciel ou l'odeur du repas que l'on préparait. Ce sont ces souvenirs parasites qui remontent à la surface et ouvrent la voie au souvenir trauma.

— Ouais, en gros je ne contrôle plus rien, c'est ça ?

— Effectivement, pas grand-chose. Tout du moins au début. Et pour poursuivre dans le domaine de la mémoire, il y a des risques d'hypermnésie, comme se souvenir des moindres détails d'un moment de la journée, mais aussi la possibilité inverse : un défaut d'encodage de la mémoire immédiate qui vous fera oublier les cinq dernières minutes ou les cinq dernières heures.

— De toute façon, je n'avais pas prévu de socialiser les jours prochains. Rester dans mon lit me conviendra parfaitement.

— La nuit ne sera pas plus simple, précisa alors Melchior. Vous pourrez avoir des cauchemars à répétition, des reviviscences de l'incident, des réveils précoces ou encore des insomnies. Si vous avez de la chance, vous pourrez même avoir tout ça en même temps dans la même nuit ! plaisanta-t-il pour alléger l'atmosphère. Mais je vous ai prescrit quelques anxiolytiques à récupérer à votre sortie. C'est juste une béquille, n'en prenez pas l'habitude, on s'y fait vite.

— Et vous avez mis tout ce charabia dans votre rapport ? s'inquiéta Noémie.

— Vous pensez déjà à la reprise ? comprit le psy.

— Je n'ai jamais été que flic. Je ne saurais pas quoi faire d'autre. Et puis être un flic, ça remplit tout.

Melchior leva un sourcil, peu habitué à perdre le fil d'une conversation. Noémie précisa sa pensée.

— Bon, un gros, c'est un gros. On voit que ça. Il est gros. Mais un gros en uniforme, c'est un flic. On ne voit plus que sa fonction. Vous vous souvenez du flic qui a pris votre dernière plainte ? Cherchez pas, vous l'avez oublié. Vous n'avez vu que ce qu'il représentait.

— Et vous pensez qu'on oubliera qui vous êtes, cachée sous votre pare-balles ?

— Exactement. Planquée derrière une fonction, un grade, une autorité, un pouvoir, un flingue, je ne suis plus une femme, encore moins défigurée. Je suis flic, tout simplement. C'est pour cette raison que je m'inquiète de votre rapport.

L'avant-veille le psychiatre, dans le calme de son appartement parisien, son ordinateur allumé comme seule lumière ambiante, avait commencé par écrire le nom de la patiente. Noémie Chastain. Puis il avait bu un armagnac, fumé une cigarette et avait recommencé l'opération une paire de fois avant d'abandonner devant la page presque blanche.

— Mon rapport ne parlera que d'une convalescence obligatoire à domicile de trente jours, improvisa-t-il. Si je vous prive de votre métier, j'ai peur de faire plus de dégâts qu'autre chose. Le reste est à voir avec votre propre hiérarchie. Malgré tout, je vous contrains à une séance psy par semaine.

— Avec vous ?

— Vous me vexeriez. Bien sûr, avec moi.

La policière sembla franchement rassurée, ce qui provoqua un brin de fierté chez le docteur.

— Sinon, ça y est ? Vous avez terminé ? J'ai l'impression d'être un chaperon rouge coaché par sa maman avant de traverser la forêt. Vous voulez que je reste quelques jours de plus, c'est ça ? Vous tomberiez pas amoureux, Melchior ?

— Je m'en voudrais de vous séparer plus long-temps de votre chat. D'ailleurs, vous ne m'avez jamais dit comment vous l'aviez appelé…

— Je n'en ai aucune idée, répondit-elle sincère-ment.

Noémie resta dans le hall de l'hôpital, cage de Faraday la protégeant encore des foudres du monde extérieur, Melchior auprès d'elle. Sur son bagage, l'étiquette autocollante d'identification portait encore ses nom, prénom et adresse, souvenirs de son dernier voyage avec Adriel. Bali, Indonésie, le bracelet de corde bleue à son poignet qu'elle en avait rapporté en souvenir et qu'elle avait déjà ôté depuis quelques jours.

Peinée par ce joli souvenir désormais gâché vu l'attitude de son compagnon, elle arracha l'autocollant, qui se déchira, ne laissant sur le bagage qu'un petit morceau du papier adhésif sur lequel résistait une minuscule partie de son identité, tranchant son prénom en deux : No.

Noémie était morte d'un coup de feu dans cet appartement de banlieue et, aujourd'hui, No regardait par la baie vitrée de l'hôpital la foule des vivants.

— Si c'est la rue et le métro qui vous font peur, je vous ai commandé un taxi, la rassura Melchior.

Elle hésita. À partir. À le prendre dans ses bras.

— Je ne sais pas comment vous remercier pour tout ce que vous avez fait pour moi, doc.

— Nous avons à peine commencé notre travail, soldat.

*
* *

Paris défila sous ses yeux. Tumultueux et grouillant. Elle se sentit étrangère à cette ville dont elle connaissait pourtant toutes les rues par cœur. Intimidée et déboussolée comme on l'est à la sortie des aéroports, face à une nouvelle capitale, un nouveau pays.

Le chauffeur la déposa au pied d'un immeuble modeste de quatre étages dans un quartier calme. Pas une seule fois, au cours du trajet, il n'avait jeté un coup d'œil à sa cliente dans le rétroviseur.

Noémie apprécia son indifférence.

Devant le hall d'entrée, elle salua son chat, noir et immobile sous l'interphone, figé à jamais à la naissance du mur, là où deux ans auparavant, un artiste de rue l'avait dessiné à la bombe. Aucun des locataires ne s'en était plaint et personne ne s'était résolu à le recouvrir d'une couche de peinture blanche.

Un matou sans touffe de poils sur le canapé, sans litière malodorante et sans miaulements intéressés. Le chat parfait. Son chat.

Porte d'appartement claquée derrière elle, elle découvrit son studio exactement comme elle l'avait laissé, vingt-huit matins plus tôt, sans imaginer un instant le temps qu'elle mettrait à le retrouver. Quelques fringues jetées au hasard de sa fainéantise, un évier à moitié plein de vaisselle et un ficus rabougri, crevé.

43

Un appartement de célibataire qu'elle s'apprêtait pourtant à quitter avant l'accident, pour s'installer avec Adriel. De lui ne restait plus maintenant qu'un tee-shirt oublié sur un lit défait.

Elle hésitait à le plier ou à le jeter quand on sonna à la porte d'entrée. Noémie reconnut sa voisine sans même avoir à ouvrir. Mme Mersier. Elle ne s'annonçait jamais d'un seul coup de sonnette mais laissait son doigt noueux appuyé dessus comme si elle s'y endormait. Vieille chouette.

— Vous étiez où, tout ce temps ? chevrota l'aïeule de quatre-vingt-huit ans.

— Je me suis pris une décharge de fusil de chasse en pleine gueule. J'ai passé un mois au garage.

L'octogénaire à moitié aveugle tendit davantage l'oreille.

— Vous dites ?

— Je disais que j'étais partie en vacances. En VACANCES ! cria presque Noémie avant de lui refermer la porte au nez.

De nouveau seule, elle regretta que le monde ne fût pas fait de chauffeurs de taxi indifférents et de vieilles bigleuses sourdingues.

Elle entreprit de ranger entièrement son studio mais négocia trop largement le virage entre le salon et la salle de bains, où un miroir en pied l'attendait en embuscade. Elle tomba nez à nez avec elle-même. Blessures et sutures. Cicatrices et putain de constellation du Capricorne. Soudain, l'envie de ranger et de nettoyer son intérieur lui sembla dérisoire.

Elle s'ouvrit une bière et avala un anxiolytique, exactement comme le lui avait déconseillé Melchior.

D'ici à quinze minutes, elle prendrait un second cachet afin d'achever de s'abrutir et de supporter dignement, écrasée dans son canapé et entortillée dans une couette, le premier après-midi de sa nouvelle vie de merde.

Bureau du directeur central de la Police judiciaire (DCPJ).

Au dernier étage du Bastion, le nouveau 36, quai des Orfèvres depuis 2017, le directeur de la PJ avait convoqué le commissaire en charge des quatre groupes Stups, dont celui de Noémie Chastain, qu'Adriel commandait depuis le drame. Convié à cette réunion, était assis à son côté le psychiatre du service de soutien psychologique opérationnel. Invité pour la première fois à monter si haut dans les étages, il s'offrait le temps d'apprécier ce bureau de direction, qu'entourait une terrasse en métal et bois brut parsemée de massifs d'arbustes résistants et surplombant ce que Paris avait de moins joli à présenter. Du béton et des tours, du gris et de la fumée lourde de pots d'échappement, à quelques mètres seulement de la boucle du périphérique.

— Chastain veut reprendre les rênes de son équipe, annonça le chef des groupes Stups, visiblement contrarié.

— Ça fait déjà trente jours qu'elle est sortie de l'hôpital ? s'étonna le directeur.

— Non. Vingt-sept. Mais vingt-sept ou quarante-deux, ça ne change rien, il paraît qu'on ne peut même pas poser les yeux dessus.

— Ce n'est pas ça qui m'inquiète. Un chien qui se prend un coup de pompe dans l'arrière-train mettra du temps à se laisser caresser de nouveau. Un flic qui se retrouve dans une opération qui dérape salement se met à douter du pouvoir de son flingue et de son propre groupe. Mais vous avez raison de parler de son physique, parce que son visage, ce n'est pas elle qui le voit, c'est nous. Ce sera un rappel constant du danger de notre métier et du fait qu'une équipe n'a pas réussi à protéger son officier. Ses blessures vont instiller la peur et la culpabilité, c'est pas bon. Pas bon du tout.

— Je suis ravi que nous soyons sur la même ligne. Donc on est d'accord, on lui trouve un petit groupe tranquille à la Financière ou en gestion administrative, mais elle ne remet pas les pieds aux Stups.

— Et la Crime ? proposa le patron. Elle y a fait six ans, tout de même.

— Ce n'est pas une histoire de service. Ils vous joueront la même mélodie, à la Crime. Personne n'en veut, il faut la dégager.

Le psy abandonna sa contemplation de la terrasse pour entrer enfin dans la conversation.

— Et vous comptez procéder de quelle manière ? Vous avez lu comme moi le rapport du médecin chef Melchior ?

— Écoutez, s'énerva le directeur de la PJ, c'est vous le psy police, pas ce Melchior, non ? Vos conclusions auront autant de poids que les siennes.

— C'est quand même une sommité en psychiatrie réparatrice des gueules cassées. Perso, je m'y opposerai pas. J'aurais l'air de quoi ? S'il dit qu'elle est prête, je ne dirai rien de différent.

Le silence qui s'était abattu dans le bureau refléta l'emmerdement général.

— Vous n'avez pas un moyen détourné ? tenta le psy.

— Aucun. À moins qu'elle rate son tir de reprise. Mais on parle quand même du capitaine Chastain. Je doute qu'elle mette ne serait-ce qu'une cartouche hors cible.

— Sans compter les vingt-cinq kilos de cocaïne pure qu'on a trouvés chez Sohan Bizien, le dealer. Coupée et revendue au gramme, on frôle les neuf millions d'euros. Vous avez conscience qu'on parle d'une héroïne de la Police nationale ?

Le directeur du Bastion baissa la tête et capitula.

— On attend la fin des trente jours prévus, elle passe un contrôle médical de reprise et on la met sur le stand de tir. Nous verrons bien.

*
* *

Lorsque Noémie reçut le coup de fil de son commissaire, à 18 heures le jour même, elle tenta de contenir son excitation afin que sa voix ne la trahisse pas.

— Même si votre reprise officielle est dans trois jours, vous savez que vous pouvez prendre plus de temps, tenta une dernière fois son supérieur.

— Non. Je vous assure. Je suis prête.

Assise en tailleur sur son canapé, ses cheveux désormais en coupe garçonne, entourée d'un mois d'emballages graisseux de nourriture livrée à domicile, rideaux tirés, cendrier plein et bouteilles vides, télévision en fond sonore, alternant depuis un mois entre trois tee-shirts empreints de sommeil et de renfermé, Noémie donnait l'impression d'une ermite crasseuse en dépression profonde.

— Ouais, je suis carrément prête.

Trois jours plus tard.

« C'est juste un jour de reprise », se dit-elle en s'essuyant la bouche au-dessus de ses toilettes, l'estomac retourné par le stress intense.

Une fois dans la salle de bains, elle crut naïvement aux pouvoirs magiques du maquillage, comme certaines ados se recouvrent vainement le visage de fond de teint pour cacher leurs traces d'acné.

L'application en couches épaisses de poudre et de crème sur sa balafre circulaire et sur les impacts de plomb relevait plus du ravalement de façade d'un vieil immeuble que du soin esthétique et elle préféra effacer le tout à l'eau et au savon.

Elle passa un manteau trois-quarts en tissu noir sur un pantalon droit et un pull moulant bleu nuit, attrapa son sac à dos, vissa une casquette sur sa tête et se lança vers l'extérieur comme on saute en parachute.

Chance incroyable, la capitale était entièrement vide. De sa rue à l'avenue, de l'avenue au métro, pas âme qui vive. Deux millions de Parisiens envolés, kidnappés, disparus. C'est en tout cas ce qu'elle décida en faisant le trajet, tête baissée, les yeux rivés sur le bitume, espérant se rendre ainsi invisible.

Machinalement, elle laissa la mémoire de ses habitudes la guider dans les couloirs du métropolitain, frôla quelques silhouettes anonymes, bouscula par mégarde un costume-cravate pressé et ordurier, monta dans un wagon, laissa passer cinq stations pour changer à Miromesnil, longea d'autres couloirs, remonta dans un autre wagon, sortit à l'air libre, marcha, composa le code, regarda son chat, monta trois étages et se retrouva face à la porte de son appartement.

Elle réprima un léger accès de panique et se remémora les avertissements de Melchior. Étourderies, confusions et défauts d'encodage de la mémoire. « Tout cela est normal », se mentit-elle. Tout allait s'arranger avec le temps. Elle refit alors le trajet, avec un peu plus d'attention et sans revenir sur ses pas.

*
* *

Face au Bastion de la Police judiciaire, l'option tête baissée n'en était plus une. Se cacher ne prouverait qu'une seule chose, qu'elle n'était pas prête. Elle devait être, aujourd'hui, plus sûre d'elle que jamais, mais avec l'inconvénient conjugué de mains moites, de jambes en coton et d'une gueule rafistolée qu'elle imposait à tous.

Elle salua l'hôtesse d'accueil, qu'elle laissa bouche bée encore quelques secondes après qu'elle l'eut dépassée, et atteignit la double rangée d'ascenseurs. Noémie se laissa transporter jusqu'au quatrième étage, son souffle s'accélérant mètre après mètre. La fameuse loi de l'emmerdement maximum aurait imposé qu'Adriel se trouvât devant les portes à leur ouverture, mais il n'en fut rien. Elle prit alors le long couloir qui la menait vers son bureau.

Meurtres violents, scènes de crime sanglantes, sans oublier les autopsies de cadavres de tous âges et en tous états : de par leur quotidien, les flics sont difficilement impressionnables. Pourtant, chez tous ceux qui la croisaient en lui souhaitant d'un mot chaleureux un bon retour, elle nota le même léger tressaillement. Une fraction de fraction de seconde, mais suffisante pour que Noémie, à l'affût de chaque réaction, le décèle. Un presque rien qui, traduit en mots, aurait donné : « On m'avait prévenu, mais tout de même... »

Elle poussa la porte portant son nom.

Brigade des Stups – Groupe Chastain.

Là, sans retenue aucune, Chloé lui sauta dans les bras. Elle portait, probablement pour l'exorciser, le même sweat rose épais « Unicorn Police Department » que le jour du drame et qui était resté orphelin pendant deux mois au fond de sa penderie. Deux sœurs n'auraient pas été plus démonstratives.

— J'suis heureuse, mais j'suis heureuse ! répétait Chloé en boucle, ponctuant chaque exclamation de baisers bruyants. Tu m'as manqué tous les jours.

Jonathan préféra lui tendre la main, mais les nombreuses visites à l'hôpital et son plaisir à voir son officier enfin debout et opérationnel transformèrent cet accueil protocolaire en accolade sincère. Et sincèrement partagée.

Vint le tour d'Adriel. Regard fuyant, par en dessous, comme un chien qui aurait éparpillé le contenu d'une poubelle dans tout un appartement. Mais, alors que Noémie avait eu pour tous les autres tendance à présenter son profil gauche, elle éprouva le besoin de lui imposer ce qu'elle avait de pire à offrir, et en retira un certain plaisir.

« Tiens. Prends-toi tout en pleine gueule. Ce que tu ne veux pas regarder. Ce que tu ne peux pas supporter. Ce que je suis aujourd'hui. »

Face à cet homme qui l'avait quittée sans le lui dire, juste parce qu'elle était devenue No et plus Noémie, elle devait décider qui elle serait : une victime ou une battante.

Noémie aurait accepté qu'il n'y arrive pas. Personne n'est forcé d'aimer un monstre. Mais elle méritait au moins sa franchise, et pas d'être ignorée cruellement pendant soixante jours, au moment où elle avait le plus besoin de lui.

Elle observa sur ses collègues les gilets pare-balles enfilés et les armes déjà enfoncées dans les étuis de ceinture.

— Vous partiez ?

— Oui, confirma Adriel un peu trop précipitamment. Une surveillance en banlieue avec un groupe du SDPJ 93. Mais t'es attendue au stand de tir. Tir de reprise obligatoire. Tu ne reprendras le commandement du groupe que demain. Ordres du commissaire.

Il s'apprêtait à quitter la pièce et Noémie en profita pour ne pas bouger d'un centimètre, postée juste devant la porte.

— Et toi ? Tu me dis pas que je t'ai manqué ?

— Si, si bien sûr, bafouilla Adriel. Tu as manqué à tout le monde, évidemment.

— Évidemment.

*
* *

Dans l'ascenseur qui menait l'équipe au parking, Adriel restait sombre et renfermé.

— T'es un connard, souffla Chloé à son attention.

Silence. Grincements de câbles.

— Sentiment partagé, ajouta Jonathan.

*
* *

Dans le bureau du groupe Stups, la courageuse No, celle qui avait affronté avec un panache exagéré celui qu'elle aimait peut-être encore un peu fondit en larmes, incapable de contrôler les spasmes qui lui soulevaient le cœur.

— 12 —

Bastion de la Police judiciaire.
Stand de tir.

— OK, déclara le moniteur. Place-toi sur le pas de tir. Arme en sécurité. Insère un chargeur de quinze et mets-toi à cinq mètres pour un tir de contact de cinq cartouches.

Dix minutes plus tôt, elle avait ouvert la mallette contenant son pistolet Sig-Sauer spécial police et avait regardé son arme comme si c'était un gros scorpion en métal noir prêt à la piquer. Elle dissimula le léger tremblement de sa main, se concentra et joua le reste de la scène presque en apnée.

— Tireur prêt ?

Noémie, figée, l'arme levée devant elle et pointant la cible en papier, ne répondit rien.

— Noémie ?

L'arme tout comme celle qui la tenait restèrent silencieuses. Puis le tremblement recommença, plus fort, incapacitant. Le moniteur mit immédiatement fin à la séance avant que le pistolet lui tombe des mains.

— OK, Noémie. Tu bouges pas, je vais reprendre ton arme.

Il posa sa main sur la sienne avec la prudence d'un démineur.

— Desserre tes doigts. Voilà. Calmement.

Une fois libérée, Noémie put enfin remplir ses poumons d'air. Sans un mot, le moniteur ôta le chargeur et mit l'arme en sécurité en extrayant la cartouche chambrée. Des gestes mécaniques qui lui permirent de réfléchir à la situation.

— Je sais ce que c'est qu'un flic désarmé, avoua-t-il. C'est rien de moins qu'une castration. Je l'ai été moi aussi, après une dépression. Mais mon job, c'est aussi ta sécurité, et celle de ton équipe.

— Tu vas me recaler ? s'inquiéta Noémie.

— Si je le fais, je serai obligé d'évoquer tes tremblements et tu seras bonne pour une interdiction de terrain et une série de conversations avec le psy police. Tu t'es fait tirer dessus et t'as juste besoin de temps. De te réapproprier ton arme. Certainement pas d'un psy qui ne connaît rien à notre métier.

D'un haussement de sourcil interrogatif, Noémie l'invita à proposer sa solution.

— On va passer un deal, juste toi et moi. Tu reviendras demain, et après-demain et autant de jours qu'il faudra pour que ton Sig tienne droit dans ta paluche. En attendant, je valide ta séance, mais tu me promets de rester au bureau. Pas de terrain avant que tu en colles au moins cinq pleine tête, avec la même précision que le lascar qui t'a refait le portrait.

Les pieds dans le plat et sans délicatesse aucune, le moniteur n'imagina pas une seconde le bien qu'il avait fait à Noémie. Il lui avait parlé sans égard particulier ni condescendance, comme on s'adresse à n'importe qui. Elle était n'importe qui. Normale en somme.

*
* *

De retour de sa mission dans le 93, Adriel fit un détour par le stand de tir. Il s'enquit des résultats de sa cheffe de groupe d'un ton faussement détaché. Le moniteur, pour qui chaque membre d'une équipe doit soutenir l'autre, n'y vit pas de piège et raconta dans le détail la séance.

— On s'est entendus. Elle te racontera. T'as une chance incroyable de bosser avec elle.

— Ouais, confirma Adriel. Une chance incroyable.

13

Noémie passa près d'une heure devant le miroir de sa salle de bains, visage tourné vers la droite, ne se laissant voir que le profil qu'elle supportait. Elle se berçait d'une illusion régressive. Qu'importe, elle était si jolie ainsi…

Son téléphone vibra sur la table de la cuisine, la sortant de sa rêverie. À l'autre bout du combiné, elle fut convoquée par le directeur de la PJ.

Dans une heure au service.

Sans autre information.

Sur le chemin, Melchior se rappela à son bon souvenir d'un message texte laconique : « Bonjour, soldat. Demain matin, première séance ensemble ? » Elle lui répondit dans l'ascenseur qui la menait au dernier étage du Bastion, puis se présenta au secrétariat avant de toquer à la porte du patron.

— On vous aime bien, ici, lui dit-il en l'invitant d'un geste à s'asseoir.

L'assertion était rhétorique et Noémie attendit la suite, incertaine.

— Toujours est-il que mon job n'est pas d'aimer mes effectifs, mais de les faire travailler, poursuivit-il.

Et visiblement, vous n'êtes pas encore totalement remise. Votre tir de reprise semble avoir été plus que décevant. Inquiétant, dirais-je.

En prononçant ces paroles, ses doigts pianotèrent une mélodie sur un document posé au centre de son bureau, attirant le regard de Noémie. Et ce qu'elle vit la consterna.

Le directeur central n'avait pas encore levé les yeux vers elle et elle se demanda s'il réussirait à l'éviter ainsi bien longtemps.

— Je crois que vous avez besoin de repos. De campagne.

Il craignait depuis son retour qu'elle ne mette le moral des troupes à zéro, qu'elle leur rappelle la vulnérabilité de chacun, qu'elle aspire leur courage comme un vampire le sang. Et le rapport qu'il avait reçu ce matin, posé au centre de son bureau, avait été un cadeau du ciel.

— La campagne ? répéta Noémie en haussant involontairement le ton. Vous pouvez me désarmer un temps, certainement pas me mettre à pied.

Se sentant en terrain miné, le patron adoucit ses propos.

— Qui vous parle de telles mesures ? Allons. J'évoque avec vous une simple convalescence. Mais une convalescence utile. Vous connaissez Decazeville ?

Elle eut envie de lui enfoncer son Decazeville au fond de la gorge, où que se trouve ce foutu village.

— J'ai vu avec les ressources humaines, nous avons besoin d'un effectif de confiance sur place, pour une mission d'une durée d'un mois.

— Et on fait quoi en un mois ? s'étonna Noémie.

— On ferme un commissariat. Vous n'enquêterez pas, vous ferez le moins de terrain possible, vous ne vous mettrez pas en danger et mettrez encore moins en danger vos collègues. Allez là-bas, regardez-les bosser, faites un point de l'activité criminelle et dites-nous si leur service doit fermer ou non. On est en pleines restrictions budgétaires au ministère, et puisqu'il y a aussi une gendarmerie sur place, l'Intérieur aimerait qu'elle prenne la main. Alors est-ce le village le plus tranquille de France ou sont-ce les flics les plus incompétents du pays ? Ce sera à vous de nous le dire.

— Et ensuite ?

— Ensuite ? Vous revenez à la maison, requinquée, prête à reprendre votre groupe.

Son mensonge ne le gêna pas outre mesure. Il était persuadé qu'en un mois il réussirait à intriguer pour la faire dégager dans un service uniquement administratif, le plus loin possible de sa vue.

— Et si je refuse ?

— Pourquoi le feriez-vous ? Je vous propose une solution à un problème qui pourrait en attirer d'autres. Vous pouvez aussi aller tempêter à votre syndicat, devenir un grain de sable gênant pour le Bastion, commencer un long combat de contestation. Tout ça vous prendra au bas mot une bonne année et vous créera nombre d'ennemis. Et ceux qui resteront vous fuiront afin d'éviter les emmerdes par capillarité. Alors ? Un an de conflits ? Un mois de chlorophylle et d'oxygène ? On fait quoi ?

Noémie se leva, furieuse, arracha de la table le rapport qui portait au bas de la page la signature qu'elle aurait reconnue entre mille, celle d'Adriel, et claqua la porte du patron de la PJ comme personne ne l'avait jamais fait auparavant.

Sa colère se décupla au fur et à mesure qu'elle approchait de son bureau et, lorsqu'elle ouvrit la porte, prête à exploser, la présence de collègues étrangers à son groupe ne la gêna même pas. L'un d'eux se présenta à elle, main tendue cordialement.

— Salut. Capitaine Ronan Scaglia du SDPJ 93. On collabore avec ton second sur une affaire de…

Noémie l'interrompit sans manières.

— Plus tard. Le SDPJ dehors. Réunion de groupe.

Les flics de Seine-Saint-Denis n'ignoraient pas ce qu'était une remontée de bretelles et aussi qu'elle se faisait en privé. Ils quittèrent le bureau sans se faire prier.

Maintenant seule avec son groupe, Noémie jeta le rapport au visage d'Adriel. Chloé et Jonathan baissèrent les yeux en serrant les dents, visiblement au courant, et visiblement opposés à la décision prise.

— Pourquoi ? hurla Noémie. Parce que t'es incapable de plaquer une infirme ? Tu t'aimerais moins, c'est ça ? Ou t'as juste pas les couilles ?

— C'est temporaire, tenta Adriel.

— Temporaire, mon cul, fils de pute ! Tu sais ce qui va se passer ? On va me foutre dans un placard dès mon retour. Tu leur offres juste un délai pour qu'ils construisent un motif bien solide, histoire que je m'échappe pas. Putain, je te péterais bien la gueule !

Adriel n'en doutait pas. Il ne doutait pas non plus qu'elle pourrait même avoir le dessus, enragée comme elle l'était.

Elle claqua violemment la porte pour la seconde fois de la journée, laissant derrière elle une équipe désormais explosée. Adriel, honteux, tenta de reprendre comme il put les rênes du groupe.

— Bon, rappelez le SDPJ 93. Et pas la peine de revenir sur ce qui vient de se passer.

— T'inquiète, chef, rétorqua Chloé avec un faux respect. On tient pas à être assimilés à ta lâcheté. Fils de pute.

14

La nuit ne fut qu'une succession de brefs endor-
missements et de réveils en panique. Et dès qu'elle
sombrait dans le sommeil, survenait toujours le même
rêve.

Un long tunnel descendant, plus noir que l'encre,
presque vertigineux. Incapable de reculer, elle sent
des mains puissantes la pousser vers l'avant, vers les
ténèbres. Un pas-à-pas incertain dans l'invisible. Puis
au loin, un miaulement rassurant, son chat de peinture
venu à la vie.

Ses pattes ne reposent sur aucun sol. Il flotte. Ses
yeux d'ambre jaune s'allument, crèvent l'obscurité
de leur luminosité éclatante, aussi puissants que deux
phares qui lui montrent un chemin qu'elle n'ose pas
prendre. Elle veut reculer mais le chat feule, bondit et
la griffe au visage.

*
* *

Au matin, elle passa un large pantalon de lin blanc
et un tee-shirt distendu avant d'appeler Melchior.

Son ordinateur ouvert sur son lit chercha la connexion alors qu'elle remontait les draps sur ses jambes croisées, un café brûlant entre les mains. Le psy apparut à l'écran.

Elle lui raconta sa reprise, sans omettre aucune des déceptions successives qui avaient jalonné sa journée. Et comme Melchior ne voulait que son bien, il n'abonda pas forcément en son sens.

— Je comprends votre déception, mais je n'arrive pas à voir cela comme une mauvaise nouvelle. Vos collègues connaissent Noémie et pas cette No, comme vous vous appelez vous-même aujourd'hui. Peut-être aurez-vous plus de facilité à vous retrouver avec des gens qui vous sont inconnus ? Si je me faisais l'avocat du diable, je vous dirais que votre simple présence, plus encore que vos blessures, impose à vos équipiers de revivre cet événement traumatisant, cette confrontation avec la mort, cette fracture inoubliable. Une parenthèse serait probablement bénéfique pour eux. Et pour vous aussi.

Noémie s'assombrit, réalisant que ses cicatrices appartenaient désormais à tout le monde. Le psy la rassura.

— Quelque chose d'insidieux s'est installé depuis cet accident, comme un passager clandestin, un étranger dans votre maison. Quand vous accepterez le fait que cet autre n'est qu'une partie de vous, vous serez près d'être complète à nouveau. Mais ça va prendre du temps, vous êtes en plein bouleversement psychique.

Elle lui raconta alors le chat aux yeux de phare.

— Intéressant. L'étude des rêves est une porte vers votre inconscient. Dans les songes, les personnages que vous créez ne sont souvent qu'une variante de vous-même. Ce chat qui essaie de vous montrer la sortie du tunnel, il n'est autre que vous qui tentez de vous échapper. Freud parle des rêves comme d'un accomplissement des désirs. En fait, je crois que vous avez déjà accepté ce job. Il y a une guerre qui se joue dans votre moi le plus profond. On appelle cela le *defusing*. Le terme français serait « reconnexion ». Le calme de la campagne me paraît plus approprié que la frénésie de la ville pour mener ce combat. La mission est sans danger, qui plus est, et j'avoue que cela me rassure.

— Ils n'imaginent pas un instant l'officier qu'ils vont recevoir. J'insulte quasiment tout le monde, quand je ne leur saute pas à la gorge. De mon patron jusqu'à Adriel, je n'ai épargné personne.

Melchior visualisa sa protégée, grenade dégoupillée dans le bureau du directeur central, et s'en amusa.

— Répétez continuellement à un enfant qu'il ne fait que des bêtises et il les multipliera. Répétez-lui qu'il n'est qu'un idiot et il le deviendra. Tout simplement parce que nous n'aimons pas décevoir. Ces hommes contre qui vous vous énervez, votre commissaire et Adriel, sont exactement ceux qui vous renvoient votre image brisée. Ils ne vous acceptent pas physiquement, alors vous enfoncez le clou, vous devenez vulgaire et violente. Vous verbalisez leur répulsion, vous les confortez dans ce qu'ils pensent. Vous cherchez à être aussi cassante que votre visage est cassé. Pour ne pas décevoir.

Melchior ajusta l'inclinaison de son écran pour jouer avec la luminosité.

— Vous voulez bien arrêter de vous cacher s'il vous plaît ? Je ne vois que la moitié de votre visage.

Gênée, Noémie passa de profil à face comme on se dénude. Le psy la détailla avec attention.

— Je vous dirais bien qu'il n'y a rien de repoussant dans ce que je vois, mais vous n'êtes pas prête à l'entendre.

Sur les lèvres de Noémie, un léger sourire naquit aussi vite qu'il mourut...

— Et, concernant vos nuits, si vous les souhaitez plus calmes, je peux vous prescrire de la Loxapine, mais elle risque d'endiguer vos rêves. Il serait plus enrichissant d'écouter ce qu'ils ont à nous raconter. Patientons un peu et nous ferons un point lorsque vous serez à... Pardon, mais on vous envoie où déjà ?

— Decazeville, dans l'Aveyron.

— L'Aveyron ? Ah oui. Quand même.

15

Chloé referma le coffre de sa voiture, chargée des deux sacs de voyage de Noémie, et s'adossa à la carrosserie. Dans l'immeuble en face, quatre étages plus haut, No s'apprêtait à quitter son appartement. Dans un mois, elle serait de retour, se rassura-t-elle. Aurait-elle changé ? Irait-elle vraiment mieux ?

Elle gribouilla pour elle-même un message au rouge à lèvres sur son miroir : « Alors ? Tu t'aimes ? » Elle y répondrait dans trente jours. Elle rangea le rouge dans sa trousse de maquillage, hésita à la prendre avant de l'abandonner, ouverte, dans le lavabo. Deux tours de clé et un demi-tour impossible plus tard, elle sonna une bonne dizaine de fois chez sa voisine avant que la vieille chouette l'entende enfin.

— Bonjour, madame Mersier, je voulais juste vous dire que vous ne me verrez pas pendant quelque temps. Je vous ai noté mon numéro de téléphone, je vous laisse les clés de ma boîte aux lettres et des enveloppes timbrées. Si vous pouviez faire suivre mon courrier, ce serait vraiment sympa. Je vous donnerai l'adresse quand je la connaîtrai.

— Avec plaisir, ma petite Julie, assura la vieille.

Décidément, Noémie ne laissait pas grand-chose derrière elle. Pas impossible que son courrier atterrisse en Norvège, mais c'était un risque à prendre puisqu'elle ne connaissait personne d'autre dans l'immeuble.

Noémie balança son sac fourre-tout sur la banquette arrière et prit place au côté de Chloé.

— Quelle gare ?

— Austerlitz.

Noémie regarda une dernière fois le mur beige sur lequel, posté comme à son habitude, son chat avait observé son départ.

— De toute façon, je sais que tu vas me suivre, lui dit-elle.

DEUXIÈME PARTIE

En pleine campagne

16

Gare de Viviez – Decazeville
Aveyron.

Seules deux autres personnes descendirent du train. Après sept heures de voyage, Noémie quitta enfin le tortillard qui avait fait mille détours pour desservir des villages dont elle n'avait jusque-là jamais entendu le nom. Et dont elle ne se souviendrait certainement jamais. Il faut dire qu'entre Laroque-Bouillac, Boisse-Penchot et Lacapelle-Marival, il fallait avoir de la mémoire ou y être tombé en panne.

Plus de quartiers d'immeubles frôlant les nuages, mais des forêts et des champs parsemés de corps de ferme. Plus de larges avenues mais des rues sinueuses se transformant parfois en chemins de terre pour atteindre des maisons isolées. Ballots de paille, tracteurs et chevaux, Paris avait définitivement disparu. Pourtant, l'arrêt de Viviez-Decazeville n'avait pas l'aspect bucolique des arrêts précédents.

Elle se retrouva seule devant la gare, sur un parking noyé de soleil. Face à elle, un restaurant désert subtilement nommé « La Gare ». Dans son dos, des collines lépreuses au pelage de verdure rase, épuisées par plus d'un siècle de pollution aux métaux lourds issus de la fabrication du zinc, avec à leur pied des centaines de mètres d'entrepôts en tôle grise. Pas loin, une usine désaffectée sur un bon millier de mètres carrés, labyrinthe de tuyaux métalliques rouillés et entrelacs de vieux tapis roulants, immobiles depuis les années 1960.

Une voix plutôt avenante se fit entendre derrière elle.

— Faut pas vous arrêter à ce que vous voyez, capitaine.

Et c'est lorsque Noémie se tourna vers lui que le jeune lieutenant local, dépêché pour l'accueillir, découvrit le visage de son nouvel officier.

— C'est mot pour mot ce que j'allais vous dire, répondit-elle.

Affirmer qu'il n'avait pas eu le recul habituel serait faux. Pourtant, sans effort visible, il sembla passer outre rapidement.

— Je voulais dire qu'il y a de plus jolies choses quand on connaît un peu la région. En fait, il suffit de quitter cette gare. Même moi, elle pourrait me déprimer.

Puis il lui tendit la main.

— Lieutenant Romain Valant. Mes respects.

— Capitaine Noémie Chastain.

Il devait avoir trente-cinq ans à peine, des cheveux blonds en bataille et une vraie tête de gentil garçon, souriant, comme si la bonne humeur était chez lui un état naturel.

— J'ai un oncle qui s'est pris un coup de grisou dans un boyau de la mine d'Aubin. Il avait à peine vingt ans à l'époque. Franchement, vous lui arrivez pas à la cheville.

— Alors, regardez une bonne fois pour toutes, ça devrait assouvir votre curiosité et on pourra passer à la suite.

Elle se trouva aussitôt un peu sèche et s'en voulut de ce froid premier contact, mais il en fallait apparemment bien plus pour égratigner la gaieté constante du lieutenant Valant. Il répondit avec une franchise déconcertante :

— Bon, si vous le proposez, je veux bien.

Noémie se sentit alors mal à l'aise face à cet inconnu qui la scrutait cicatrice après cicatrice, son fichu sourire collé aux lèvres, comme si rien de grave n'existait.

— Ouais, je confirme, mon oncle c'était quand même autre chose.

Puis il changea de sujet comme on tourne une page de magazine.

— Je vous emmène à votre maison. Enfin, si elle vous plaît, ce sera votre maison. On peut aussi trouver différent, ailleurs. C'est à neuf kilomètres d'ici, au village d'Avalone. Moi, je dis que vous y serez bien. Avalone, c'est beau. Attendez, je prends vos bagages.

Dans son van familial, le lieutenant Valant cala les bagages de Noémie à l'arrière, à côté d'un siège bébé. Malgré son excitation contenue, il donnait l'impression d'une bouilloire sifflante. D'une question, Noémie lui permit de relâcher la pression.

— Vous me faites un point ? J'ai pas vraiment eu le temps de réviser avant de venir.

Et il n'en fallut pas plus.

— Oh, ça va vous changer, vous savez. Le commissariat de Decazeville est en charge des cinq communes qui l'entourent. Aubin, Cransac, Firmi, Viviez et Avalone, là où vous résiderez. Une superficie totale à peu près égale à Paris, mais pour moins de quinze mille habitants, quand vous êtes plus de deux millions sur la capitale. C'est vous dire si on a de l'espace. Cent placements en garde à vue par an alors que la moindre commune du 93 en fait plus de mille cinq cents. C'est vous dire si on a du temps. Et quarante-huit policiers pour gérer tout ça. C'est vous dire si on est assez nombreux. Le dernier homicide remonte à cinq ans. Ouais, ça va vous changer.

Valant avait, sans le savoir, confirmé toutes les craintes du ministère sur l'utilité réelle de son commissariat. Et l'ingénuité touchante avec laquelle il avait déballé à Noémie une grande partie de ce qu'elle était venue découvrir confirma, à son tour, que personne n'était au courant de sa mission. Sans plaisir, elle réalisa soudain qu'elle allait passer les prochaines semaines à mentir à tous ceux qui l'entouraient. Il ne faudrait pas s'attacher.

— Et niveau officiers ? demanda-t-elle.

— Nous n'avons pas de commissaire, c'est un commandant qui dirige le service. Donc, avec lui, moi et vous, on est trois. Mais un officier avec votre carrière, six années à la Crime du 36 et huit aux Stups, ça, on n'avait pas. Je vous avoue qu'on est pas mal fiers de vous voir dans notre commissariat. Nous qui pensions être sur la sellette, on nous envoie

74

un effectif supplémentaire, et pas n'importe lequel. C'est vraiment de bon augure et ça rassure tout le monde.

— Vous semblez tout savoir de moi, éluda Noémie, de plus en plus mal.

— Exact. Je savais aussi pour votre visage, ça a fait du bruit dans la profession. Mais, comme je vous l'ai dit…

— Ouais, ouais, votre oncle, la mine, tout ça, le coupa-t-elle.

Valant éclata de rire, se moquant de lui-même sans retenue. Pour une fois que Noémie aurait préféré tomber sur un exécrable…

La voiture quitta la nationale, serpenta sur des routes plus étroites bordées de chênes, pour arriver, en sommet de côte, à l'entrée du village d'Avalone qu'elle embrassait désormais d'un seul regard.

Un lac calme et, sur toute sa rive, une série d'îlots de plusieurs maisons séparées par des murets recouverts de mousse, avec chacune son jardin potager ou son verger. Longeant ces habitations, une courte rue principale d'une centaine de mètres commençait avec la mairie et se terminait avec l'église. Loi des hommes et loi de Dieu justement séparées.

— Comment vous trouvez ? demanda fièrement Valant, conscient de son petit effet.

Résolument urbaine depuis toujours, Noémie n'aurait jamais pensé vivre dans une carte postale. Quelque chose, dans son ventre, se dénoua doucement, comme un poids qui s'envole. Un nœud sur un millier encore à défaire, c'était tout de même un début.

Elle aurait voulu sourire, mais rien ne s'afficha sur son visage.

Le van se laissa rouler doucement dans la descente, passa la rue principale et sa place centrale pour prendre un chemin de terre entretenu qui traversait dans sa largeur une forêt de châtaigniers. Au bout du chemin, après un virage serré, apparut une maison de pierre et de bois, avec une grande baie vitrée donnant sur une pelouse qui s'achevait par un ponton. Et au bout du ponton avec ses quatre pieds enfoncés dans l'eau, le lac. De forme oblongue, avec ses eaux étales, il était entouré d'une rive très courte de galets et de sable brun, imposant de calme et de nature sauvage.

L'endroit était juste sublime. Et, comble d'un luxe inattendu, elle avait, pour elle toute seule, un morceau de lac. Un autre nœud en moins, dans le ventre de Noémie.

— Comme je vous ai dit, si ça ne vous convient pas, il y a aussi une chambre d'hôte à côté de l'église.

— Et pour le loyer ? s'inquiéta Noémie, qui n'avait jamais pu s'offrir plus grand qu'un cinquante mètres carrés sur Paris.

— Vous verrez ça avec le propriétaire. C'est mon père. Et c'est pas pressé.

— Dites-moi, Valant, il en a beaucoup, des propriétés comme ça, votre père ?

Il passa la main dans ses cheveux en friche, pour la première fois un peu mal à l'aise.

— Pierre Valant, c'est le plus gros exploitant agricole de la région. C'est aussi le maire d'Avalone. Alors il a pas mal de terres. Et quand on dit Valant, on pense plutôt à mon père. Moi, faudrait utiliser mon prénom, Romain, sinon je risque de pas me retourner quand vous m'appellerez.

— Bien, vous le remercierez.

— Ça, je vous laisserai le faire vous-même.

Noémie décela un antagonisme bien ancré entre les deux hommes et elle rangea l'information dans un coin de la partie « enquêtrice » de son cerveau. Une faille, quelle qu'elle soit, peut toujours être utile à celui qui intrigue. Et dans le même moment, face à ce jeune flic si accueillant, elle se sentit honteuse.

— Bon, vu la taille de vos bagages, j'imagine que vous avez pas pris grand-chose. Venez, on va ouvrir et aérer la maison, je vous montre où sont les draps et les serviettes, le code Wi-Fi pour Internet et aussi comment marche la chaudière. Elle est capricieuse mais elle fonctionne. Ensuite je vous laisserai vous installer.

— On ne passe pas par le commissariat ? s'étonna-t-elle.

— Une nouvelle maison, un nouveau village, un nouveau service et des nouveaux collègues, vous voulez tout faire d'un coup ? Vous savez, ici, il faut savoir rétrograder les vitesses. C'est marrant comme les Parisiens ont du mal à ralentir.

Noémie regarda le lac, puis, à travers la baie vitrée, l'intérieur du grand salon où tous les meubles étaient recouverts de draps blancs, comme autant de petits fantômes qu'elle avait à déloger, et en conclut que son nouveau second avait parfaitement raison.

— Derrière la maison, vous avez un garage, les clés sont sur la voiture. Ça aussi, vous verrez avec mon père. Je vous ai également fait quelques courses. Le basique pour démarrer. Tout est dans les placards de la cuisine. Je viendrai vous chercher demain à 9 heures pour vous montrer une première fois le trajet jusqu'au commissariat de Decazeville.

— 7 heures, si ça ne vous dérange pas. Je voudrais consulter tous les registres et la main courante, histoire de me faire une idée précise avant de rencontrer l'équipe.

Celle-ci ne ralentirait pas tout de suite, se dit Romain tout en s'organisant mentalement pour le lendemain. Sa gosse, l'école, le reste.

*
**

Sans même toucher à ses bagages, Noémie s'offrit une longue contemplation du lac, assise sur le ponton, les pieds frôlant l'eau fraîche. Surprise par la tombée de la nuit, elle prit un pull dans son sac de voyage et balança le reste de ses vêtements au fond de l'armoire de la chambre. Le grand lit lui tendit les bras, posé sur un vieux parquet irrégulier, face à une fenêtre qui donnait sur la forêt. D'une main, elle testa le matelas, s'y allongea, pensa au dîner, à cent autres choses et s'endormit sur les draps.

Elle fut réveillée en sursaut vers minuit par un cri animal déchirant, une complainte douloureuse. Elle dressa l'oreille mais n'entendit plus rien. Elle se glissa alors sous les draps et tourna sur elle-même à la recherche d'un sommeil qui se joua d'elle jusqu'au lever du soleil.

Noémie avait espéré laisser ses nuits blanches à Paris, mais elles lui étaient restées fidèles jusqu'ici.

À 6 heures du matin et après deux bols de café, Noémie contourna la maison et se rendit au garage. En fait de garage, il s'agissait là plutôt d'une simple cabane de bois ouverte et dont les parois étaient tapissées de lierre, grimpant et envahissant. Elle entra et écarta une large toile d'araignée qui barrait l'interrupteur. L'ampoule, poussiéreuse, ne libéra qu'un faible halo, révélant à peine la silhouette d'une voiture sous la bâche qui la recouvrait. En tirant dessus, elle découvrit un tout-terrain Land Rover aux roues crottées de terre mais en apparent bon état. Le genre de bagnole pour bûcheron, impossible à crever, impossible à garer en ville.

Les clés étaient bien sur le contact et le moteur démarra comme s'il n'avait attendu qu'elle. Elle contrôla les essuie-glaces, puis les phares qui, cette fois-ci, inondèrent la cabane de lumière. À travers le pare-brise, elle distingua sur une étagère métallique un carton de jouets en pagaille, sur lequel était épinglée une étoile de shérif argentée. Elle descendit de la voiture pour aller y voir de plus près. Quelques soldats en plastique, une série de voitures de course anciennes et, sous ce fatras, un cadre en bois protégeant une photo en noir et blanc. Assis sur un tronc, un homme dans la quarantaine, fusil de chasse en bandoulière, accompagné d'un gamin tout sourires, les poings sur les hanches, l'étoile de shérif en argent épinglée sur la chemise, fier d'être avec celui qui semblait être son père. Impossible de se tromper, malgré la jeunesse de ses traits, c'était bien Romain qui lui souriait. Elle reposa le tout dans le carton, qu'elle remit à sa place, un peu mal à l'aise d'avoir été fouiner dans l'intimité de son nouvel adjoint.

Romain arriva avec une exactitude toute policière, soit avec dix minutes d'avance sur l'horaire prévu. Il gara son van et retrouva sa nouvelle capitaine qui finissait de réveiller la maison en s'affairant dans le salon. Il toqua poliment à la baie vitrée à moitié ouverte.

— Alors ? Cette première soirée à la campagne ? Le silence ne vous a pas trop gênée ? Vous avez bien dormi ?

Noémie jeta sur le vieux canapé en cuir marron le dernier drap de protection.

— Ça, c'est une question qu'il ne vaut mieux pas me poser. Pas ces temps-ci. J'ai des nuits de voyou en cavale.

Sans attendre, elle attrapa les clés du 4 × 4 sur la table et, d'un geste coulé, enfila son manteau, impatiente de commencer cette journée, d'oublier la femme qu'elle ne voulait pas être et de redevenir enfin flic. Avec le soleil levant, les épis de cheveux roux de Noémie prirent une lumière cuivrée et Romain remarqua pour la première fois la mèche argentée sur sa tempe droite.

— Nous allons passer par Firmi, si vous voulez bien, annonça-t-il.

Noémie ne put retenir un léger souffle d'exaspération.

— Je vois bien que vous faites des efforts et je vous promets que j'apprécie, mais j'aurai tout le temps de visiter nos six communes. Là, ce que je voudrais, c'est juste prendre mon service.

— OK, je comprends, s'amusa Romain. Et si j'ajoutais un mort ? Ça vous motiverait plus ?

— Si vous me prenez par les sentiments…

*
* *

Une voiture de police se trouvait déjà sur place, garée face à une bicoque tout en hauteur, légèrement penchée, plantée comme un clou tordu sur une colline. Construite dans un ancien pigeonnier de trois étages, la maison était particulièrement exiguë et toutes les pièces, entrée, salon, cuisine et chambre, avaient été mises l'une sur l'autre à la manière d'un jeu de construction.

Romain tapa sur le capot de la voiture, réveilla l'un des policiers et fit sursauter le second, accaparé par son téléphone portable. Les deux flics sortirent à la hâte et les présentations furent faites.

— Capitaine Chastain, je vous présente le brigadier Bousquet, un transfuge des Stups de Marseille, en poste ici depuis six ans.

L'intéressé, pas encore bien réveillé, affichait un embonpoint et une attitude bonhomme que sa poignée de main assez molle ne contredit pas.

— Et voici le gardien de la paix Solignac, pur produit local, né et élevé à Decazeville. Il connaît à peu près toutes les familles de nos communes. Entre nous, on l'appelle Milk.

— Mes respects, capitaine. Bienvenue.

S'il n'avait pas eu son arme apparente à la ceinture, Solignac n'aurait jamais pu être pris pour un policier, ni même pour un majeur. Son surnom « Milk » lui allait parfaitement, tant ce gamin donnait l'impression de sortir à peine du sevrage maternel.

— Avec moi, poursuivit Valant, vous avez devant vous le GAJ[1] au complet.

La veille, le lieutenant les avait prévenus. Du rigorisme certain de leur nouvel officier, mais aussi de son visage. Et s'ils appliquaient aujourd'hui les consignes à la lettre, ils en firent un peu trop. Bousquet la fixait droit dans les yeux, de peur de regarder au mauvais endroit et d'être incapable de décrocher, alors que Milk, lui, inspectait le bout de ses chaussures comme s'il les voyait pour la première fois. Deux médiocres comédiens, certes, mais des efforts appréciables.

— On entre, ordonna Noémie. Vous avez des gants ?

— Ça va pas vraiment être nécessaire, on a déjà trouvé l'assassin, avec Milk. C'est les plombs, crâna Bousquet.

---

1. GAJ : Groupe d'appui judiciaire. Réunit les policiers en charge des enquêtes dans un commissariat.

Indifférente à l'odeur et aux premières mouches, agenouillée face à l'escalier en colimaçon qui desservait les trois paliers, Noémie inspectait le cadavre, minutieusement. Le menton posé sur l'épaule gauche, la bouche à moitié ouverte, une écume jaunie séchée au bord des lèvres… Ses mains étaient crispées sur le bouton du monte-escalier pour fauteuil roulant, bloqué entre deux étages. Le regard désormais vitreux de la victime presque centenaire fixait le téléphone de l'entrée, posé sur un guéridon avec napperon, à seulement deux mètres de lui. Sur son visage, un reste d'angoisse et de frustration.

Que l'on doit se sentir inutile, de corps et d'esprit, lorsque l'on sait qu'on va mourir bêtement. Noémie pensa aux journées et aux nuits où il avait attendu seul, dans l'espoir d'une visite. Le facteur était bien passé, mais trop tard, et il avait contacté le commissariat, presque habitué à ce genre de découverte macabre.

Derrière elle, le reste de l'équipe, curieux, observait son capitaine à la tâche. Bousquet répéta alors ses conclusions.

— À coup sûr, c'est les plombs qu'ont pété. Plus d'électricité, il est resté coincé là. On appelle les pompiers ?

— Entre autres. Des voisins qui auraient pu apercevoir un rôdeur ?

— Pas à moins de cinq kilomètres. La famille Crozes, informa Milk. Ce sont les boulangers de Firmi.

— Bien, vous les convoquez cet après-midi pour une audition. Vous appelez l'identité judiciaire pour un relevé d'empreintes sur le compteur et sur le moteur du monte-escalier. Vous relevez le numéro de série pour contacter le constructeur, qu'il fasse passer son expert. Vous contactez un membre de la famille, qu'il vienne voir si rien ne manque dans la maison. Je vais vérifier les extérieurs en cas d'effraction et on place la baraque sous scellés.

Milk et Bousquet se regardèrent, surpris par la somme de tâches qu'ils estimaient inutiles, puis se tournèrent vers le lieutenant Valant, l'autorité n'ayant pas encore fait clairement la transition dans leurs habitudes. D'un signe de tête désolé, Romain confirma les ordres. Une fois seul avec son officier, il tenta toutefois de la tempérer.

— Vous savez, c'est certainement juste un accident, capitaine.

— Je sais bien que c'est un accident. Vous pensez que je vois des meurtres partout ? Je fais le strict minimum et je nous évite les ennuis, rien de plus.

Elle inspecta les fenêtres l'une après l'autre, passa à l'arrière de la maison et chercha des traces de pas dans la terre meuble, puis, en ayant complété le tour, se retrouva à un mètre de Bousquet qui lui faisait dos, pendu au téléphone face à Milk, assis sur le capot de la voiture. Visiblement en attente de son interlocuteur, Bousquet plaça la main sur le micro de son portable et s'exclama presque :

— Putain, Milk, t'as vu dans quel état elle est ? Ça doit faire chialer les gosses une tête pareille ! En tout cas, je la baiserais même pas avec ta bite.

Puis il faillit éclater de rire, mais le rire se coinça dans sa gorge lorsqu'il vit s'écarquiller les yeux de son jeune collègue. Bousquet se retourna et perdit toute assurance à la vue de Noémie. Digne, elle ne lui offrit pas sa colère. Un brin de mépris, seulement.

— Vous attendrez les pompiers et l'identité judiciaire avec Milk. On se rejoint au service.

Les deux hommes se redressèrent dans un « Oui, capitaine » contrit.

Les mâchoires serrées, Noémie grimpa dans le van et se tassa sur le siège passager. Une boule dans la gorge, vite maîtrisée. Il n'y avait en fait aucune différence concrète entre le savoir et l'entendre. Bousquet avait juste dit à voix haute ce que tout le monde pensait. Elle devait s'y faire. Son lieutenant vint la rejoindre, sans pour autant démarrer.

— Capitaine ?

— Oui ?

— Vous êtes dans ma voiture. Votre 4 × 4 est derrière.

Elle aperçut l'imposant Land Rover dans le rétroviseur.

Et si le patron avait raison ? Si elle n'était pas prête…

*
* *

Vingt-quatre heures exactement après son arrivée à la gare et son premier pas posé dans l'Aveyron, Noémie découvrit enfin le commissariat de Decazeville. Une bâtisse d'un étage en briques rouges à laquelle on accédait par un escalier de trois marches. Un endroit paisible que seule l'école attenante dérangeait aux heures des récréations. Mais alentour, les signes d'un endormissement social étaient flagrants. À gauche, un hôtel abandonné, aux fenêtres cassées, gardait pourtant les vestiges d'un passé glorieux.

À droite, un cinéma aux portes vitrées recouvertes de papier journal annonçait sur son fronton les séances de *L'Arme fatale 2*, permettant de dater sa fermeture mieux qu'une autopsie. Romain décela chez Noémie une certaine déception.

— Je sais ce que vous vous dites. Mais c'est le contraire. Nos communes ne sont pas en train de s'éteindre, elles se réveillent. Il faut juste leur laisser le temps. Il y a beaucoup de projets dans la vallée, mais mon père vous expliquerait ça mieux que moi.

— Parce que ?

— Parce qu'il est le maire d'Avalone, l'informa Romain pour la seconde fois.

— Oui, pardon, ça m'était sorti de la tête.

« Focus, Noémie, focus ! » se fustigea-t-elle en grimpant le seul étage du commissariat.

Le lieutenant Valant toqua à la porte du commandant afin de présenter la nouvelle arrivante. Il resta sur le seuil et Noémie rencontra son supérieur, posté face à la fenêtre, le regard au loin. Il ne prit pas la peine de se retourner. Peut-être pour en imposer, ou simplement pour lui montrer qu'une flic de Paris ne l'impressionnait pas. Il poursuivit toutefois la conversation qu'il avait apparemment commencée sans elle.

— Vous savez qu'ils se sont installés à deux rues ? Juste à côté de nous. Je les vois d'ici, avec leurs bagnoles dernier modèle.

— Qui ?

— Les gendarmes, pardi ! Mais ils vont déchanter quand ils vont savoir. Un nouvel officier, ici, ça prouve que le ministère nous fait encore confiance. J'aimerais voir leur tête.

Puis il se tourna enfin et la dévisagea sans manière, en prenant bien son temps.

— Ouais. Il vous a pas ratée, conclut-il. Mais je ne tiens pas une agence de mannequins, donc tout va bien. J'imagine que c'est pour cette raison que vous êtes ici. C'est une sorte de convalescence ? De mise au vert ?

— Disons cela, concéda Noémie.

Elle n'avait pas détesté sa manière de faire, puisqu'il n'y en avait de toute façon pas de bonne. Chacun réagit comme il peut, plus ou moins bien, avec plus ou moins de classe, de surprise, de malaise ou de franc dégoût. Une moitié de son visage avait marché sur une mine, c'était son problème et pas celui des autres. Elle ne pouvait pas demander à tous ceux qu'elle croisait de décrocher un prix d'interprétation.

— Je suis le commandant Roze, si on ne vous l'a pas déjà dit. Vu votre grade, vous devriez me seconder, mais je réussis très bien sans vous à tenir la boutique. Alors, officiellement, vous collaborez avec moi à la gestion du commissariat ; officieusement, vous commandez dorénavant le GAJ. Vous vous y amuserez plus qu'en suivant un vieux flic qui lorgne sur sa retraite en essayant de laisser l'endroit aussi propre qu'il l'a trouvé en entrant. Et puis, avec vous à mes basques, j'aurais l'impression d'être suivi par un croque-mort qui prend ses mesures pour mon cercueil. Alors je vous laisse les enquêtes et je garde le reste des effectifs en tenue. Ça vous convient ?

Noémie préféra jouer franc jeu.

— J'ai raté mon tir de reprise.

— Je sais, dit-il en haussant les épaules.

— Je suis inapte au terrain.

— Je sais aussi.

— Il paraît que je risque de mettre mes collègues en danger.

— C'est ce que votre hiérarchie semble penser, je sais aussi ça. Mais je ne suis pas complètement crétin. J'imagine bien qu'on ne m'envoie pas un officier du Bastion de Paris totalement opérationnel. Je me doutais qu'il y avait un vice caché.

— Caché ? Pas vraiment. C'est plutôt… visible, je dirais.

Roze apprécia son autodérision. Il confondit toutefois ce qu'il prit pour de l'acceptation avec un simple système de défense.

— Au risque de gâcher vos espoirs au sujet de votre nouveau poste, le dernier meurtre dans la région remonte à cinq ans et mon dernier effectif à avoir fait usage de son arme, c'était il y a quatre ans. S'il existe un endroit pour vous retaper, c'est bien ici. Avec nous. Laissez la région prendre son temps. Et pour votre arme, vous êtes une grande fille, disons que vous déciderez du moment où la porter à nouveau.

Le paternalisme rassurant du commandant Roze lui donna l'impression agréable d'être redevenue enfant, face à un adulte qui lui aurait dit : « À partir de maintenant, je m'occupe de tout, ferme les yeux. » Mais comme un père, Roze prenait aussi des décisions arbitraires.

— Pour Lebel, j'ai tout fait annuler. C'était franchement inutile.

— Lebel ? répéta Noémie.

— Le vieil homme bloqué entre deux étages de ce matin. Vous avez demandé bien trop d'actes judiciaires. Lebel est un ancien architecte. Il n'a jamais su faire que ça et il n'a jamais su le faire bien. Le pigeon-nier de guingois dans lequel il vivait était sa dernière œuvre. Il n'a ni famille pour le persécuter ni richesses à convoiter, et encore moins d'ennemis à craindre. Donc aucune raison d'avoir été agressé. Pas besoin d'experts en monte-escalier ni de recherches d'empreintes pour classer ça en bête accident.

Noémie s'apprêta à riposter mais, dans la même seconde, fit marche arrière, se conseillant de ne pas affronter, pour sa première journée, son nouveau patron. Roze se cala dans son fauteuil et elle remarqua bien qu'il cherchait ses mots pour ne pas la vexer.

— Écoutez, à Paris, vous êtes adeptes du tout-scientifique. Empreintes, caméras de surveillance, écoutes téléphoniques, géolocalisations, drones, ADN ou encore balistique. On est moins dans un service de police que dans un laboratoire. Tout cela parce que vous ne savez rien, ni des auteurs ni des victimes. Alors vous cherchez ailleurs, forcément. Ici, nous commençons toujours par l'humain, parce que nous le connaissons. Lorsqu'on interpelle une personne, c'est souvent un voisin, parfois même un cousin ou un oncle, mais presque toujours quelqu'un que l'on côtoie. Nous connaissons ses habitudes, son entourage, ses secrets, sa voiture, son adresse, son amour de jeunesse, quel antagonisme l'oppose à quelle famille et pourquoi. Et je vous promets que personne n'a fait sauter les plombs de la vieille bicoque de Lebel pour le piéger dans son escalier.

Noémie n'abandonna pas si facilement, malgré le bon sens évident de cette explication.

— Je croyais que vous gardiez les effectifs en tenue et moi les enquêtes ?

Roze esquissa un demi-sourire. Chastain était obstinée et méticuleuse, chiante en somme, et il l'aimait déjà bien.

— Considérons que vous commencez demain, alors. Je crois savoir que le père de Romain vous traite plutôt correctement. Profitez de sa maison ou visitez nos cinq autres communes. Connaître son secteur, c'est capital. Dites-vous que vous bossez, si ça peut vous déculpabiliser.

Et puisque, depuis la veille, tout le monde semblait vouloir qu'elle fasse du tourisme, elle s'exécuta et tourna les talons.

Sur le parking du commissariat, en direction de son Land Rover, elle croisa Bousquet et Milk, penauds. L'enfant policier fila à l'intérieur et Bousquet se tortilla, au plus mal, cherchant comment rattraper la situation.

— Pour tout à l'heure… Pour ce que j'ai dit…

Noémie refusa de le laisser aller jusqu'au bout et de risquer d'accepter les excuses qui se profilaient maladroitement.

— Qu'on soit clairs, vous et moi, brigadier. Que vous soyez un gros con ne me dérange pas outre mesure. Tant que vous êtes un bon flic. Vous avez déjà coché la case « gros con » avec brio. Félicitations. Je vous laisse l'avenir pour cocher la seconde.

Et elle le planta là, à digérer l'uppercut qu'elle venait de lui décocher.

18

Decazeville, Aubin, Cransac, Firmi, et Viviez. Elle roula moins d'une demi-heure pour en faire le tour avant de revenir vers Avalone, la dernière des six communes. Elle longea le lac dont la taille ne lui permettait pas de voir la totalité depuis son ponton privé.

Ses rives s'étiraient entre deux vallées puis disparaissaient dans la forêt. La route lui fit rapidement prendre de la hauteur, laissant le lac de plus en plus en contrebas, dans un dévers vertigineux. Au détour d'un virage, elle déboucha sur un terre-plein arboré. En face d'elle, le sommet d'un immense mur de béton qui prenait naissance cent treize mètres plus bas.

Le barrage d'Avalone.

Il coupait le lac sur toute sa largeur, comme on interrompt impoliment une conversation en plein milieu. D'un côté, des millions de mètres cubes d'eau se déversaient dans le gouffre intérieur du barrage, puis étaient rejetés de l'autre, dans une rivière paisible : « La Sentinelle », lut-elle sur son GPS.

Là, elle comprit que le lac d'Avalone était une création humaine, un chantier gigantesque pour fabriquer de l'électricité. Elle sortit de sa voiture pour s'approcher précautionneusement du barrage et enfin se pencher contre la rambarde. Ses mains sur le métal froid, son buste à moitié dans le vide. Tout en bas, les hauts sapins devenaient arbustes de balcon. Prise de vertige, elle se força pourtant à le maîtriser jusqu'à ce que la sonnerie de son portable la fasse sursauter et reculer de deux pas.

— Madame Mersier, tout va bien ?

À six cents kilomètres de là, sa vieille voisine avait, on ne sait comment, réussi à composer son numéro de téléphone avec seulement deux dixièmes à chaque œil.

— J'ai perdu les clés de votre boîte aux lettres, ma petite.

— Ça tombe bien, je n'ai pas envie d'avoir de nouvelles de Paris.

— Alors je vous dis rien pour votre monsieur ?

Adriel. Le double des clés de l'appartement. Merde.

— Racontez toujours, se rembrunit Noémie.

— C'était juste après votre départ. Je l'ai suivi jusque chez vous. Il avait l'air embêté.

— Il est reparti avec quelque chose ?

— Non. Je crois que c'est vous qu'il était venu voir. Faut pas abandonner les garçons comme ça. Les garçons, quand on les laisse tout seuls, ça fait des bêtises. Il avait l'air gentil en tout cas.

Noémie n'était pas de nature violente mais elle aurait aimé être là, à ce moment, face à Adriel, pour voir combien de poignées de frelons asiatiques elle aurait pu lui enfoncer dans la gorge.

— Oui, c'est un très gentil garçon. Mais s'il passe encore, prenez-lui les clés et mettez-les avec celles de la boîte aux lettres.

— Je les ai perdues.

— Exactement.

19

La nuit fut animale.

D'abord, son chat. Énorme, sa tête prenant tout l'espace de l'entrée du commissariat, un œil derrière chacune des fenêtres, sa queue sortant par le toit éventré, fouettant les premiers nuages, ses pattes griffues posées dans les couloirs, dans un ronronnement à faire vibrer les vitres.

Puis un réveil, les sens en alerte. Le même hurlement déchirant, aigu jusqu'à se casser comme un verre. Pas humain, elle en était certaine. Elle était restée en culotte de coton devant sa baie vitrée, l'oreille dressée, le regard tentant de percer l'obscurité, mais comme la veille, le cri ne s'était fait entendre qu'une seule fois… s'il avait réellement existé.

La nuit était foutue, pas la peine de s'obstiner. Mises bout à bout, les minutes de sommeil volées ne faisaient pas trois heures complètes. Elle devrait s'en contenter.

Elle laissa le soleil se lever, déposa son café devant l'écran d'ordinateur et, lorsque Melchior apparut enfin, elle lui résuma rapidement les dernières quarante-huit heures.

C'est le rêve qui l'intéressa le plus, évidemment.

— J'ai l'impression que vous les avez un peu bousculés. L'image que vous vous faites de vous-même, prenant toute la place du commissariat jusqu'à en crever le plafond, est révélatrice. Vous vous êtes emplafonné qui ? Vos effectifs ou votre hiérarchie ?

— Un peu des deux, pour être honnête. Je suis cassante, agressive et assez obstinée.

— Vous l'étiez avant ?

— Probablement, mais pas autant. Je m'ennuie à mourir. C'est pas un village, ici, c'est un trou avec un code postal. Je ne crois pas avoir souri une seule fois depuis que je suis arrivée.

— C'est dommage, ça éclaire votre visage.

— Il est très bien en coulisse.

Le psy afficha un air désolé.

— Comme vous vous trompez. Avez-vous déjà réfléchi à la fonction du visage ? Avez-vous compris qu'il est le reflet de tous vos sentiments ? On y lit le chagrin, la joie, les peurs, les interrogations, la douleur comme la jouissance. Il parle, avant même les mots. En tout, il exprime vingt et une émotions, vingt et un messages différents que vous destinez à l'autre.

— Encore plus, si l'on compte les micro-expressions auxquelles tout bon flic est attentif en audition, ajouta Noémie.

— Vous connaissez bien le sujet, parfait. Alors poursuivons. Un aveugle de naissance est incapable de ces mimiques de communication. Tout simplement parce qu'il n'a jamais eu d'interaction sociale visuelle. Nos expressions faciales ne nous sont personnellement d'aucune utilité, ce ne sont que des informations que nous affichons pour qui veut nous comprendre.

Le visage est un des rares endroits de votre corps que vous ne pouvez pas voir sans un miroir, mais il est surtout la première chose que l'on regarde. Il est entièrement pour l'autre. C'est aussi le seul endroit qui utilise les cinq sens. Il est totalement ouvert au monde. Et vous voudriez le laisser en coulisse ?

— Disons qu'il a le trac, comme une jeune actrice qui ne connaîtrait pas son texte.

Melchior éclata d'un rire franc.

— Métaphore amusante. Vous attendriez donc de vous trouver jolie à nouveau pour vous montrer ? Vous pensez que la beauté fait l'acceptation ? Vous connaissez le nombre de suicides dans le monde du mannequinat ? Il est surprenant. Certaines personnes sont sublimes, et pourtant malheureuses, quand d'autres sont tout à fait communes et pleinement épanouies. Alors qu'on devrait tous se trouver merveilleux. On devrait s'aimer sans attendre des autres qu'ils nous aiment. Vous savez sans doute que nous utilisons à peine les capacités de notre cerveau ?

— Environ dix pour cent, grand max.

— Exact. Mais le constat le plus désolant, c'est que nous ne sommes « nous » qu'à trente pour cent. Certains à dix, d'autres à quarante, mais jamais totalement. Nous traînons nos blessures, nos secrets, nos complexes et tout cela nous interdit d'être entiers, d'être merveilleux. Il y a près de huit milliards d'êtres humains sur terre et Dieu, si vous en acceptez le concept, nous a donné à tous un visage différent, comme notre ADN. Déjà, saluons l'effort, c'est du boulot, mais la conclusion, c'est que vous avez un visage parmi huit milliards d'autres, c'est le vôtre, vous n'en changerez pas. Maintenant, vous avancez ou vous restez sur place.

Noémie se redressa sur le vieux canapé en cuir, un peu sonnée.

— Pour les prochaines séances, ça vous dirait d'y aller plus doux ?

— Si vous m'offrez un sourire, marché conclu.

— On verra.

Puis elle coupa la connexion.

20

La première semaine passa, lente comme un continent à la dérive. Diverses dégradations de biens privés, une moissonneuse-batteuse volée et évidemment retrouvée dans l'heure suivante vu la taille du butin, une belle affaire de Bousquet, ancien des Stups, qui avait mis la main sur un champ entier d'herbe de cannabis mais malheureusement pas sur le propriétaire, deux ou trois poivrots à dégriser en cellule et le poids d'un ennui profond qui s'installait insidieusement au fil des jours. L'impression d'être passée au ralenti ne quittait pas Noémie et, lorsqu'elle entendit le mot « disparition » au détour d'un couloir, elle se leva d'un bond, comme un diable sortant de sa boîte. Elle attrapa Romain Valant au vol alors qu'il notait les premières informations auprès d'une patrouille en tenue et le noya de questions empressées.

— Quel type de victime ? Combien de temps depuis la disparition ? Vous prévoyez une battue ? Vous avez des chiens pour ça ?

Valant en était au point où il aurait presque espéré un drame pour pouvoir satisfaire l'appétit policier de son officier. Un serial killer de roman policier, des terroristes écologistes, même une météorite sur la place du village aurait fait l'affaire.

— Désolé, capitaine, mais c'est juste Mme Saulnier. Quatre-vingt-dix ans au calendrier. Elle fugue une fois par semaine, rien d'inhabituel. On va la retrouver sur un de ses spots favoris. L'ancien cinéma ou la médiathèque de Decazeville, les bords du lac d'Avalone ou le puy de Wolf à Firmi.

— Et la cohérence, dans tous ces lieux ?

— On la cherche encore… Je propose de commencer par ces endroits avant de sortir l'artillerie. Mais, à la fin, c'est vous qui décidez.

Les épaules de Noémie tombèrent aussi bas que celles d'un enfant dont on aurait annulé l'anniversaire.

— Non, c'est bon, capitula-t-elle. On fait comme vous avez dit. Formez les équipes.

Milk et Bousquet héritèrent donc du cinéma, de la médiathèque et du lac pendant que Noémie et Valant fonceraient au puy de Wolf.

— Vous voulez conduire ? proposa-t-il.

— Je ne préfère pas, non.

Ce n'est qu'une fois installé derrière le volant que Romain réalisa qu'ainsi, à la place du passager, elle lui offrait le seul profil qu'elle supportait.

Ils arrivèrent à destination en vingt longues minutes, sans sirène ni gyrophare, tout en respectant les priorités à droite, les feux rouges et les limitations de vitesse. Une torture pour le capitaine Chastain. Ils se garèrent à côté d'un plan d'eau, juste au pied du mont. Valant sortit ses jumelles, inspecta la cime et alluma sa radio.

— C'est bon. Je la vois, annonça-t-il à l'autre équipe.

— Tout en haut ? demanda Milk.

— Ouais. Tout en haut.

— Bonne ascension, alors.

Le puy de Wolf n'était pas très élevé et personne n'aurait pu l'appeler montagne, mais son inclinaison était redoutable. Une herbe rêche, couleur de terre, et des saillies de serpentine vert jade, une roche toxique pour les végétaux, coupante et surgissant partout en vilaine acné minérale sur les quelque quatre cent quatre-vingt-dix mètres à gravir. Une nature violente et inhospitalière dessinant un relief accidenté qui séduisit immédiatement Noémie. Et, au sommet, une silhouette blanche, spectrale, qui semblait danser.

— Putain, elle a la forme ! s'étonna Chastain, déjà essoufflée à mi-parcours.

— Saulnier ? Elle est increvable.

— Et on sait ce qui l'attire ici ?

— Ici, ailleurs, je suis même pas sûr qu'elle sache vraiment où elle est, encore moins ce qu'elle vient y faire.

Lorsqu'ils arrivèrent à son niveau, la vieille dame vint à la rencontre de Valant en passant dangereusement près d'un gouffre qu'avaient créé deux rochers désormais soudés entre eux et qui s'enfonçaient de quelques mètres dans la terre.

— Petit Romain ! l'accueillit-elle. Garçon triste. Et tu viens faire quoi ici ?

Valant se hâta de la rejoindre pour lui prendre la main et prévenir le risque d'une éventuelle chute dont elle n'avait même pas conscience. Mme Saulnier, dans

101

sa sénilité, avait gagné en assurance, se croyant sans doute indestructible, comme les enfants.

— Je me baladais avec une amie, poursuivit Valant, et en vous voyant, on s'est demandé si on n'allait pas en profiter pour rentrer avec vous. On est en voiture.

— Et vous êtes en chemise de nuit, ajouta Noémie.

La vieille regarda le léger tissu à motif floral qu'elle portait tout en semblant le découvrir.

— Allez, offrit Saulnier comme simple réponse.

Le flic, la sénile et la freak, en équipage bigarré, attaquèrent la descente du puy de Wolf, laissant derrière eux le gouffre près duquel Saulnier s'était égarée. Tout au fond de celui-ci, dissimulée par un fouillis de genêts épineux, rare plante que la toxicité de la roche serpentine épargnait, se dressait une petite croix de bois vermoulu, cachée comme un lourd secret.

21

Romain Valant ôta le chargeur de son arme, éjecta la cartouche engagée et déposa le tout dans le coffre de son armoire. Avec une gamine exploratrice à la maison, il ne voulait courir aucun risque. Il se souvenait de ce fait divers glaçant, il n'y avait pas si longtemps et pas si loin de chez eux. Un Noël, une famille, un enfant, un fusil. Voir dans la même pièce un arbre décoré, des illuminations croisées avec celles des gyrophares des pompiers dont l'un d'eux tente de réanimer un gamin. En vain… Et le lendemain, ces cadeaux emballés qui ne seront jamais ouverts. Les propriétaires d'armes ont trois fois plus de risques que les autres de tuer quelqu'un ou d'être tués. Il ferma le coffre et recomposa le code de sécurité.

Il traversa le salon, ébouriffa les cheveux de sa fille assise devant la cheminée, les chaussettes au bord des flammes, plongée dans un roman d'aventures si épais que ses petites mains peinaient à le tenir droit.

Aminata sortit de la cuisine avec un plat brûlant qu'elle déposa sur la table. Un menu différent tous les soirs sans même avoir à cuisiner, c'était l'avantage d'être serveuse à l'Auberge du Fort, le restaurant de la commune voisine, à Aubin. Romain lui prit la main et l'embrassa. Sa peau blanche sur la peau noire de sa femme avait, il y a dix ans, donné naissance à Lily, une enfant caramel aux yeux bleu lavande. Leur mariage avait pourtant réussi à semer la discorde entre Romain et son père, ce dernier n'aimant pas les mélanges de couleurs, et même l'arrivée de Lily n'avait absolument rien changé. Depuis, Pierre Valant n'avait jamais plus mis les pieds chez eux et soupirait ostensiblement lorsque Romain lui parlait de sa famille. Ainsi, les deux hommes se côtoyaient le moins possible et les mots « père » et « fils » avaient presque disparu de leur vocabulaire. Pierre considérait son fils comme un flic, et Romain considérait son père comme le maire d'Avalone. Le reste n'était que souvenirs.

Les parties de chasse, oubliées. L'étoile de shérif, épinglée sur un carton. Et la maison de famille, près du lac, souffrait trop de l'absence de feu Mme Valant dont il ne restait qu'une photo sous cadre, exactement la même, chez chacun des deux hommes.

— Alors ? Elle s'est adoucie ? demanda Aminata.

— Je dirais plutôt qu'elle s'est résignée.

— Et elle s'acclimate à la campagne ?

— Tellement bien ! se moqua-t-il. Elle se croit encore en ville. Elle ferme à double tour la maison du lac, elle ferme aussi les portes de la voiture dès qu'elle s'éloigne de quelques mètres et elle est prête à partir en croisade à la moindre enquête. J'ai l'impression de bosser avec une dynamite à mèche longue. Je sais qu'elle va exploser, c'est le « quand » que j'ignore. Mais, bizarrement, ce n'est pas ça qui m'inquiète.

Lily délaissa ses aventures et s'installa à table, incapable de résister à l'odeur délicieuse qui se diffusait dans le salon. L'aligot, une purée de pommes de terre liée à la tomme fraîche et relevée d'une pointe d'ail, accompagnait une saucisse épaisse et juteuse. Dehors, les branches grattaient le toit de tuiles comme si elles aussi voulaient profiter de la soirée.

— J'ai l'impression qu'elle a des absences, poursuivit Romain. Des oublis. Elle n'imprime pas vraiment tout. Parfois, je sens qu'elle perd le contrôle. Je crois que même son agressivité la dépasse.

— Alors tu dois être sa béquille. Ne laisse personne d'autre que toi connaître ses faiblesses. Protège-la. C'est ce que fait un second, non ?

— Oui, c'est ce que fait un second. Je joue le rôle de rustine, quoi.

— Elle doit souffrir énormément, se désola Aminata.

— Je ne pense pas. En tout cas, elle ne le montre pas.

— Elle doit souffrir dans son cœur, idiot.

Lily éclata de rire devant l'air bête de son père, puis, quand elle eut terminé sa petite montagne de purée, proposa comme une évidence :

— Invite-la à la maison. Elle est toute seule, là-bas.

— J'y penserai, assura Romain, un peu gêné.

— Elle est jolie ? enquêta la gosse.

— Tu sais comment elle est. Je te l'ai dit.

— Et alors ? Quand je suis tombée de vélo et que je me suis écorché la joue, tu m'as dit que j'étais quand même jolie.

— Bon, d'accord, concéda le papa. Elle est jolie comme après dix accidents de vélo.

— Tu l'inviteras, hein ?

— Mange, ou je te mange.

— Comme l'ogre de Malbouche ? L'ogre qui mange les enfants sans même les mâcher ?

— Celui-là même, mademoiselle.

*
* *

Noémie terminait son thé à l'orée de la forêt de châtaigniers, assise sur un tronc d'arbre penché, torturé, moussu et confortable. Lovée dans un pull de laine, elle tentait de suivre les conseils de Melchior et de générer des pensées positives, d'oublier son visage ou les raisons secrètes de sa présence et le mal qu'elle allait bientôt faire en fermant le commissariat. Derrière elle, les fenêtres de la maison éclairaient la nuit tombante.

Quelque part au milieu des arbres, elle entendit un bruit de feuilles que l'on foule, de branches que l'on force pour se faire un passage. Elle posa les deux pieds au sol, les jambes légèrement fléchies, prête à fuir un loup, un ours, la bête du Gévaudan ou tout autre fantasme de Parisienne. Mais ce ne fut qu'un chien sans race précise qui pointa sa truffe. Un clébard croisé et recroisé depuis des générations, au pelage noir et au ventre blanc qui se mit à marcher de long en large, face à elle, sans jamais pour autant s'approcher, restant à la lisière du bois. Le corps de Noémie quitta son état d'alerte et elle se reposa sur son tronc.

— Salut, toi. C'est toi qui fais tout ce bruit la nuit ?

Le chien réduisit la distance entre eux, centimètre après centimètre. Elle put alors le voir un peu mieux. Sa langue pendait ridiculement sur le côté à cause d'une mâchoire visiblement déviée qui ne savait plus

106

la retenir et son œil gauche était enflé et pleurait en continu. Sa démarche, déséquilibrée par une patte en mauvais état, était à la fois chaloupée et claudicante.

— T'es un bagarreur, c'est ça ?

Elle entendait sa respiration rauque et pouvait maintenant presque le toucher.

— En tout cas, t'es dans un sale état. On pourrait être copains.

Noémie posa enfin sa main sur le flanc du chien et le flatta doucement. Elle visitait mentalement ses placards à la recherche d'un morceau de quelque chose à offrir à son visiteur du soir quand un sifflet puissant résonna au loin. Le chien dressa les oreilles et tout son corps se raidit d'un coup, puis il détala aussi vite que sa patte folle le lui permettait avant de se faire avaler par la forêt.

— Ravie de t'avoir rencontré.

22

Noémie ne connaissait son propriétaire que par son fils, et si Romain n'en avait jamais rien dit de mal, ses silences et l'amertume de son regard s'en étaient chargés. Aussi, lorsque Pierre Valant lui-même vint lui rendre visite à la maison du lac, elle fut étonnée de son amabilité.

Dans son long manteau vert foncé, il se confondait avec la nature comme s'il ne voulait pas la déranger et elle reconnut immédiatement Romain dans ses yeux.

— Ces dix premiers jours vous ont peut-être paru un peu longs, reconnut-il, mais c'est le temps nécessaire pour adopter le rythme. Et puis, sans que vous vous en rendiez compte, le mois entier sera passé, puis l'année, et vous ne vous imaginerez plus jamais vivre ailleurs. Vous vous demanderez même comment vous avez pu rester à Paris si longtemps, dans vos appartements grands comme des cages à lapins.

Puisque le sujet du logement avait été abordé, Noémie passa très vite aux choses sérieuses : quelques points de logistique laissés trop longtemps en suspens.

— Pour le loyer…, commença-t-elle.

Il régla aussitôt la question.

— Pour le loyer, disons que je vous demande juste d'entretenir les lieux. Ça irait ?

— J'aimerais beaucoup, mais on ne peut malheureusement rien offrir à un flic, ça devient vite louche. La limite est fine entre la générosité et la subordination. Si un jour je devais vous arrêter, j'aurais des scrupules.

Valant avait tiqué un instant avant de cerner l'humour froid de la capitaine, tout comme l'était son attitude. Un bloc de glace impossible à faire sourire. Ils étaient alors convenus d'un prix, si dérisoire qu'il relevait presque du cadeau. Mais un studio en ville vaut une maison partout ailleurs, lui avait assuré Valant. Elle avait eu ensuite droit au discours, cent fois répété, d'un « Monsieur le maire », sincèrement impliqué et fier de son village.

— Le barrage d'Avalone nous a apporté bien des emplois, mais c'était il y a vingt-cinq ans. Depuis, nos communes se sont de nouveau assoupies. C'est grâce au projet de la Mecanic Vallée[1] que nous pouvons respirer de nouveau. Même les Chinois s'y intéressent. Sans parler des Anglais qui tombent amoureux de notre région et qui achètent les maisons comme au Monopoly. Déjà deux nouveaux commerces ont ouvert dans la rue principale. Le monde nous découvre, s'emballa-t-il avec emphase, et nous sommes prêts à le recevoir. Tant qu'ils viennent de la bonne partie du globe, si vous me comprenez.

---

1. Comme la Silicon Valley pour l'informatique, la Mecanic Vallée regroupe à ce jour 213 entreprises et 13 000 personnes qui promeuvent le savoir-faire français en matière d'aéronautique et d'automobile.

Avec cette dernière phrase, Pierre Valant avait perdu instantanément de son charme, et Noémie écourta poliment la conversation, prétextant un rendez-vous au commissariat avec le commandant Roze.

*
* *

Vingt jours plus tard, pourtant, Noémie dut admettre que Pierre Valant avait eu au moins raison sur un point : le mois était passé sans qu'elle s'en rende compte, bercée par un cadre naturel apaisant et un quotidien sans chausse-trappes hiérarchiques. Son ennui avait fait place à un ronron léthargique et, malgré une délinquance qui faisait tout son possible pour exister, le commissariat de Decazeville fonctionnait au ralenti, ce qui rendait son avenir incertain.

Elle avait pourtant scrupuleusement évité de s'attacher, malgré les invitations répétées de Valant, la gentillesse de Milk et les efforts de ce pauvre Bousquet qui tentait jour après jour de rattraper la gaffe magistrale de leur première rencontre. Même le commandant Roze ne savait plus comment faire pour que Noémie se sente chez elle.

Mais le verdict était évident, et ses conséquences, le prix de son retour à Paris.

Elle se posta alors devant son ordinateur, face à une page blanche au titre sans équivoque : « De l'activité du commissariat de Decazeville, de ses six communes et de son transfert en zone gendarmerie. »

Le chien cassé hurla au loin. Lui aussi, comme les autres, elle l'abandonnerait lorsque sa trahison serait révélée au grand jour.

Elle était là pour détruire, pas pour réparer.

La nuit fut insupportable. Physiquement et moralement. Elle parcourut plusieurs kilomètres sans bouger de son lit, se leva maintes fois et se traita, entre autres flatteries, de « belle salope » dans son miroir.

Au petit matin, pourtant, elle s'était ressaisie. Un rayon de soleil traversait le salon et remplissait ses bagages vides, ouverts et disposés devant la baie vitrée. Déterminée à quitter enfin l'Aveyron, elle téléchargea son rapport sur une clé USB.

*
* *

C'est un peu avant 7 heures que Romain toqua à la porte, les traits tirés et sa bonhomie, que Noémie pensait inébranlable, envolée.

— Vous ne dormez jamais ? demanda-t-il, surpris de la voir sinon fraîche, au moins réveillée.

— Ce n'est pas un choix. Mais vous faites quoi, ici, à cette heure, et avec cette tête ?

— On croit avoir trouvé un cadavre.

— Vous croyez ? Il y a rarement des demi-mesures dans ces circonstances. C'est mort ou c'est vivant.

— C'est définitivement mort.

— Encore un accident d'escalier ?

— J'aurais préféré.

111

Elle glissa la clé USB dans son jean et monta dans le van.

Elle allait régler ça dans la journée.

Elle allait surtout bientôt reprendre sa place de chef de groupe aux Stups du Bastion.

Un contretemps, ce n'était qu'un foutu léger contretemps.

— Où a été trouvé le corps ?

— Dans un fût en plastique. À la surface du lac.

TROISIÈME PARTIE

En pleine tempête

- 23 -

Le pêcheur qui avait découvert le corps gerbait son petit déjeuner, hoquetant à l'abri des regards, derrière un arbre. Sur la berge sablonneuse, le groupe d'enquête n'attendait plus que Chastain. Un cordon de sécurité avait été dressé autour d'un fût rouge d'une hauteur de quatre-vingts centimètres et d'une contenance d'environ deux cents litres, dont le large couvercle avait été ouvert. Bien que la scène se passe à l'air libre, la violente odeur nauséabonde qui en émanait soulevait le cœur de chacun. Bousquet tendit une paire de gants latex à Noémie qui prit une grande inspiration avant de regarder précautionneusement à l'intérieur du fût.

Il y avait là des os, du matériel organique en liquide visqueux, un crâne à la mâchoire édentée, et quelques cheveux bruns emmêlés. Un squelette et de la bouillie.

— Lieu de découverte ?

— Aux environs de là-bas, pointa du doigt Milk. Au milieu des eaux, à cinquante mètres de la rive.

— C'est d'une imprécision redoutable, pesta Chastain.

115

— Désolé, Fabre l'a accroché à son bateau pour le ramener sur la terre ferme sans savoir ce qu'il traînait. Jusqu'à ce qu'il ouvre.

— Fabre ?

— Le pêcheur qui fait ses vocalises derrière les sapins, précisa Romain.

Toute délicatesse mise de côté, Noémie lui demanda de s'approcher.

— T'as une gosse, toi. On peut faire rentrer quel âge là-dedans ?

— Entre huit et dix ans je dirais. Douze, si on tasse bien.

— Et aucune déclaration de disparition inquiétante en cours, ajouta Milk.

Noémie s'agenouilla près du fût, décontenancée.

— Vu l'état du corps, tu ne risques pas de t'en souvenir. Plus de chairs, plus de muscles, les dents sont déchaussées et il ne reste que des filaments de cheveux. Il est mort il y a plusieurs années. Bien avant que tu sois flic.

Elle se releva, enleva ses gants en les faisant claquer, puis suivit le protocole.

— On ne touche plus à rien. On appelle les pompes funèbres, on revisse le couvercle à fond et on leur précise de prendre des sangles. Ce serait ballot que tout se vide en piscine dans leur fourgon. Il faudra séparer le contenu du contenant dès qu'ils arriveront à l'institut médico-légal de…

— Montpellier, précisa Valant.

— Ouais, Montpellier. Je vais faire mon rapport au magistrat du parquet de…

— Rodez.

— Ce serait bien le diable si j'arrive pas à me faire dessaisir par la PJ de… Rodez ? Montpellier ?

— Non, Toulouse.

— C'est bien, c'est simple.

Un brin de déception s'entendit dans la voix du lieutenant Valant…

— Je pensais que vous auriez voulu garder cette affaire.

Une déception qui n'était pas due au seul cas criminel dont elle tentait déjà de se débarrasser, mais à l'image que s'était faite Romain de cette capitaine chevronnée, impatiente, croyait-il, d'avoir une enquête solide avec laquelle s'oublier.

— Alors vous m'avez mal cernée, conclut-elle.

Juste un foutu léger contretemps.

Elle décollerait, quoi qu'il advienne, aujourd'hui même.

Milk et Bousquet restèrent sur place pour attendre les pompes funèbres, laissant Chastain se faire conduire au service. La voiture disparut dans un virage et Milk s'autorisa enfin à penser à voix haute, les yeux posés sur les eaux du lac.

— C'est l'ancien village qui libère ses fantômes. Ça présage rien de bon.

— Commence pas avec tes légendes rurales, le rabroua Bousquet. Tu vas passer pour un bouseux.

24

Dans le bureau du groupe d'enquête, Noémie lança la visioconférence avec le Parquet. Decazeville se trouvant à près de quarante kilomètres du tribunal de grande instance de Rodez, il s'agissait là de la meilleure manière de joindre un procureur.

Elle résuma la situation, le fût, le corps, l'ancienneté des faits, le manque de moyens de son service, et tenta de faire comprendre au magistrat qu'un dessaisissement au profit de la PJ de Toulouse était la seule solution.

— Toulouse ? Impossible, répondit le procureur. Je leur ai déjà envoyé des renforts de Montpellier tant ils sont sous l'eau. Règlements de comptes, viols et trafic massif de stupéfiants, la ville rose perd de ses couleurs. Et puis on ne peut pas dire que vos hommes soient totalement débordés. Qui pourrait rêver d'un meilleur alignement d'étoiles ? Vous avez une seule enquête et un service entier à votre disposition. Un flic de PJ n'est pas meilleur qu'un flic de commissariat et vous le savez.

— C'est probablement un meurtre ou une dissimulation d'accident. Un commissariat ne devrait pas avoir à traiter cela, tenta Chastain.

118

— Vos exploits parisiens sont connus jusqu'ici, capitaine. Et vous avez toute mon admiration et mon respect, je vous l'assure. Utilisez votre bagage de quinze années de judiciaire, ça devrait suffire pour assurer les premiers actes. Je verrai ce que je peux faire si la procédure dérape vers plus compliqué. Ça vous irait ainsi ?

— C'est une question que vous me posez ?

— C'est une entente que je vous propose.

Furieuse, Noémie claqua la porte du bureau pour passer le coup de fil suivant. Elle connaissait évidemment le numéro du Bastion par cœur et, grâce aux fichiers croisés nationaux, le patron devait déjà avoir eu vent de l'affaire.

— Chastain !

— On avait dit trente jours, le coupa-t-elle.

Et pourtant, cela n'avait pas été assez. Le directeur central avait trouvé de nombreux placards pour y dissimuler son officier gênant, mais aucune raison acceptable. Rien, absolument rien, ne justifiait sa mise à l'écart. Sauf peut-être un échec cinglant, reflet de son inaptitude au terrain.

— Ce n'est que l'histoire de quelques jours, la rassura-t-il. Le but est de prouver que votre commissariat ne sert à rien. Ce n'est pas avec vos flics en sabots que vous allez résoudre cette affaire. Surtout un *cold case* comme celui-ci, si j'en crois l'état du corps. Plantez cette enquête, bousillez-la dans les grandes largeurs, faites-vous dessaisir par Toulouse, ou même les gendarmes, ce serait encore mieux. Votre place vous attend ici, vous le savez bien. Ce qu'il faut entre nous, c'est de la confiance.

Ce petit corps, au fond d'un fût, oublié depuis si longtemps, devenait la pièce maîtresse du plan du directeur central pour enfin écarter légitimement Chastain du Bastion. Il suffisait qu'elle échoue.

Lorsque Noémie sortit du bureau pour rejoindre celui du commandant Roze, elle y trouva le reste de l'équipe, en attente de la décision.

— On garde l'affaire jusqu'à nouvel ordre, déclara-t-elle.

Bousquet tapa dans la main de Milk, ravi de la nouvelle.

— Je savais que vous vous laisseriez pas faire !

— Bien joué, capitaine, ajouta l'enfant policier.

Seul Romain avait compris que la nouvelle n'était bonne que pour eux et Noémie évita soigneusement son regard.

— Le délai pour l'IML ?

— L'autopsie est prévue pour demain 10 heures.

— Bien. Bousquet, vous faites l'audition du pêcheur. Milk, vous me réunissez toutes les procédures de disparition inquiétante des six communes sur une période de cinq ans. Valant, s'il y a eu un relevé d'ADN sur ces cas, vous prévenez le labo qu'on ne va pas tarder à faire une série de comparaisons avec le corps qu'on a trouvé. Et on fait le point toutes les heures.

Puis elle se tourna vers Roze.

— Je sais que ça ne va pas vous plaire, mais je voudrais aussi transmettre une copie de notre enquête aux gendarmes. En simples consultants. J'imagine que vous collaborez peu, mais ce serait dommage de rater une information à cause d'une guerre de services.

— Mais s'ils ont une piste, c'est un coup à les voir récupérer le tout ! s'exclama Roze en se tortillant sur sa chaise, comme si elle était électrifiée.

— C'est un risque à courir. L'important, c'est la victime, non ?

Roze abdiqua, alors que Valant cherchait toujours à savoir ce qui était vraiment important aux yeux de son officier. Après un mois passé à ses côtés, il ignorait encore tout d'elle et de ses réelles motivations.

*
* *

— Vous m'autorisez à être franc ?

— Vous n'avez jamais pris de pincettes jusqu'ici.

Noémie était rentrée à la maison du lac en début de soirée. Elle avait commencé par shooter dans ses bagages avant de fumer cigarette sur cigarette avec l'avidité d'un condamné. Puis elle avait contacté Melchior. Mais le psy n'était pas homme à enjoliver, ni à dorloter ses patients.

— Vous cherchez quoi, à la fin, capitaine ? Paris vous a trahie. Ne vous sentez-vous pas ridicule à lui courir après ? Et pour y retrouver qui ? Adriel ? Dans le même bureau, à longueur de journée ? Vous vouliez être flic, juste flic m'avez-vous dit. On vous offre une équipe qui a envie de travailler avec vous, une affaire pour laquelle vous vous seriez battue en temps normal, et vous êtes encore et toujours en colère. À moins que ce ne soit de la peur. La peur de n'être plus celle que vous étiez. Le directeur central pense que vous allez échouer. C'est ce que vous voulez lui offrir ? Vous essayez toujours de ne pas le décevoir ? C'est

121

seulement votre visage qui est blessé. Le reste fonctionne parfaitement.

— Mais si je reste ici, ils auront gagné.

— Si vous réussissez cette affaire, ils auront perdu. Personne ne pourra plus vous refuser un retour en fanfare. Respirez, calmez-vous, et on fera le point demain si vous le souhaitez. Prenez un somnifère, d'accord ?

Respirer. Se calmer. Elle marcha en rond dans le salon, puis de long en large sans effet supplémentaire, les poings serrés, des fourmis rouges dans le cœur. Respirer. Se calmer. Simple à dire. Elle était à la limite de l'ébullition avec l'envie de tout renverser dans la maison.

Puis le chien cassé hurla. Une fois de trop. Et au mauvais moment.

Elle passa un manteau, courut jusqu'à l'arbre au tronc couché où elle l'avait rencontré. Elle traversa le sous-bois avec la lampe torche de son portable et atteignit une maison de pierre de l'autre côté de la forêt.

Encore un cri de souffrance.

Elle sauta par-dessus le muret qui délimitait un jardin potager, traversa la cour et envoya une série de coups de poing dans la porte.

— Police ! vociféra-t-elle avant de balancer des coups de pied de toutes ses forces contre le bois.

Le chien cessa de hurler. Un bruit de pas et la porte s'ouvrit.

Un homme d'une cinquantaine d'années, chemise épaisse et pantalon de velours, apparut, surpris d'une visite si tardive. Il ouvrit la bouche mais n'eut pas le temps de prononcer un seul mot. Noémie laissa exploser toute sa rage, le doigt pointé et menaçant.

— Écoute-moi bien, espèce d'ordure consanguine, si jamais j'entends encore ce chien hurler, je viendrai t'arracher moi-même les couilles pour les pendre à ton rétroviseur et je foutrai le feu à ta voiture.

Le chien déglingué s'approcha et se colla à la jambe de son maître, fidèle jusqu'à la bêtise. Sa truffe saignait un peu et il respirait mal. L'homme chercha quelque chose derrière la porte et, lorsque Noémie leva à nouveau les yeux vers lui, il tenait à la main un fusil de chasse, canon pointé vers elle.

Elle se retrouva immédiatement propulsée dans le studio de banlieue, Adriel et son équipe derrière elle. Le coup de feu. Le visage qui s'envole en lambeaux comme du papier que l'on brûle. Paralysée.

L'animal ressentit immédiatement sa vulnérabilité. Pris en étau, il fit un pas dans la direction de Noémie et se prit une ruade de son propriétaire qui l'envoya rouler au fond de la pièce.

Sans avoir dit un seul mot, l'homme recula et referma doucement la porte. Noémie s'effondra sur place, tremblante, au beau milieu de la cour, au beau milieu de la nuit, au beau milieu d'une tempête émotionnelle. Elle échouait, une fois de plus.

Puis lentement, comme le mercure monte, ses poings se serrèrent. Son regard devint noir. Et elle se releva enfin, déterminée.

Oui. Elle avait peur. De tout. De rester ici. De rentrer à Paris. De tenir son flingue. De cette enquête. D'affronter ceux qui pensaient qu'elle ne valait plus rien. De décevoir ceux qui voulaient croire en elle. De ne plus aimer. De ne plus être aimée. Oui, elle avait peur. Une peur qui existait réellement, comme un monstre noir qui se cacherait dans son ombre. Omniprésent, tapi, se nourrissant d'elle.

Sur le chemin du retour, une pluie dense se mit à tomber et l'accompagna jusqu'à la maison.

Lorsque l'homme entendit pour la seconde fois de la soirée sa maison trembler sous les coups qui redoublaient de violence, il se promit de calmer sa nouvelle voisine définitivement. Il ouvrit la porte et Noémie dégaina son arme qu'elle braqua pleine tête. Mais sa voix n'eut pas la fermeté escomptée. Elle pleurait presque.

— Vas-y. Prends ton fusil. Fais-moi plaisir.

La vision de cette femme, trempée jusqu'aux os, tremblant comme une feuille, le doigt sur la détente, visiblement bien plus effrayée qu'il ne l'était, l'incita à ne pas faire un geste. Mais il y avait de la cruauté dans les yeux de cet inconnu, de la haine retenue. Le chien boita vers Noémie, l'air fautif, lançant des regards inquiets à son maître, hésitant jusqu'à ce qu'elle l'attrape par le collier.

— Si tu me suis, si tu tentes quoi que ce soit, je t'abats sur place.

Plus elle restait et plus son arme pesait lourd entre ses mains. D'un instant à l'autre elle serait submergée par une crise de panique. Elle recula alors, pas à pas, jusqu'à disparaître dans la nuit.

25

La première chose que vit Noémie en ouvrant les yeux fut la truffe humide et de traviole du chien qui s'était installé sur la couette de son lit. Elle se frotta le visage et fit le point, comme on redécouvre l'amant d'une nuit arrosée.

— Je me suis déjà réveillée avec pire, lui avoua-t-elle.

Elle évita le coup de langue de justesse et le repoussa affectueusement.

Elle avait d'abord pensé l'appeler Adriel mais se ravisa aussitôt car elle n'avait aucune envie de prononcer ce nom plusieurs fois par jour. Vu l'aspect un brin abstrait de l'animal, elle opta pour Picasso, se promettant de trouver mieux, plus tard. Inconsciemment, elle venait de valider la possibilité d'un plus tard.

Elle devenait responsable de quelqu'un. Melchior aurait suggéré que c'était une manière comme une autre d'accepter son destin. Et elle aurait soufflé sa désapprobation, par habitude.

Du bout du pied, elle força le chien à descendre du lit.

— J'espère que tu as bien profité de la chambre parce que c'était la dernière fois. Un chien, ça vit dehors, disait mon père.

*
**

Bousquet et Milk l'attendaient déjà sur le parking du commissariat avec la tête des mauvaises nouvelles.

— Un souci ? Une autre affaire ? questionna Noémie.

— Rien de vraiment grave. Une plainte pour menaces de mort et vol de chien. Votre voisin le plus proche. Une histoire de couilles et de rétroviseur. J'ai pas tout compris, mais ça vous ressemble assez dans le texte.

— M. Vidal, précisa Milk, généalogiste sans égal de la région. Un ancien légionnaire. Ça aurait pu plus mal se passer. On sait qu'il n'est pas tendre avec ses bêtes, mais ce serait quand même bien que vous n'ayez aucun rapport avec ça.

C'est le moment que choisit Picasso pour montrer sa tête à l'arrière du Land Rover. Avec sa langue de travers et sa mâchoire pendante, Noémie et lui faisaient l'accord parfait.

— Et merde…, souffla Bousquet. Et on est censés faire quoi maintenant, capitaine ?

— Commencez par faire venir un véto, on verra après. Je file à l'autopsie, on est déjà à la bourre.

Dans la voiture banalisée, Romain au volant, le début du trajet se fit en silence. Le jeune lieutenant se

126

posait toujours les mêmes questions et Noémie avait, de son côté, beaucoup réfléchi.

— J'ai un chien.

— J'ai entendu ça.

La voiture quitta Decazeville et emprunta la nationale vers Montpellier.

— Et sinon, l'arme avec laquelle vous avez menacé votre voisin, elle ne devrait pas être au coffre du service ? demanda Romain.

— Ne commencez pas à être tatillon. Je l'y mettrai demain, promis. Et on est en retard, ajouta-t-elle.

— Vous voulez le gyro et la sirène ? Ça vous ferait plaisir ?

— Assez, ouais.

L'aiguille du compteur s'emballa et Valant, tout en douceur malgré la vitesse, se fraya un chemin entre les voitures.

— Vous avez l'air différente.

— Différente ?

— Concernée. Impliquée. Présente.

— Choisissez.

— Alors, présente.

*
* *

L'institut médico-légal de Montpellier, partie intégrante du CHU, n'avait pas le charme désuet de celui de Paris, avec sa bâtisse en vieilles pierres et la Seine qui le caressait. Il n'y avait là qu'un gigantesque hôpital, rénové l'année précédente, aux façades blanches et aux couloirs interminables, comme à peu près tous les hôpitaux.

Leurs salles d'autopsie, nettes comme des blocs opératoires, pourvues de tout le matériel dernier cri, faisaient passer la morgue de Paris pour un cabinet de curiosités ou celui d'un médecin de campagne.

Sur la table en inox impeccable reposaient les restes du squelette d'enfant découvert la veille, déjà lavés des fluides organiques qui les recouvraient et qui se trouvaient désormais dans de grands bacs à déchets siglés « Bio hazard – Risque biologique ». Au mur, un écran géant permettait de retransmettre les autopsies en direct, à la surprise de Chastain qui n'avait jamais encore vu un tel dispositif.

— Ça aussi, on peut le faire en visioconférence ?

— Vous auriez préféré ? demanda Romain.

— Ça évite de supporter les odeurs, affirma le légiste quand il entra dans la pièce, main tendue pour les saluer. Mais les enquêteurs, en bons saints Thomas, aiment bien voir par eux-mêmes, si j'en crois mon expérience.

Avec son regard curieux et la corpulence d'un homme qui a dit non au sport et oui plusieurs fois à tout le reste, il détailla Noémie comme un nouveau cas, tentant d'attribuer une cause à chaque cicatrice. Elle patienta jusqu'à ne plus le pouvoir.

— Ce que vous cherchez est sur la table d'autopsie, précisa-t-elle.

— Mes excuses, capitaine, dit-il en se tournant vers les restes de cadavre.

Gants enfilés, masque de protection baissé, d'un coup de télécommande, il lança l'enregistrement vidéo de la session.

— Sujet inscrit sous « X ». La maturité osseuse n'est pas atteinte, je ne peux donc pas certifier le sexe. Entre huit et douze ans. Découvert dans un fût plastique vissé hermétiquement et plongé dans l'eau. Le fût a fait l'objet d'un prélèvement pour analyse, nous saurons bientôt quel était son usage premier. J'aperçois une nette fracture au niveau de la colonne vertébrale, due à une violente torsion, comme s'il avait été simplement plié en deux. Il faut beaucoup de force, à dire vrai, ce serait presque impossible à mains nues. En tout cas, c'est votre cause du décès.

— Vous avez une idée de datation ?

— Dans cet état ? Entre plusieurs années et pas mal d'années.

— Encore moins précis, c'est possible ? se désola Noémie.

— Je suis légiste, pas voyant.

— Et pour l'ADN ?

— J'ai juste à utiliser les ostéoblastes et le tissu spongieux des os et ça devrait être bon.

Il se saisit d'une foreuse chirurgicale, cherchat parmi les ossements lequel serait le meilleur candidat, suspendit son geste puis se tourna vers Chastain.

— Blessure balistique, annonça-t-il comme s'il venait de retrouver un mot sur le bout de la langue.

— Le gosse ou moi ?

— Vous êtes cette officier parisienne, c'est ça ? Et déjà sur le terrain ? Dire que j'ai une infirmière qui s'est collée en arrêt maladie pour un rhume !

— J'aurais fait pareil. C'est très handicapant, les rhumes.

26

La découverte du cadavre d'un enfant fut un séisme dans la région et, à leur arrivée au commissariat, Pierre Valant s'entretenait déjà avec le commandant Roze.

— Merde, le maire, souffla Romain en se garant.

— Les faits surviennent dans sa commune, normal que votre père vienne se renseigner.

— Ouais. Je vous le laisse. Très peu pour moi.

Noémie rejoignit les autorités et n'eut même pas le temps de les saluer. L'édile la bombarda de questions sans attendre.

— On sait qui est le gamin ?

— Pas encore.

— C'est un meurtre ?

— Probablement.

— En pleines tractations avec les Chinois sur leurs investissements dans la Mecanic Vallée, c'est catastrophique.

— Vous avez raison. J'engueulerai la famille dès qu'on l'aura identifiée.

— Gardez vos sarcasmes pour ceux que ça blesse. Vous ignorez tout des efforts que je fais pour Avalone. Vous les connaissez, les Chinois, c'est superstitieux.

Un signe de mauvais augure et ça se roule en boule comme des hérissons. Mais fallait s'y attendre et je l'ai dit au conseil municipal ! À force d'accueillir n'importe qui chez nous, ça devait arriver. Vingt-six familles syriennes ont été intégrées depuis le début de l'année, et quand je dis intégrées, je me comprends. Ce serait bien leurs manières sauvages. Vous comptez enquêter dans ce sens ?

— Pas vraiment, non, tempéra Noémie à qui revenait en tête la scène des villageois en fureur poursuivant la créature dans le *Frankenstein* en noir et blanc de James Whale. J'aimerais déjà savoir quand il est mort, et aussi qui il est, avant de commencer les ratonnades. Mais je vous promets qu'au moindre doute je vous garde une fourche et une torche.

De mémoire, personne ne s'était jamais adressé ainsi au maire et Romain se délecta de l'image de son père, bouche bée, planté sur le seuil du commissariat comme un citoyen lambda trop curieux. Roze courut à leur suite après s'être confondu en excuses auprès de Pierre Valant et retrouva toute l'équipe au bureau des enquêtes, en réunion studieuse. Il tenta alors de calmer les esprits.

— Bon, je ne dis pas qu'il a entièrement raison sur les Syriens. En revanche, Saint-Charles fait déjà sa une de cette affaire et l'inquiétude du maire va rapidement devenir celle des villages. Un meurtre d'enfant, ça n'a jamais eu lieu par ici.

Noémie n'eut qu'à se pencher vers Milk pour qu'il comble ses lacunes.

— Saint-Charles, Hugues de son prénom. Le journaliste de *La Dépêche* pour les six communes, répondit-il en chuchotant. Et désolé de vous contredire,

131

commandant, ajouta-t-il à voix haute, mais on a déjà eu un meurtre d'enfant en 2000, à Flavin. Le type qui a tué la famille de son ex par jalousie. Il y avait un bébé de cinq semaines dans l'histoire, mort brûlé.

— C'est ce que je dis, se défendit Roze. Il y a dix-neuf ans et à quarante kilomètres de chez nous. Non, ça n'a pas de sens !

Bousquet déposa sur le bureau un maigre dossier qu'il fit glisser vers Chastain.

— Comme demandé, nous sommes remontés sur cinq années. Deux disparitions d'enfants recensées. Une mort accidentelle dans une grange, et l'autre a été retrouvé sain et sauf dans la semaine. Une fugue.

— Moi, je dis que c'est les fantômes de l'ancien village, s'entêta Milk.

— Voilà, tu nous fais passer pour des cons, le sermonna Bousquet.

— Quoi ? Ils ont bien des fantômes à l'Opéra, à Paris.

— Oui mais les fantômes, ça flotte avec des draps sur la tête en faisant « Bouh », ça se balade pas dans des fûts en plastique.

De cette passe d'armes, Noémie n'avait retenu qu'un point précis.

— Que voulez-vous dire par ancien village ?

— Avalone n'a pas toujours été à cet endroit, reprit Roze. En 1994, il y a vingt-cinq ans, le tracé du barrage électrique n'a pas fait dans le détail. Il fallait bloquer la Sentinelle et créer un lac en inondant la vallée, vallée dans laquelle se trouvait l'ancien Avalone. Un village jumeau a été construit à quelques kilomètres de là, la population a été déplacée et nous avons laissé nos maisons derrière nous se faire engloutir. Nous avons ensuite recommencé à vivre comme avant en gardant le même nom. Avalone. Ce n'était pas plus traumatisant qu'un déménagement.

Noémie eut du mal à cacher sa stupéfaction.

— Vous voulez dire qu'il y a une cité sous-marine juste en face de chez moi ?

— Ce qu'il en reste, oui. Avec les légendes qui vont avec. Dès qu'une broutille est inexpliquée, on fait ressortir les fantômes de nos aïeux à la surface. Ça ne change pas grand-chose à notre enquête, si ?

— Un cadavre de gamin que personne ne réclame, et un village figé dans le temps il y a un quart de siècle. Soit le corps a été jeté à l'eau ces jours-ci, soit cela remonte à plus de vingt-cinq ans. Donc, oui, ça change toute notre enquête.

Déterminée, elle renvoya Bousquet aux archives.

— Vous me réunissez toutes les affaires de disparition des trente dernières années. On reste sur une zone de recherches correspondant à nos communes, on élargira plus tard si nécessaire.

— Et la piste syrienne ? avança Milk.

— Rangez-la avec celle des fantômes, elles se tiendront chaud.

Chastain quitta la pièce pour faire son rapport au magistrat de permanence, rapidement rattrapée par son lieutenant qui lui emboîta le pas.

— Le petit n'a pas complètement tort, vous savez.

— Sur les Syriens ?

— Non, sur les fantômes. Si on remonte aussi loin que vous le demandez, vous allez en réveiller un qui a alimenté les conversations d'une bonne partie de mon enfance.

— Je vous écoute.

— La transition entre les deux Avalone n'a pas été vraiment heureuse. Au moment du transfert d'un lieu à l'autre, trois enfants ont disparu.

— Pourquoi vous ne m'en avez pas parlé avant ?

— C'était il y a vingt-cinq ans. Je n'ai pas fouillé ma mémoire jusque-là. Vous vous souvenez, vous, des faits divers d'il y a vingt-cinq ans ? Quoi qu'il en soit, il faut vraiment la jouer discrètement avant d'avancer la moindre certitude.

— Ça restera au sein du commissariat, si c'est ce qui vous inquiète.

— Ce ne sera pas suffisant. La mère de Milk est la libraire de Decazeville et la fournisseuse officielle de ragots et commérages. S'il se passe quelque chose le matin, Milk le lui raconte dans le détail à table à midi et à quatorze heures tout le monde est au courant. Vous devez comprendre que les familles des trois enfants sont encore au village. Imaginez le tremblement de terre s'ils apprennent qu'on ouvre de nouveau l'affaire. Surtout qu'elle s'est rapidement transformée en enlèvement. C'est impossible qu'il y ait un rapport.

— Bordel, s'exaspéra Noémie, vous me la racontez en entier cette histoire, oui ou merde ?

Habitué, Romain ne s'offusquait même plus du langage de Chastain.

— Il s'appelait Fortin. Un ouvrier saisonnier qui a pris la fuite sans raison un matin, en pleines récoltes. Les dernières avant l'inondation. Le même jour, les trois gosses s'étaient envolés. Il y a toujours la possibilité d'une coïncidence mais Fortin était bien connu de nos services. Un ancien braqueur sorti de prison.

— Braquage et enlèvement, ce n'est pas la même grammaire.

134

— Les gens s'en moquent. Vous vouliez savoir quel fantôme vous alliez réveiller, je vous donne simplement son nom. Fortin.

— Et aucune nouvelle, ni des enfants ni de Fortin ?

— Aucune.

— OK. On ne laisse rien de côté. On reste sur une période de trente ans et vous me ressortez cette procédure des archives. Vous me la passerez discrètement et j'en ferai le tour ce soir, au calme.

— Ou sinon, vous venez la récupérer chez moi dans la soirée. Ma femme voudrait vraiment vous rencontrer. Et c'est la troisième fois que je vous invite.

— Elle est inquiète ? Vous lui avez dit que, physiquement, j'étais pas une menace ?

— S'il vous plaît. Juste un verre et je vous libère. C'est ce que font les coéquipiers, non ? Après, elle passera à autre chose et, surtout, elle me lâchera avec la « mystérieuse capitaine Chastain de Paris ».

— Elle le dit comme ça ?

— Oui. Sans séparation entre les mots, comme si c'était votre nom.

— Si je peux sauver votre couple…, capitula Noémie.

Elle s'imaginait déjà observée à la loupe pour permettre à Mme Valant de tempérer son éventuelle jalousie quand son portable se mit à vibrer dans sa poche. Le légiste avait avancé.

— Malgré son expérience, assura-t-il, vous avez quand même fait pâlir mon assistant. Une fois les os et mèches de cheveux extraits, fouiller dans cette mélasse organique a dû être un enfer.

— Et vous y avez trouvé quoi, en enfer ?

— Seuls les objets métalliques ont résisté aux sucs gastriques et au temps. Nous avons donc…

Il releva ses lunettes sur son nez et plissa les yeux sur le rapport.

— Vingt cercles métalliques, certainement les œillets des chaussures pour faire passer les lacets. Une boucle de ceinture. Un alliage qui s'apparente à un plombage dentaire et une pièce de dix centimes.

— Rien d'intéressant en somme.

— Et si je vous dis qu'avec un de ces objets je peux vous faire une datation assez précise ?

Défi relevé, Chastain se mit à mouliner. Pas long-temps.

— Putain, les dix centimes ! Ce sont des francs, c'est ça ?

— Bravo. J'ai eu peur d'être déçu. Oui, ce sont des francs. Et le passage à l'euro était en 2001.

— Donc, à moins que ce gamin ne soit numismate, on a un cadavre qui remonte au moins à 2001, soit il y a dix-huit ans. Ça va singulièrement restreindre la temporalité des recherches. Autre chose ?

— Le rapport d'analyse du fût. Il contenait du pro-pylène glycol. Normal d'en trouver par chez vous, c'est un complément alimentaire pour vaches laitières et brebis.

Informations partagées, Chastain et Valant fon-cèrent au sous-sol en direction des archives du service. Ils longèrent dans le même couloir vétuste les cellules de garde à vue, la salle photo de signalisation des mis en cause et les vestiaires pour arriver enfin dans une salle sans fenêtre où était assis Milk, des procédures ouvertes et des feuillets de rapports tout autour de lui, comme si l'automne avait eu de l'avance.

— Sur trente ans, j'ai trouvé quatorze cas de disparition. La numéro 1, une mineure, a été retrouvée deux jours plus tard à Rodez chez son petit copain. Le numéro 2 a été retrouvé en Espagne. Le numéro 3…

— On se fout des retrouvés, Milk. Ce sont les affaires en cours qui nous intéressent, et particulièrement celles d'avant la mise en circulation des euros. On a retrouvé des centimes de franc dans la poche de la victime.

— Des francs ? s'étonna l'enfant policier. Ça remonte au moins aux années 1950, ça.

— 2001, petit con, le sécha gentiment Noémie.

— De toute façon, 2001 ou XIVe siècle, j'ai rien. Zéro. Aucun enfant n'a disparu dans cette période. L'Aveyron n'a pas d'Estelle Mouzin, de Marion Wagon ou d'Aurore Pinçon. Le seul cas qui peut correspondre, surtout avec vos dates, c'est cette affaire.

Il souleva péniblement une procédure de plusieurs tomes sur la tranche de laquelle le nom de « FORTIN » était écrit en rouge.

— Mais, je sais, vous allez me dire que ça n'a rien à voir, que c'est un enlèvement.

Noémie et Romain échangèrent un regard ennuyé. Pour la discrétion, c'était plutôt raté : le petit avait eu autant de flair qu'eux et était désormais sur la même piste.

— J'imagine qu'on met de côté et qu'on élargit au département ? conclut Milk.

— Non, on fait déjà avec ce qu'on a en main sans sauter d'étapes. Une enquête comme celle-ci se fait au millimètre. Dans l'affaire Fortin, les ADN des gamins ont été prélevés ?

— Sans refaire mon petit con, le FNAEG[1] a été mis en place en 1998. On a quatre ans dans les pattes puisque l'enlèvement remonte à 1994.

— Le fichier automatisé, oui, corrigea Romain, mais les comparaisons se faisaient déjà quinze ans auparavant, surtout dans les cas de disparition.

Milk tourna les pages de l'épaisse procédure, fit glisser son doigt ligne après ligne et trouva la réponse.

— T'as raison. J'ai le procès-verbal récapitulatif des prélèvements faits au cours de l'enquête. Fortin dormait dans une des annexes de la ferme Valant, son ADN a été retrouvé à plusieurs endroits et enregistré à l'époque. Et il y a eu deux prélèvements dans chacune des chambres des trois enfants disparus. Un sur la brosse à dents et un sur des sous-vêtements.

— Parfait. Appelez le labo et dites-leur de comparer l'ADN du gamin « X » de l'IML de Montpellier avec ceux des trois gosses qu'ils doivent avoir en archives. C'est juste une comparaison, on devrait avoir les réponses demain. Et pourvu qu'il n'y ait pas d'épines, parce que c'est notre seule piste.

— Alors on le fait, c'est ça ? On va vraiment rouvrir cette affaire ? demanda Milk.

— Tu vas surtout vraiment la fermer, le corrigea Romain. Je ne veux pas foutre le feu aux communes

---

1. FNAEG : Fichier national automatisé des empreintes génétiques.

sans raison. Pour l'instant on vérifie et on confirme, c'est clair ?

— C'est bon. T'énerve pas.

Pour remonter au premier étage, Noémie emprunta le même couloir et, passant devant les gardes à vue, elle entendit un aboiement. Elle jeta un œil à l'intérieur et aperçut Bousquet, une gamelle d'eau à la main. En face de lui, dans la première cellule, elle vit son chien de guingois.

— Vous devriez aller retrouver Valant, il a des infos fraîches sur l'enquête, l'informa Chastain.

Bousquet poussa la gamelle devant le chien apeuré qui se recroquevillait dans un coin au fond de la cellule. Picasso devait certainement partir du principe qu'il allait s'en prendre une, et toute action différente d'une claque ou d'un coup de pied le déstabilisait. À la vue de Noémie, il s'approcha enfin et lapa avidement la moitié de la gamelle.

— Le véto n'est pas passé ?

— Si. Il y a une heure.

— Je ne vois pas grande différence.

— Pour la patte arrière, elle est cassée depuis trop longtemps. L'os s'est calcifié. Il faudrait recasser pour reconstruire. Le véto a dit que c'était beaucoup de peine pour pas grand-chose, vu qu'il n'en souffrait pas.

— Et sa mâchoire ?

— Pareil. Calcifiée. Plus rien à faire. Il va garder cette gueule en vrac tout le temps, faudra s'habituer, s'amusa Bousquet, avant de réaliser sa bourde. Non mais merde, capitaine, se désola-t-il, même quand je le fais pas exprès, je suis lourd.

Et pour la première fois depuis trois mois, Chastain éclata de rire. Un rire libéré, si agréable à entendre que Romain et Milk sortirent la tête des archives, plus surpris que si elle avait hurlé de douleur.

Elle les laissa sur place, les yeux encore écarquillés.

— Miracle, se moqua Romain.

— Je savais bien qu'elle était humaine, ajouta Milk.

27

À l'aide d'une simple cordelette, Noémie accrocha son chien à l'un des poteaux de la pergola qui protégeait la terrasse en bois de quelques mètres de large entourant la maison Valant. Suspendus à une partie de la rambarde, des lampions colorés en guirlandes comme dans les guinguettes des bords de Marne accueillaient aussi bien qu'un « bonsoir » amical. Elle s'agenouilla devant Picasso.

— Pas bouger. Pas aboyer. Pas partir, ordonnat-elle, le doigt tendu, tapotant sur la truffe à chaque instruction.

Et c'est dans cette position de maîtresse d'école sévère que Romain la découvrit en ouvrant la porte.

— Vous pouvez le faire entrer si vous voulez.

— Non, merci. Les chiens, ça vit dehors.

— Et s'il pleut ?

— Vous m'emmerdez, Valant. J'ai jamais eu d'animal de compagnie, j'improvise.

— À ce sujet, j'ai une gosse de dix ans, on va laisser tout ce vocabulaire sur le pas de la porte, d'accord ?

— Je ferai au mieux.

Elle n'avait qu'à tenir une petite demi-heure, se dit-elle.

Mais lorsqu'elle mit un pied dans la maison, l'odeur enivrante d'un repas mijoté l'encercla comme un piège. Et c'était bien ce dont il s'agissait. Un piège.

— Oui, désolé. J'ai bien parlé d'un seul verre, mais elle a transformé tout ça en dîner. Je vous laisse lui dire que vous ne restez pas.

Avant toute contestation, Aminata débula dans l'entrée, les mains posées sur sa bouche comme si elle retrouvait une amie d'enfance.

— La mystérieuse capitaine Noémie Chastain de Paris ! Je suis tellement contente de te voir, la tutoya-t-elle sans attendre.

Chastain tenta de la placer sur un planisphère. Somalie ? Éthiopie ? Elle eut moins de mal à la classer sur une échelle esthétique. Aminata était d'une beauté simple, parfaite et troublante, une princesse pour laquelle on pouvait mourir d'amour ou de jalousie. Et d'un noir profond qui permit à Noémie de mieux comprendre l'antagonisme entre Romain et son père, si prompt à un racisme décomplexé. L'arrivée de cette Africaine dans le cœur de son fils avait dû être pour lui une insulte et une menace au patrimoine génétique des Valant. Et en parlant de patrimoine génétique, l'union parfaite de ces deux êtres pointa le bout de son nez, encore à moitié cachée derrière les jambes de sa mère.

— Je te présente Lily, et autant te dire qu'elle est intenable depuis qu'elle sait qu'elle va te voir.

Noémie fut bombardée de questions tout au long du repas et principalement sur ses enquêtes passées.

Les plus complexes comme les plus terribles, qu'elle devait raconter à mots choisis pour ne pas remplir de cauchemars les nuits de la gamine, pendue à ses lèvres.

Elle se rendit surtout compte qu'à aucun moment elle n'avait pu déceler chez Aminata un regard appuyé sur ses blessures, une pause intriguée sur son visage. Elle se foutait complètement de l'apparence physique de Noémie, à croire même que cette dernière avait entièrement cicatrisé sur le pas de la porte.

Seule Lily, assise à sa droite, l'épiait discrètement en coin, comme une souris guette le chat, planquée dans son trou de mur.

— Tu devrais regarder une bonne fois pour toutes, petite, sinon ta fourchette va rater ta bouche, dit Noémie en se tournant vers elle avec un demi-sourire bienveillant.

Lily ouvrit grands les yeux, et contre toute attente, tendit ses doigts vers les balafres encore rouges. Aminata et Romain retinrent leur souffle, incertains de la réaction de leur invitée.

— Si tu me touches…

La main de Lily s'arrêta en suspens.

— Si tu me touches, tu seras la première.

Du bout des doigts, Lily caressa les cicatrices de Noémie, puis elle attrapa un court épi de sa mèche de cheveux argent.

— T'es belle.

— T'es petite.

— Non, t'es belle, confirma Aminata en baissant doucement la main de sa fille.

143

Et le regard de Noémie se troubla un peu.

Satané piège.

Romain déposa deux cafés brûlants sur une coupe transversale de tronc de chêne qui servait de table basse sur la terrasse de sa maison.

— Vous réussissez à la coucher ? s'enquit Noémie.

— Elle est un peu surexcitée, mais l'histoire de l'ogre de Malbouche devrait arranger ça.

— Il va falloir que tu me la racontes, alors.

— On passe au tutoiement ?

— Et donc, cet ogre ? éluda-t-elle.

— Oui, pardon. L'ogre de Malbouche. C'était au XIXe siècle, dans le Causse noir, à une centaine de kilomètres d'ici.

Romain tendit une tasse à Noémie et lui présenta une boîte à gâteaux métallique remplie de carrés de sucre. Picasso s'était assis entre ses jambes et semblait apaisé, les yeux mi-clos. La manière dont Valant racontait l'histoire laissait entendre qu'elle était la préférée de Lily. Il n'improvisait pas, il récitait un texte lu mille fois.

— Un homme du nom de Jean Grin, presque un géant disait-on, vivait en reclus dans une masure au toit effondré, à côté du ravin de Malbouche. Chasseur, il portait les peaux des bêtes tuées, si bien qu'on hésitait toujours à le considérer comme un homme ou comme un animal. Malheureusement pour lui, en 1899, trois gosses ont été enlevés et dévorés. Très certainement du fait d'un loup, puisque deux mille têtes avaient été recensées à cette époque dans l'Aveyron. Hélas pour Jean Grin, il n'en fallut guère plus pour qu'il devienne l'ogre de Malbouche, celui qui mange les enfants sans même les mâcher. Une expédition punitive fut alors organisée, Grin fut capturé et brûlé vif par les villageois, dans un four chauffé à blanc. Mais d'autres assurent qu'il a été vu vingt ans après au mariage de sa fille. Les légendes aiment les zones de mystère.

— Alors, quand, un siècle plus tard, trois nouveaux enfants sont enlevés, Fortin devient Jean Grin et perpétue le mythe ?

— Quelque chose comme ça.

— Et Atlantis ?

— Tu veux parler de l'ancien village englouti d'Avalone ? C'est loin d'être un cas unique et encore moins une nouvelle légende. Les barrages électriques ont besoin d'endiguer les rivières, de canaliser leur force pour la transformer en énergie. Et puisque les hommes s'installent toujours sur les rivages pour profiter de la nourriture qu'offrent les points d'eau, certains villages se trouvent simplement au mauvais endroit et sont voués à être inondés. Comme Essertoux, Antibes, Sarrans, Salles-sur-Verdon, Dramont, Guerlédan, Sainte-Marie-du-Caisson, et j'en passe autant qu'il en reste.

La maison de Romain avait été construite en hauteur, tout au bout d'une route sinueuse, comme le point d'un point d'interrogation. S'étendaient devant eux, nichées entre les collines, cinq des six communes dont ils avaient la charge. Cinq îlots de lumière distincts dans la nuit, faits de maisons illuminées et d'éclairage public.

— Tu vois comme tout est calme, ici ? demanda Valant. Si jamais on ressort cette affaire, nous n'aurons plus qu'à nous installer confortablement pour regarder la température grimper jusqu'à l'incendie.

— Nous ne sommes pas responsables des dommages collatéraux d'une enquête.

— Dans les grandes villes, peut-être pas, puisque la police n'a pas de visage. À la campagne, c'est moins sûr.

Noémie avait rapidement parcouru la procédure et le nom des victimes lui revenait sans cesse.

— Alex Dorin, Cyril Casteran et Elsa Saulnier, pensa-t-elle tout haut. Ces enfants, tu les connaissais ?

— Il y avait deux écoles pour les six communes. Donc, la moitié des trentenaires d'ici ont été en cours avec eux. Mais, sans les photos de la procédure, je ne me serais pas souvenu d'eux.

— Elsa Saulnier, ce serait la fille de la vieille alpiniste qu'on est allés récupérer en haut du puy Truc ?

— Le puy de Wolf, c'est ça. Mais, sa fille, je suis moins sûr. Les Saulnier étaient famille d'accueil. Il faudra vérifier la procédure.

Aminata débarqua avec une bouteille poussiéreuse et sans étiquette.

— Bon. On passe aux choses sérieuses ?

Puis, à son tour, elle enveloppa du regard le spectacle des villages illuminés. Sans détourner les yeux, elle s'adressa à Noémie.

— Romain t'a dit qu'on était propriétaires ?

— On n'en était pas là, non.

— La maison est à nos deux noms, poursuivit-elle fièrement. J'ai un bout de France à moi. Fini d'être une étrangère.

Puis elle servit à ras bord trois verres de ce que pouvait bien contenir cette bouteille anonyme.

28

Le lendemain matin, sur le chemin du commissariat, Noémie reçut un SMS de Romain qu'elle demanda à son portable de lire. La voix hachurée et métallique lui permit de garder les yeux sur la route.

« Passe par l'entrée arrière du service, je t'explique à ton arrivée. »

Elle se gara discrètement, longea le couloir des gardes à vue, monta un étage, passa devant le bureau du commandant Roze, qu'elle aperçut, debout devant Milk assis comme un puni, les yeux baissés, puis retrouva Bousquet et Valant, postés devant une des grandes fenêtres du palier.

— Un souci ? s'inquiéta-t-elle.

— Pas encore. Mais on a tous les ingrédients pour.

Noémie jeta un œil dehors. Il y avait, sur le parking, deux groupes séparés d'une dizaine de personnes. Certains fumaient en faisant les cent pas, d'autres consultaient leurs portables, les derniers regardaient simplement dans leur direction, derrière la vitre.

— Je te fais les présentations ?

Noémie acquiesça en même temps que Bousquet s'étonnait du tutoiement, enfin d'usage, entre les deux officiers.

— Alors, à gauche, c'est le clan Dorin. Ils sont agriculteurs, le deuxième plus grand domaine après celui de mon père. Il y a Serge, le père du petit Alex disparu, et Bruno, le cadet de la famille. Un sale type, celui-ci.

— Précise ?

— Bruno Dorin a un casier long comme le bras. Il a passé son adolescence à faire des allers-retours dans les cellules du commissariat. Cambriolages, drogue, bagarres, petites arnaques, vraiment un sale type, je te dis.

— C'est noté. Continue.

— À droite, c'est le clan Casteran, les parents du petit Cyril. Le père était le gardien de l'ancien cimetière d'Avalone, la mère infirmière à domicile. À la retraite tous les deux. Les deux familles sont visiblement au courant des comparaisons demandées entre les ADN de leurs gamins et ceux du corps retrouvé.

— La fuite vient de Milk ?

— Je ne sais même pas si on peut lui en vouloir. Sa mère est un redoutable détecteur de mensonges et de secrets. Il a dû arriver sous pression, elle a dû le sentir et le torturer jusqu'à ce qu'il crache le morceau. Roze le sermonne dans son bureau.

— Il manque une famille, remarqua Noémie. Celle d'Elsa.

— Faudrait déjà que Mme Saulnier trouve le chemin du commissariat sans atterrir sur le puy de

149

Wolf ou au milieu du lac, dit Romain. Et, de toute façon, elle est persuadée de vivre avec Elsa. Elle passe ses journées à attendre à la fenêtre son retour de l'école. Pour l'instant on a les Dorin et les Casteran, et je te promets que c'est assez ainsi.

— Et ils vont rester là ?

— J'imagine qu'il n'y aura que le coup de fil du labo pour les faire partir.

— Alors précipitons les choses, conclut Noémie.

*
* *

Avec tous les prélèvements à disposition, une comparaison d'ADN se fait en quelques minutes et le labo avait tenu ses promesses. Les résultats attendaient Chastain, à l'autre bout du fil.

— C'est positif, l'informa le laborantin.

— Avec lequel ?

— Dorin. Alex. Ça fait avancer votre enquête ?

— Comme tous les résultats positifs, j'imagine. Vous m'envoyez votre rapport par courriel ?

Noémie retrouva l'équipe, au complet, postée devant la fenêtre.

— Je vous jure que je voulais rien dire pour les comparaisons ADN de l'affaire Fortin. Mais vous la connaissez pas, ma mère, elle ferait avouer n'importe qui.

— Qu'ils sachent depuis hier ou ce matin, tempéra Chastain, ça ne change rien, vu les résultats. Tu nous as juste évité un déplacement à domicile.

— C'est un des trois disparus, c'est ça ? demanda Romain.

— Oui. C'est le petit Dorin. Alex. Le fils de l'agriculteur.

— Merde. On fait comment ?

— Comme toutes les annonces décès. Rapidement et clairement.

Lorsqu'elle vit les mines ennuyées de ses effectifs, Noémie comprit qu'elle allait devoir se charger d'annoncer la mauvaise nouvelle. Il lui revenait à elle de faire exploser une famille. Quand elle l'aurait décidé, elle anéantirait leur vie. Elle s'autorisa donc un café et repoussa de dix minutes les cris et les larmes. Elle avait, des années auparavant, croisé le chemin d'un flic qui lui avait offert un cadeau. Une simple phrase. « C'est pas tes proches, c'est pas ta peine. » Mais, malheureusement, la réalité n'est jamais aussi simple qu'un dicton. De plus, Noémie enquêtait comme on joue aux échecs, avec toujours un ou deux coups d'avance, et si Fortin, l'ogre de Malbouche, avait enlevé trois gosses, il n'y avait aucune raison pour que l'un d'eux soit sous les eaux de l'ancien Avalone. Et comme il y en avait un, peut-être que, quelque part sous les flots, patientaient les deux autres depuis vingt-cinq longues années.

Quand Chastain se présenta sur le perron du commissariat, la vingtaine de personnes présentes se turent immédiatement. Noémie imagina parfaitement ce que les clans Dorin et Casteran se disaient intérieurement à ce moment précis : « Pourvu que ce ne soit aucun de nous, ou pourvu que ce soit l'autre. »

Ces deux familles s'étaient reconstruites sur les décombres d'un drame et qu'auraient-elles décidé si on leur avait laissé le choix ? Elles auraient certainement préféré croire à la disparition de leur enfant, enlevé par Fortin, ce qui leur laissait, depuis, juste assez d'oxygène pour respirer. Avec difficulté, comme on crève ou on étouffe, mais respirer tout de même. Aujourd'hui, de nouvelles questions faisaient surface, et il n'y avait aucune réponse à y donner.

— Je suis le capitaine Chastain, chef du groupe d'enquête, dit-elle d'une voix forte et assurée à l'assemblée. Pour la bonne marche des investigations, je vais vous demander de vous disperser et de rentrer chez vous. Tous, sauf M. Dorin.

Le verdict, comme une balle de fusil, avait frôlé une famille et atteint l'autre en plein cœur. Casteran retint de justesse le malaise de sa femme, quand Dorin resta stoïque un instant, avant de fondre en larmes lorsque son fils cadet Bruno lui tomba dans les bras.

Noémie fit demi-tour et retrouva ses courageux, planqués dans l'entrée.

— Valant, tu me fais une audition rapide de Serge Dorin. Tu lui signifies la découverte du corps sur procès-verbal et tu le laisses repartir avec le moins d'informations possible en lui promettant qu'on le tient au courant de tout. Les familles et les proches ne font que parasiter, il faut les rassurer sans leur dire quoi que ce soit.

— D'accord, Noémie.

Chastain tiqua sur son prénom complet. Les images de sa sortie d'hôpital revinrent à sa mémoire, lorsqu'elle avait partiellement arraché son autocollant d'identification sur ses bagages et que « Noémie » avait été tronqué.

— Capitaine. Ou Chastain. Ou No. Pas Noémie, s'il te plaît.

*
* *

Au téléphone avec le procureur de Rodez, Chastain l'informa des suites d'une affaire qui, même avec la meilleure volonté du monde, devenait bien trop importante pour le commissariat.

— Vous savez pourquoi il n'y a pas de groupe de police dédié aux *cold cases*, capitaine ?

Le silence de Chastain invita l'explication à venir.

— Tout simplement parce que les taux d'élucidation sont quasiment nuls et que ce genre d'enquêtes, on se les coltine un temps indéfini. Un *cold case*, c'est froid pour une bonne raison. Si c'est une affaire classée, c'est que d'autres s'y sont cassé les dents avant. La reprendre, outre se croire le meilleur flic du monde, ne fait que remuer la vase d'un marais. Vous n'y verrez pas grand-chose de plus. Autant vous dire que tous les services à qui je vais la proposer vont me trouver les meilleures excuses possibles pour ne pas la récupérer.

— Vous pourriez les obliger, donner des ordres.

— Pour qu'ils traînent des pieds et qu'ils la laissent pourrir ? Je ne suis pas sûr de l'efficacité du projet.

Vous allez devoir entendre de nouveau toutes les familles concernées par ce drame, vous allez devoir plonger dans leurs mémoires, et cette introspection se passera d'autant mieux s'ils ont affaire à des policiers qu'ils connaissent et qui connaissent toute l'histoire. À nouveau, votre équipe est la mieux placée pour poursuivre.

Noémie s'enfonça un peu plus dans son siège. Ce qu'elle s'apprêtait à proposer au procureur risquait de le faire sauter au plafond.

— Vous comprenez qu'ici tout le monde s'est réparé avec l'idée que ces trois gamins avaient été enlevés par un certain Fortin. Loin d'Avalone, donc. Retrouver une des victimes sous les eaux du village ouvre la possibilité que les deux autres y soient aussi.

— Vous m'inquiétez, là, capitaine.

— Pourquoi ? Vous avez une autre solution que de faire vider le lac ?

— Vous n'êtes pas sérieuse ? s'offusqua le procureur qui voyait déjà les médias se régaler de cette enquête particulièrement romanesque.

— On ne va pas continuer au masque et au tuba, non ?

Association d'idées, le procureur trouva immédiatement une solution de rechange.

— Non, effectivement. Pas vous. Mais je vous autorise à réquisitionner la Fluviale de Paris. Ils ont une compétence nationale et sillonnent la France pour toutes les affaires qui le nécessitent. Je suis certain qu'ils ne connaissent pas Avalone. Demandez-leur une recherche sonar. On verra plus tard pour les grands travaux, si jamais votre hypothèse se révèle juste.

Chastain resta muette face à cette éventualité imprévue. Assez muette pour que le magistrat mette fin à la conversation sans qu'elle ait trouvé la parade.

29

Les six communes ne parlaient plus que d'Alex Dorin avant même que midi sonne. Il fallait agir aussi vite que possible, donc, prendre son temps sur l'essentiel. Et le plus urgent était de savoir absolument tout de cette procédure. Chastain enfourna les uns après les autres les tomes de l'enquête dans la photocopieuse du service qui menaçait régulièrement de bourrage papier ou d'explosion imminente, et les dupliqua à quatre reprises. Roze, Bousquet, Milk et Valant devaient connaître l'affaire aussi bien que le fond de leurs poches.

Elle lança la réquisition à la Fluviale de Paris qui répondit positivement quarante minutes plus tard. Au téléphone, la voix assurée du lieutenant Massey lui promit que son équipe serait sur site dans les vingt-quatre heures. Il lui fit aussi épeler « Avalone », ce village dont il entendait le nom pour la première fois.

Puis elle grimpa dans son Land Rover pour réviser au calme. Cheminée, chien, café et concentration.

Picasso sauta hors de la voiture à peine la portière ouverte. Il fit un pas, leva sa truffe au vent, se figea instantanément et fila se planquer derrière une des roues, queue et oreilles baissées, tentant de se faire aussi petit que s'il voulait disparaître.

Devant la baie vitrée, l'air mauvais et les mains dans les poches, Vidal, son ancien légionnaire de voisin, patientait. Noémie visualisa son arme, au fond du placard de sa chambre, sous ses pulls. Elle écarta le pan de son manteau et posa la main sur sa hanche, comme si un pistolet y était glissé. Vidal montra alors ses deux mains vides, en signe de non-agressivité.

— Mon chien, vous comptez me le rendre ?

Noémie se força à ne pas laisser trembler sa voix. Des phrases courtes permettraient peut-être de donner le change.

— C'est pas prévu.

— Je vais en prendre un autre, alors.

— Pour le cogner aussi ? C'est quoi, votre putain de problème ?

— J'ai été élevé au ceinturon. J'ai élevé ma femme au ceinturon. Pourquoi je changerais pour un clébard ?

— Je sais pas. Je m'en fous. Maintenant vous dégagez d'ici avant que je vous colle une balle dans le cul.

Vidal regarda cette femme défigurée, courageuse et pourtant terrifiée. De son temps sous les drapeaux, il savait reconnaître un soldat quand il en voyait un, même brisé. Il laissa échapper un grognement, presque une capitulation.

— Je repasserai, crâna-t-il. Je ne m'attaque pas à une personne désarmée.

157

Noémie enleva alors la main de sa hanche, le cœur en tambour, et le regarda partir calmement dans la forêt.

— Picasso ! Au pied, ordonna-t-elle.

*
* *

Elle avait désagrafé et séparé les tomes de la procédure pour ne garder que la centaine de procès-verbaux principaux et les photos afférentes, maintenant posés au sol tout autour d'elle et classés selon une organisation qui lui était propre, pour ne pas dire bordélique.

Pendant plusieurs heures, elle avait lu, pris des notes et parfois simplement regardé les pièces de cette enquête vieille d'un quart de siècle, laissant son inconscient mettre des drapeaux rouges là où ils étaient nécessaires.

Lasse à en fermer les yeux, elle ne rata pas pour autant son rendez-vous avec Melchior. Elle lui fit un point de sa situation personnelle, et puisque cette dernière était irrémédiablement intriquée avec son travail, l'affaire des disparus d'Avalone s'inséra rapidement dans la conversation. Les doutes et les craintes de Noémie aussi.

— C'est tout de même stupéfiant d'être aussi peu conscient de soi-même, constata le psychiatre.

— Doucement, doc, j'ai eu une journée épuisante, le prévint-elle.

— D'accord, mais tout de même. Vous n'avez pas l'impression d'être dans un jeu spécialement créé pour vous ? Un profil intact pour un charmant village, l'autre profil blessé, pour un village sous l'eau qui

158

réveille des souvenirs horribles. Tout est en opposé, ou en inverse photographique, comme les diapositives d'époque. Cette enquête vous ressemble de plus en plus. J'oserais même dire qu'elle est votre salut sur tant de plans différents que refuser de le voir est surprenant.

— Ne me sous-estimez pas. Je ne vois que ça et c'est peut-être justement ce qui me terrifie. Ce village et moi, nous portons les mêmes cicatrices.

— Que comptez-vous faire, alors ? Fuir encore ? Vous planquer ? Ou redevenir ce flic exceptionnel que vous avez toujours été ?

— Flatteur... Je suis sûre que vous dites ça à tous les policiers qui se sont fait envoler la moitié de la gueule et qui se retrouvent au fin fond de la France avec une enquête en noir et blanc. C'est trop tard de toute façon, je fais rarement marche arrière, surtout que j'ai maintenant le bras entier dans l'engrenage.

— *Good girl*, conclut Melchior.

30

La cafetière était remplie, les croissants posés sur la table et l'horloge du bureau affichait 8 h 30. Après l'appel passé à Melchior, Noémie avait tourné en rond sous le regard curieux de Picasso qui avait même commencé à l'imiter. Elle s'était alors décidée à finir la nuit au service. Avec l'aube qui réveillait doucement la campagne, son insomnie s'étalait maintenant sur les quatre murs du bureau, entièrement recouverts des auditions, des constatations et des clichés issus de la procédure.

Lorsque l'équipe fut enfin au complet, qu'ils eurent, comme dans un musée, visité leur propre bureau redécoré des investigations faites au siècle passé, Noémie annonça le début d'une révision générale. Ses trois policiers s'assirent sagement sans même oser piocher dans les viennoiseries.

— Il y a vingt-cinq ans, commença-t-elle, Avalone disparaissait sous les flots suite à la construction du barrage électrique. Du travail pour chacun sur le chantier et un programme de relogement et de reconstruction quasi à l'identique. Le tout pris en charge par Global Water Energy, la société de construction à la tête du projet et de son exploitation. Et pendant ce chambardement, trois enfants ont disparu. Cyril Casteran, Elsa Saulnier et, retrouvé depuis peu, Alex Dorin. Le fautif désigné fut un certain Fortin, ouvrier saisonnier, employé dans l'exploitation agricole de M. Pierre Valant, notre très cher maire.

— Il possédait un tiers des terrains de l'ancien Avalone, donc une chance sur trois d'employer ce saisonnier, se défendit Romain. Ça aurait pu arriver ailleurs, aussi.

— Personne ne lui passe les menottes, le rassura Chastain, on évoque juste les faits. Poursuivons. Le jour même de la triple disparition, Fortin s'évanouit et Valant découvre que l'un de ses utilitaires lui a été dérobé. Une camionnette Ford Transit immatriculée…

Elle chercha sur les murs le reste de l'information, sans succès, n'ayant pas encore le puzzle complet en mémoire.

— Immatriculée, on s'en fout, puisqu'elle a de toute façon été retrouvée quelques jours plus tard, totalement carbonisée, dans la cour d'une grange abandonnée, à trois cents kilomètres d'ici. Je vous passe les battues, les survols de la région en hélicoptère, les chiens renifleurs, les quelque quatre cents auditions qui ont été faites et les milliers de signalements de détectives en herbe qui les auront vus, qui à Paris, qui à La Réunion, qui dans une salle de cinéma. À la fin, Fortin, aidé par son passé de braqueur, est donc devenu le coupable tout désigné et les disparitions sont devenues des enlèvements.

— Retrouver le corps d'un des trois enfants ne veut pas dire que Fortin n'a pas enlevé les deux autres, fit remarquer Bousquet. Et tout le monde veut qu'ils aient été enlevés, mais ils ont pu être tués ici, tous les trois, et toujours par Fortin.

— C'est juste. On n'en saura rien tant qu'on ne sera pas allés voir par nous-mêmes. D'où l'intervention de la Fluviale à défaut d'un vidage du lac.

— Là, vous avez fait fort.

— Croyez-moi, si le gamin avait été retrouvé à côté d'une montagne j'aurais demandé à ce qu'on la fore comme du gruyère.

Puis elle se tourna vers l'enfant policier qui regardait tout cela en spectateur, comme devant son écran de télé.

— Milk, tu me fais un point sur les trois familles ?

— Justement, s'illumina le jeune homme, j'en parlais hier avec ma maman.

— Arrête avec tes « maman », le rabroua Bousquet, ça fait pas sérieux. Fais-lui passer le concours de police si tu veux, mais cesse de l'intégrer à nos enquêtes.

Le petit flic rougit et Bousquet lui ébouriffa les cheveux. L'ambiance ainsi détendue, le café remplit les tasses et les croissants devinrent miettes. Milk poursuivit, la bouche encore à moitié pleine.

— Famille Casteran. Comme vous le savez, André, le père, était le gardien de l'ancien cimetière d'Avalone et Juliette, la mère, infirmière à domicile. Les deux sont aujourd'hui à la retraite, même si certaines familles refusent de changer de soignante et font encore appel à Mme Casteran de temps en temps. Juliette Casteran n'a jamais cessé de croire au retour de Cyril. On lui disait enlèvement, elle nous répondait simple fugue. Elle est inscrite à l'APEV, l'Association des parents d'enfants victimes, et les appelle régulièrement. Appelle ou harcèle. En tout cas elle n'a jamais baissé les bras, persuadée que son fils est quelque part, vivant.

— Je suis entré une fois chez eux pour une histoire de cambriolage, précisa Romain. On ne discerne presque plus le papier peint tant il y a de photos de Cyril sur les murs. Un espoir plus douloureux que le deuil qui remplit tout l'espace et qui ne laisse de place à rien d'autre.

— Des parents qui espèrent encore, soupira Noémie, ce sont les plus chiants, sans vouloir froisser personne. Des coups de fil incessants à l'APEV face à des interlocuteurs qui ne font même plus semblant d'y croire. Ils risquent d'être les plus compliqués à gérer.

Milk tourna les pages d'un ridicule carnet dont la couverture représentait une des armoiries de Harry Potter.

— Famille Saulnier. Je ne vous présente pas Mme Saulnier, vous l'avez déjà sauvée d'une de ses expéditions en haut du puy de Wolf. Le couple Saulnier n'a jamais pu avoir d'enfants et, en 1987, ils deviennent famille d'accueil. L'assistance sociale leur confie Elsa à ses trois ans et le juge donne son accord pour une adoption dans la foulée. Accident bête quelques années plus tard, le mari chute dans les escaliers, laissant Mme Saulnier veuve. Elle s'est alors totalement dédiée à l'éducation d'Elsa. Après ce que l'on a pensé être un enlèvement, elle s'est laissé aller jusqu'à devenir cette vieille dame qu'on doit récupérer à gauche à droite en robe de chambre. Son cerveau s'est arrêté en 1994, elle n'enregistre plus rien après cette date. Si Juliette Casteran pense que son gamin vit une nouvelle vie quelque part ailleurs, Saulnier, elle, est persuadée qu'Elsa n'est jamais partie du village.

L'air de rien, le petit avait une fibre policière pas inutile et un esprit de synthèse efficace.

— Et enfin la famille Dorin. Second plus grand exploitant agricole d'Avalone. Il n'y a plus que le père, Serge, et le fils cadet, Bruno. Jeanne Dorin, la mère, s'est donné la mort après la disparition d'Alex.

— De quelle manière ?

— Elle s'est pendue dans la grange, entre les vaches et les chevaux. Les Dorin n'ont plus jamais parlé d'Alex après. Ni d'elle. Ils se sont renfermés et ont coupé les ponts avec une grande partie du village.

— Bien. Tu remercieras maman, le taquina Noémie.

Roze interrompit la réunion en passant la tête par l'embrasure de la porte, l'air amusé.

— Y a un bateau qui essaie de se garer sur notre parking.

31

À la mairie d'Avalone, Pierre Valant ne décolérait pas. Il avait tant malmené le journal du jour qu'il avait fallu en racheter un nouveau. Le titre de la une expliquait facilement son mécontentement. Et il était évidemment signé de la main du correspondant local, Hugues Saint-Charles.

LA MALÉDICTION D'AVALONE

« Qui se souvient encore de l'ancien Avalone, avant son inondation provoquée ? Un village mourant, qui assistait impuissant à la fin des choses, comme un petit vieux sur son banc voit le monde lui filer entre les doigts. L'exode de sa jeunesse, sa paupérisation annoncée et ses rideaux de fer sur les commerces qui fermaient les uns après les autres. Son école en constant combat afin de rester ouverte pour sa vingtaine d'élèves, toutes classes confondues. Pas d'enfants, pas d'avenir, la conséquence est certaine. On fait parfois table rase pour mieux recommencer. Mais à Avalone, c'est tout le village que l'on a vu disparaître sous l'eau dans l'espoir d'un renouveau. Global Water Energy avait longtemps hésité entre trois sites de construction avant de choisir finalement le village d'Avalone, grâce à la détermination d'un jeune maire, Pierre Valant, tout juste trente ans à l'époque et galvanisé par son premier mandat. Les travaux durèrent trois ans et, alors que le chantier prenait fin, trois enfants disparurent. Cyril, Alex et Elsa. Et au lieu d'avancer, le temps s'est figé, cristallisé autour de ce drame. Première malédiction.

Le barrage a certes offert nombre d'emplois et un nouveau souffle à Avalone mais, depuis sa finalisation, seule une centaine de personnes aujourd'hui est nécessaire à son exploitation et le village s'est retrouvé une fois de plus sur la pente d'un certain "assoupissement", comme aime à temporiser notre cher maire.

Dans ce nouvel Avalone, vingt-cinq ans plus tard, à la veille de l'annonce de l'implication des Chinois et de leurs milliards d'investissement dans la Mecanic Vallée, la seconde malédiction frappe le village. La seconde ou la même ? Car c'est bien le corps du petit Alex Dorin qui a refait surface, si longtemps après, ressuscitant des souvenirs que l'on pensait enterrés profondément.

Arrivée depuis peu, la capitaine Chastain, transfuge du mythique 36 de Paris, s'est vue chargée de cette enquête complexe. C'est à elle qu'incombe la lourde tâche de découvrir ce qui s'est passé ici même, il y a un quart de siècle.

Les fantômes d'Elsa et de Cyril hantent
désormais toutes les conversations, comme
si l'on refusait à Avalone le droit au
repos. »

— Tout va bien, monsieur le maire ? osa son secré-
taire en le tirant de sa lecture.

— Vous vous foutez de moi ? Non, tout ne va pas
bien ! Un fait divers, dans les années 1980, c'étaient
trois articles et un reportage. Aujourd'hui, avec les
réseaux sociaux et les chaînes d'info en continu, c'est
l'attraction nationale. Les médias vont user cette
affaire jusqu'à la corde, la décliner en mille articles
différents jusqu'à ce que quelque chose de pire les
éloigne de nous.

Le journal fit un vol plané en direction de la poubelle et la manqua.

— Appelez-moi le commandant Roze. Je voudrais
savoir ce qui se passe dans ma commune avant les
journaux. Si ce n'est pas trop demander.

*
* *

Noémie se rendit sur le parking et longea le 4 × 4
Ford Ranger blanc flambant neuf, sérigraphié « Police
nationale – Brigade fluviale » sur les portières et le
capot. Accrochée à ce dernier, une remorque portait un
Zodiac noir de cinq mètres dont un homme enlevait la
bâche de protection, laissant apparaître le nom dont ils
l'avaient baptisé : ARÈS, en majuscules argentées sur le
plastique noir.

Un homme descendit du Ford. Trapu, la peau tannée par trop de soleil et des mains de montreur d'ours dans lesquelles disparut celle de Noémie lorsqu'ils se saluèrent.

— Capitaine Massey ?

— Non, je suis son adjoint. Brigadier Lanson.

Noémie jeta alors un coup d'œil à celui qui était maintenant monté sur le bateau pneumatique et en vérifiait des équipements qu'elle n'aurait même pas su nommer.

— Toujours pas, corrigea Lanson. Lui, c'est le préposé au sonar. Vous pouvez l'appeler Sonar d'ailleurs, c'est plus simple. Sinon, c'est le lieutenant Radivojevic, mais vous allez vous faire un nœud à la langue.

Juché sur sa monture, Sonar fit un salut de la main qui se transforma en doigt d'honneur à l'attention de Lanson.

— Et Massey ? interrogea Noémie.

— Il est déjà au lac. Il respire l'endroit. Il se familiarise. C'est une opération de police comme une autre, il faut connaître le terrain avant d'agir. Sinon, vous nous avez prévu un hôtel ?

— Oui, c'est à quelques kilomètres d'ici. L'Hôtel du Parc, à Cransac. Vos clés sont à la réception. Je ne suis là que depuis un mois, je ne connais pas encore la région, mais vous y serez plutôt bien, paraît-il.

D'un bond, Sonar se retrouva à leur niveau avec l'agilité d'une sauterelle dont il partageait le physique longiligne. Une sauterelle avec des lunettes cerclées de prof de sciences.

— Paraît qu'il y a un village sous l'eau ? demanda-t-il, impatient.

— Exact. Ce sera une première pour vous ?

— Ce serait une première pour beaucoup, avoua-t-il. Il nous faudra une carte de l'ancien village pour faciliter nos recherches. Et la taille, la forme et la composition du fût dans lequel le gamin a été retrouvé.

— Nous n'en sommes qu'au début de l'enquête, précisa Chastain, et rien ne nous assure que les deux autres soient aussi sous le lac, ni même dans des contenants similaires.

— Il vaudrait mieux, continua Sonar. Parce que, si vos gamins sont restés vingt-cinq ans dans l'eau sans protection, on ne pourra rien en tirer. Même s'ils sont à l'état de squelettes, la porosité des os ne permettra pas aux ondes d'être renvoyées et mon sonar restera aveugle.

En finissant de débâcher, il révéla à l'arrière du bateau deux mallettes jaune canari. L'une, longue comme un étui à fusil, l'autre, large et haute comme une malle militaire.

— Je vous ferai déposer tout ce dont vous avez besoin à votre hôtel dans l'après-midi. Vous pensez pouvoir plonger dès demain matin ? demanda Noémie.

— Oui. Si le sonar nous trouve quelque chose. Ensuite, en fonction de la dangerosité, nous avons le choix entre deux plongeurs. Un humain et un robot. L'humain c'est le capitaine Massey, c'est lui qui décidera.

*
* *

Le grand-père sur sa barque avait accepté de délaisser un instant ses hameçons et ses lignes pour naviguer jusqu'au centre du lac, à la demande de ce jeune homme à l'accent pointu parisien. Ce dernier portait un haut de combinaison thermocline marqué de l'écusson « police », afin de parer aux températures glaciales des fonds marins, car à quarante mètres de profondeur, il pouvait déjà faire seulement quatre degrés. Entre ses jambes, un sac à dos plastique épais comme du pneu, visiblement lourd et plein. Il regardait l'eau sombre comme s'il lisait un livre, chaque ondulation ou frémissement ayant sa propre signification.

— Ici, ce sera parfait, jugea l'étranger.

— C'est pas bien malin, jugea à son tour le grand-père.

Sans faire cas de l'avertissement, le passager vérifia le poignard accroché à son mollet, enfila un masque de plongée, puis le sac à dos une épaule après l'autre, en serra les sangles, remplit ses poumons au maximum et se laissa basculer en arrière. Le plus violent est l'entrée dans l'eau, dans un nouvel élément, passer de l'air au liquide. Le reste n'est qu'une danse. Les gestes ralentis par la densité, l'apesanteur d'un vol aquatique. Ne rien voir, ne rien entendre, ne rien peser, comme un rêve de liberté absolue. Le poids du sac l'entraîna au fond. Il tendit les jambes, croisa les bras sur son torse, et se laissa couler doucement, tête la première, sans jamais chercher à accélérer sa course. En concentration maximale, il pouvait même entendre le bruit de son cœur résonnant dans tout son corps. Le rythme hypnotisant de sa propre mécanique l'accompagna jusqu'à ce qu'il sente sous ses doigts la terre mélangée au sable. Il contrôla le profondimètre à son poignet et en mémorisa les informations. Il ouvrit ensuite son sac à dos et en retira une à une les six grosses pierres qui l'avaient lesté jusque-là.

Autour de la barque, les eaux du lac étaient étales. Puis quelques bulles éclatèrent à la surface, annonciatrices d'une activité sous-marine. Massey remonta de sa longue apnée et le grand-père souffla enfin.

— J'ai eu peur que les fantômes du village vous aient attrapé, l'accueillit-il en lui tendant la main au-dessus de l'eau.

— C'est justement pour eux que je suis là.

Et Massey savait déjà où les trouver. À trente-six mètres exactement. Il avait espéré moins. Par ces profondeurs, tout se complique.

*
* *

Arrivé à l'Hôtel du Parc, le capitaine Hugo Massey retrouva Lanson et Sonar qui profitaient de la terrasse ensoleillée du restaurant. La carte de l'ancien village recouvrait toute une table et trois bouteilles de bière fraîches en tenaient les coins. Face à eux, quelques jeunes chevaux chahutaient dans un enclos en soulevant des nuages de terre rouge et sèche à chaque ruade.

— Trente-six mètres, annonça Massey.

— En apnée, on peut faire une remontée directe mais, avec les bouteilles, c'est impossible. Il faudra respecter des paliers de décompression, donc pas de possibilité d'incident majeur.

— C'est pas prévu, frima Hugo.

— Ça ne l'est jamais.

Il décapsula sa bière et entrechoqua sa bouteille avec celles de ses deux équipiers.

— Pour Amandine[1], trinqua-t-il avec un brin de tristesse.

— Pour Amandine, répétèrent les autres.

Ils laissèrent passer une prière silencieuse, ou peut-être n'était-ce qu'un moment de recueillement, puis ils se remirent au travail.

— Tout un village est pendu à nos palmes, poursuivit Lanson. Chastain, la capitaine du groupe d'enquête, nous demande si on peut s'y mettre dès 7 heures, pour éviter trop de public.

— C'est judicieux. Sonar, tu sais ce que tu recherches ?

— Ouais, affirma-t-il en sortant du dossier une des photos des constatations faites lors de la découverte du corps. Un fût comme celui-ci. Peut-être deux.

Massey détailla l'objet en prenant son temps.

— Parfait. Et sinon, elle est comment ? finit-il par demander avec un air de malice.

— Chastain ?

Sonar et Lanson se regardèrent, amusés.

— Ça dépend.

— Comment ça, ça dépend ? Elle est jolie ou elle est pas jolie, ma question est simple.

— Justement, non, c'est pas si simple, objecta Sonar, embarrassé. Ça dépend. On ne peut pas te dire mieux.

---

1. Plongeuse de la Fluviale. 1981-2018.

32

Cette fois-ci, Milk n'y était pour rien. C'était à croire que le village avait passé la nuit à la belle étoile sur les bords du lac pour ne rien rater de l'opération de la Fluviale. Et s'il n'y avait eu qu'eux ! Avec son appareil photo en bandoulière, posté sur un des rochers qui délimitaient l'orée de la forêt, Hugues Saint-Charles décrivait à son dictaphone chaque mouvement des policiers. Derrière lui, la caméra France 3 locale couvrait aussi l'événement.

Lanson fit une marche arrière et les roues de la remorque entrèrent dans le lac. Le bateau fut détaché et mis à l'eau au moment où Noémie et Romain arrivaient sur les lieux. Avec le public déjà nombreux, Chastain eut la désagréable impression d'être en retard à sa propre fête. Romain Valant gara la voiture et croisa le regard de son père, déjà aux premières loges, presque furibond de voir autant d'activité dans sa commune d'ordinaire si calme.

Même s'il la vit arriver, Sonar ne vint pas à la rencontre de Chastain, mais d'un coup de menton lui désigna son officier, le seul membre de l'équipe qu'elle n'avait pas encore rencontré. Massey avait déjà les pieds dans l'eau et regardait le lac comme s'il le défiait avec respect. Lorsqu'il pivota enfin vers elle, Noémie comprit immédiatement que le reste de son enquête allait être particulièrement compliqué. Instinctivement elle tourna sa tête d'un tiers vers la droite. Massey l'aperçut et fit chemin d'un pas confiant. Mètre après mètre, Noémie se tourna de plus en plus, si bien qu'une fois qu'il fut devant elle, elle sembla l'ignorer.

— Salut. Je suis Hugo Massey, se présenta-t-il. On s'est parlé au téléphone.

Le trouble immédiat qu'elle éprouva la dérangea. Pas l'envie, et certainement pas le moment. Massey avait une beauté particulière qui lui fit plus de mal qu'autre chose et Noémie se sentit honteuse de son apparence. Et mécontente, et gênée, et déstabilisée, et blessée, et séduite, mais surtout honteuse.

— Capitaine Chastain, répondit-elle avec autant de chaleur qu'une voix de GPS.

S'il ne comprit pas tout de suite la situation, Massey avait assez de sensibilité pour deviner que le regard qu'il posait sur son visage abîmé semblait la brûler, et que cette jeune femme à l'attitude fuyante ne désirait qu'une seule chose, qu'il disparaisse de sa vue. Encore indécis, hésitant à partir ou à lui expliquer, comme il le devait, le futur déroulé des opérations, il resta encore quelques secondes. Noémie décida alors de simplifier les choses et d'envoyer balader ses minauderies inutiles de princesse. Elle se tourna d'un coup et planta ses yeux dans ceux d'Hugo.

— Bon ? Tu t'y mets ou il te faut une bouée ? le tutoya-t-elle sans ambages. Tu as deux gosses à retrouver et, aux dernières nouvelles, ils étaient pas sur la terre ferme.

— On s'y met, on s'y met, répondit-il, à son tour déstabilisé par cette agressivité. Mais on aimerait assez ta présence sur le bateau. Avoir un officier pour nous aiguiller et nous raconter un peu mieux l'affaire, ça ne pourra que nous faire gagner du temps.

— Bien sûr, accepta Noémie. C'est normal.

Elle s'adressa alors à Romain et dévia le tir.

— Valant, bateau ! Merci. Je serai dans la voiture, dit-elle en tournant les talons.

Interloqués, les deux hommes grimpèrent sur le Zodiac en silence. Massey s'installa sur un des pneumatiques, au côté de Valant.

— Pardon pour tout à l'heure, souffla Romain. Je ne sais pas ce qui lui prend. Elle est souvent lunaire, mais jamais autant. Je m'excuse pour elle.

— Pas de problème, je crois que je viens de saisir quelque chose. Ta capitaine, elle vient bien de Paris, non ? Une ancienne des Stups ?

— C'est ça, confirma le lieutenant.

— Alors je sais qui elle est. Et ne t'excuse jamais pour elle.

*
* *

Le bateau s'éloigna doucement du bord puis Lanson envoya un coup d'accélérateur qui les propulsa en moins de dix secondes à une cinquantaine de mètres de la rive.

— D'après notre unique témoignage, c'est environ ici que le fût a été retrouvé, précisa Valant.

175

Entendant l'information, Lanson jeta l'ancre par-dessus bord et l'embarcation se stabilisa.

— Nous avons pris contact avec la direction des services d'exploitation du barrage, poursuivit Massey, et ils nous assurent qu'il n'y a pas eu de lâcher d'eau pour régulation du niveau depuis des semaines. Donc, pas vraiment de courant. Si le fût a été localisé ici, il n'a pas dû beaucoup s'éloigner de son lieu d'origine. On est où, là, précisément ?

Sonar sortit un moniteur vidéo de sa caisse de protection hermétique, alluma l'écran tactile, et ouvrit d'une pression du doigt l'interface du logiciel.

— J'ai téléchargé la carte de l'ancien village. Je n'ai plus qu'à l'appliquer en calque et je saurai exactement où l'on se trouve au mètre près, mais surtout, au-dessus de quoi on flotte.

Le logiciel moulina ses calculs avant de donner son verdict : « 44 degrés nord, 31 minutes 44 secondes et 1 centième de latitude, et 2 degrés est, 14 minutes 54 secondes et 9 centièmes de longitude. »

— D'après la carte, on se trouve juste au-dessus de la rue Alary. Entre les numéros 2, 4 et 6 pour les pairs, 1, 3 et 5 pour les impairs. Vu les dimensions du cadastre, j'ai un doute sur l'habitation du 6, elle me semble trois fois plus grande que les autres. C'est probablement autre chose. La carte précise « M.C. Avalone », ça vous dit quelque chose ?

En équilibre incertain, Valant se rapprocha du moniteur tout en se tenant aux cordages de maintien qui couraient le long des pneumatiques.

— M.C., ce sont les initiales pour « maison communale ». C'est une sorte de lieu de vie et d'entreposage. Nous en avons une dans chaque commune. Si elle est comme celle de mon village, à Aubin, on y trouve quelques chambres pour accueillir des invités de la mairie, une salle de réunion, mais aussi des tables et des parasols pour les kermesses, de la peinture pour les rénovations des biens publics, des stocks d'huile de moteur, des produits d'entretien. Tout le monde n'a pas de grande exploitation agricole, mais tout le monde a au moins un jardin, parfois même quelques animaux de ferme. Quand les achats de graines ou de semis se font en gros, les fûts sont aussi stockés ici, à la disposition de tous.

— Et ils pourraient contenir du propylène glycol ? questionna Massey.

— Vous connaissez déjà bien la procédure, apprécia Romain. Oui, le propylène glycol est un complément alimentaire pour vaches et brebis.

Massey se retourna vers Sonar et, d'un hochement de tête, lui signifia qu'il avait maintenant la main sur les opérations. Ce dernier ouvrit la longue mallette jaune canari, révélant un sonar de la même couleur. Il avait la forme d'un missile d'un mètre de long. Une extrémité était arrondie, facilitant l'hydrodynamisme, l'autre se finissait par trois ailettes stabilisatrices. Sur le corps du sonar s'affichait son surnom en lettres noires : CENTURION.

— Entre votre bateau, *Arès*, qui porte le nom du dieu de la guerre, et votre sonar qui s'appelle *Centurion*, c'est plutôt viril comme ambiance, remarqua Romain.

— Ben ouais, qu'est-ce que tu veux ? On va pas les appeler *Pop-corn* et *Friandise*, c'est pas des poneys, se moqua Lanson.

Le moniteur vidéo s'appara avec le sonar. Ce dernier fut accroché à un filin métallique puis mis à l'eau.

Il coula à une profondeur de six mètres, prêt à carto-graphier l'Avalone sous-marin.

Le rendu visuel à l'écran déçut un peu Romain qui s'attendait à une image plus claire. Il n'y avait là que des plaques de couleur orangée et des blocs sombres.

— Les cinq carrés que tu vois là, ce sont les habi-tations, précisa Sonar. Ici, ta maison communale. Et regarde, la toiture semble s'être effondrée partielle-ment. Si le fût se trouvait là, c'est probablement son issue de sortie, par le toit, grâce à l'air qu'il contenait encore.

— Et vous voyez autre chose ? s'enquit Romain.

— Sous les gravats et les éboulis ? Pas moyen. Considère le sonar comme une chauve-souris, les ondes acoustiques vont se répercuter sur la pierre mais seront incapables de voir à travers. J'ai peur que mon job s'arrête là pour l'instant. C'est au tour du ROV de gérer.

Lanson pointa du doigt l'autre malle jaune, large et haute, à l'attention de Romain.

— Le ROV. Remotely Operated Vehicle. Plus précisément ObsROV. Obs, pour « observation ». En gros, c'est un robot téléguidé avec des petits bras musclés pour déplacer ce qui gêne sur son pas-sage. Il sert aux explorations océanographiques, mais aussi à réparer les infrastructures sous-marines des plateformes pétrolières ou pour visiter les épaves de bateaux. Celui-ci est tout neuf, envoyé spécialement à la Fluviale pour les jeux Olympiques de 2024, dans le cas d'un acte terroriste par voie d'eau, sous les canaux parisiens ou sous la Seine. Pour être honnête, on a déjà procédé à des tests théoriques, mais là, on l'étrenne en pratique.

— Et on prend de gros risques, ajouta Massey. Il sera incapable de déplacer des pierres de maison, et s'il y a un autre éboulement et qu'il reste dessous, nous n'en aurons pas un second. Je préfère aller jeter un œil d'abord.

— Si tu pénètres dans la maison, ce sera une plongée sous plafond[1]. C'est de la spéléo et tu sais que tu n'en as pas le droit, s'opposa Lanson. Je te connais, tu ne vas pas rester sur le palier, tu vas vouloir visiter. Alors c'est non.

— Je suis ton supérieur.

— Pas quand tu deviens con.

Puis Lanson coupa court à la négociation en se tournant vers Sonar.

— Remonte *Centurion* et sors le robot.

La seconde malle jaune fut ouverte et révéla le ROV. Juchée sur deux flotteurs de quatre-vingts centimètres de long, une bulle en plastique épais contenait une caméra rotative, permettant d'avoir une vision globale de l'environnement. Sur la bulle, un mini-projecteur et, autour, deux bras articulés se terminant par des pinces puissantes. À l'arrière, deux hélices multidirectionnelles lui permettaient une flottabilité sous-marine quasi neutre.

— Et il a un nom, celui-ci ? s'amusa Valant.

— Pas encore. Mais on va le baptiser *Pop-corn*, en souvenir d'Avalone.

---

1. La plongée sous plafond équivaut à une plongée spéléologique, c'est-à-dire une plongée souterraine : grottes, syphons, tunnels, structures inondées.

Lanson déroula un câble d'une centaine de mètres qui assurerait la connexion entre le robot et le moniteur de contrôle.

Le ROV fut posé sur les eaux du lac et les flotteurs furent partiellement remplis d'eau. La petite bulle plastique coula doucement. Dix mètres. Vingt mètres. Trente-cinq mètres. Elle se stabilisa alors à cinquante centimètres du fond.

Sur le bateau, Lanson activa la caméra et l'image apparut sur le moniteur.

Avalone l'ancien était là, sous leurs yeux.

Pop-corn activa son projecteur et les ténèbres se dissipèrent sur un paysage aquatique inédit. Une rue dont le sol n'était que sable et cailloux, bordée par de hautes algues qui entouraient les maisons recouvertes de mousses diverses. Un banc de minuscules poissons argentés curieux entoura la bulle du robot, puis fila par une porte de maison dégondée et sortit par un carreau cassé de la fenêtre de ce qui avait été autrefois une cuisine.

Lanson activa les hélices à une vitesse volontairement très lente afin de ne pas créer de nuage de vase. Brave petit robot policier, *Pop-corn* avança dans cet Atlantis oublié à la seule lumière de sa torche intégrée, comme s'il volait dans le village. Il passa devant les maisons qui n'avaient vu aucun visiteur depuis vingt-cinq longues années de sommeil et joua les touristes explorateurs jusqu'au numéro 6 de la rue Alary. Le ROV déclencha alors le système de cartographie en prenant une photo toutes les trois secondes. Une fois qu'il serait remonté, les policiers de la Fluviale pourraient ainsi faire un plan en trois dimensions des lieux, et de l'intérieur, si le robot trouvait un passage.

D'un mouvement d'hélices, *Pop-corn* prit de la hauteur pour survoler la maison communale et, sur le bateau, Lanson capta les images du toit effondré dont le passage était désormais obstrué par une poutre imposante et quelques planches brisées, acérées comme des lances pointant vers la surface. Il y avait, par endroits, juste assez de place pour laisser passer un objet de la taille d'un fût, mais si *Pop-corn* n'était pas plus haut, il était bien plus large, et lui faire emprunter cette voie devenait trop incertain.

— On va bien trouver un trou dans un mur ou une fenêtre cassée, proposa Massey.

— OK, je passe en mode cambriolage.

Le ROV fila à nouveau au fond et se repositionna face à la maison en braquant sa lumière sur la façade. L'effondrement du toit avait effectivement pesé sur l'un des murs porteurs qui s'était lui aussi partiellement écroulé, et une anfractuosité autorisait désormais un passage. À coups légers de manette, Lanson plaça *Pop-corn* juste devant l'ouverture créée dans le mur et, d'une légère pression en avant, le robot se retrouva un bon mètre à l'intérieur, assez pour avoir une vision globale du hall de la maison communale. L'opération, au centimètre près, avait nécessité une précision chirurgicale.

Dans une eau chargée d'alluvions que transperçait avec peine le pinceau lumineux du projecteur, le ROV renvoya les images d'une pièce à vivre, avec une cheminée, des fauteuils et un divan, séparés par une table basse. Probablement la salle de réunion. Au fond, une fenêtre donnait sur la nuit noire des eaux, fenêtre à laquelle pendait encore une paire de rideaux, comme deux fantômes endormis. Un décor qui aurait été banal en d'autres circonstances, mais qui prenait ici des allures de maison hantée. Au bout de la pièce, Lanson aperçut un couloir et lança les hélices un peu plus fort pour s'y rendre.

Visiteur silencieux, *Pop-corn* passa devant une banderole plastifiée tendue sur le mur et qui annonçait la grande kermesse du village édition 1993, un an avant l'inondation d'Avalone. Il longea le couloir et se retrouva dans le lieu d'entreposage dont avait parlé Valant. Un vrac de brocante, de bureaux et de chaises d'écolier, des caisses en bois, des jarres hautes, des pots de toutes formes, du mobilier et des rangées d'étagères métalliques, tous verdis et recouverts de microalgues.

Au-dessus du robot, le toit éventré laissait filtrer une luminosité spectrale. La caméra filma la poutre effondrée dont l'extrémité basse avait perforé une trappe à double porte qui donnait sur une pièce en sous-sol.

— Une cave, pour cacher un secret, c'est toujours un bon choix, murmura Lanson. On va aller voir.

Il actionna la poignée de commande et le robot se positionna juste au-dessus de l'ouverture. Trente-six mètres plus haut, l'image retransmise imposa le silence.

Écrasé par la poutre, se trouvait un fût rouge.

— C'est ce que vous cherchiez ? demanda Lanson.

— En partie, souffla Romain, encore sous le coup de la découverte. Vous pouvez entrer dans la cave ?

— Malheureusement, non, c'est trop étroit. Ça s'arrête ici pour *Pop-corn*. Je suis désolé.

Le robot fit marche arrière, repassa par le couloir et, longeant de nouveau la pièce à vivre, frôla de trop près les rideaux de la fenêtre dont l'un s'enroula autour de l'hélice gauche. Lanson recula, en vain, avança de nouveau, toujours sans réponse. *Pop-corn* était paralysé.

« Bon, on reste calme, se dit-il. On va tenter de le décrocher. »

L'un des bras articulés se leva, se retourna sur lui-même et passa derrière la bulle scaphandre qui protégeait la caméra pour s'approcher du tissu. La pince s'ouvrit de dix centimètres et se referma fermement dessus. D'abord, une tension légère, puis une plus forte qui ne changea pourtant rien. Malgré le temps passé, le rideau tenait encore sacrément bien à sa tringle. Lanson, d'un simple bouton, passa en mode cisaille et le tissu épais se laissa découper sans effort. Mais avec une hélice inactive, totalement immobilisée par le rideau qui s'y était entortillé, diriger le ROV devint périlleux. *Pop-corn*, suivant les instructions de la surface, fit une marche arrière, tapa contre la cheminée et se mit à faire des tours sur lui-même comme un chien qui tente de se mordre la queue. La seule hélice fonctionnelle l'envoyant toujours dans le même sens, il devenait quasi impossible de le maîtriser. Mais c'était compter sans la délicatesse de Lanson qui, à coups sensibles de propulsion, réussit à lui faire retrouver le chemin du hall d'entrée. Malheureusement, si la largeur des couloirs permettait ces manipulations, son talent de pilote ne servit plus à rien en face du petit trou de mur par lequel le ROV était entré initialement. L'opération revenait à faire passer un fil dans le chas d'une aiguille avec une seule main.

— Putain, on va se faire défoncer, à Paris, soufflat-il comme un gosse qui vient de planter la voiture familiale dans le fossé.

— Arrête-le, ordonna Massey. Vide complètement l'air des flotteurs et laisse-le se poser au sol. On est juste à l'entrée de la maison, j'ai seulement deux mètres à faire en plongée sous plafond pour aller le récupérer.

— Et pour ça, Hugo, il te faut l'accord de la hiérarchie. Je te laisse pas y aller sans. Je te jure que je vide tes bouteilles sur-le-champ !

— C'est presque une déclaration d'amour, ça.

— Presque.

*
* *

Le Zodiac vogua jusqu'à la rive le long de laquelle le commandant Roze avait déjà mis en place un cordon de sécurité pour que l'équipe ne soit pas assaillie de questions dès son arrivée.

Chastain les accueillit sur la berge sablonneuse et, d'un seul regard, Valant lui indiqua que les recherches avaient été positives. Massey sauta du bateau et le tira jusqu'à la terre ferme avant de l'amarrer à la remorque. Noémie se força à le regarder en face, les mains enfoncées dans les poches de son manteau.

— Notre robot a fait une fugue, annonça Massey. Il va falloir retourner le chercher. Par contre on a trouvé un de vos fûts dans le sous-sol de la maison communale. Même taille, même couleur, à proximité immédiate de là où le premier a émergé.

— Un seul ?

— Un seul de visible. Comme je t'ai dit, on a perdu le contrôle du ROV.

— Et vous pensez pouvoir y retourner ?

— Pour le robot ? Certainement. Il est accessible sans trop de danger. Pour la cave, c'est une plongée spéléo, ça sort de nos compétences, il va me falloir une autorisation de la hiérarchie.

— Que tu n'auras jamais, le coupa Lanson.

Noémie se tourna vers les badauds qui, vu le nombre, devaient représenter un tiers d'Avalone.

— Ça va être compliqué de leur cacher notre découverte, remarqua Hugo.

— Je m'y suis faite. Ici, rien ne reste secret longtemps. Mais n'avoir trouvé qu'un seul fût est encore pire. Cela revient à leur faire se poser une question terrible.

— À savoir ?

— Qui est dedans ? Cyril ou Elsa ?

33

Bateau de la Fluviale.
Quais de Seine. Paris.

Au deuxième étage du bateau, la commandant Bergeron, nerveuse, tournait et retournait sa boule à neige tour Eiffel avec l'envie furieuse de la balancer contre le mur. Derrière elle, une immense affiche du film *Titanic* symbolisait parfaitement le naufrage qui lui était expliqué au téléphone.

— Vous êtes au courant du montant de l'addition ?

— Je ne peux que l'imaginer, commandant, reconnut Massey. Mais je vous le répète, j'ai la possibilité, sans trop de danger, d'aller le récupérer. Il est juste à deux mètres après l'entrée.

— Une plongée sous plafond ? C'est ce que vous me proposez ? J'ai des envies de vous noyer, Hugo, mais ce ne sont que des envies. Vous restez malgré tout plus important à mes yeux qu'un robot. Bouclez vos rapports, prenez-vous un jour de soleil dans l'Aveyron et faites retour base.

Commissariat de Decazeville.

Hugo toqua à la porte du bureau des enquêtes, où il trouva Noémie absorbée par son patchwork mural de photos, d'entrefilets de presse et d'extraits de procès-verbaux.

L'intervention de la Fluviale, même si elle n'avait pas été totalement un succès, avait permis d'étayer l'hypothèse que tout le monde ici craignait. Les enfants n'avaient peut-être jamais quitté le village et Fortin avait utilement servi de fusible à un drame qui s'était joué au sein même d'Avalone.

— Je te dérange ? demanda Massey.

— Vu ce que vous avez perdu aujourd'hui, j'imagine que je peux t'accorder cinq minutes.

— Je serais moins catégorique sur nos pertes. Il y a peut-être une solution.

— Tes équipiers semblent pencher pour le contraire.

— Mes équipiers ne sont pas moi et je suis le seul plongeur. De toute façon j'ai reçu l'accord pour récupérer le ROV.

Noémie s'assit à son bureau et Hugo sur le rebord, un peu trop proche d'elle à son goût. De là où il était, aucune de ses cicatrices ne pouvait lui échapper.

— Je te suis pas, poursuivit Noémie. Tu vas risquer ta vie pour un robot ? Pour une victime, je comprendrais, à la limite, mais là, c'est complètement con.

— Je me fous du robot. Ce n'est pas pour lui que je plonge.

Le visage de Noémie s'adoucit un peu et elle s'autorisa à baisser la garde.

— Alors tu plonges pour quoi, capitaine Massey ?

— Depuis quand un flic ne va pas jusqu'au bout de son enquête ? Il y a trois familles qui ont arrêté de vivre depuis que le premier corps a été retrouvé et tu comptes leur dire qu'on va laisser tomber parce qu'il y a des risques ? Je dois aller dans cette cave, je dois savoir si les deux gosses sont là-dessous et je dois essayer de les en sortir si c'est possible. Je plonge pour eux. Et pour t'impressionner un peu, si ça marche.

Noémie baissa les yeux de peur de rougir bêtement comme une adolescente.

— Pour ça aussi, tu as eu le feu vert ?

Hugo ne pouvait pas lui répondre sans mentir. Il passa à une autre question.

— Pourquoi tu as atterri ici ?

— On me cache.

— Avec l'affaire de Paris, tu aurais plutôt dû être promue.

— Ne t'inquiète pas pour moi. Je finis cette enquête et je retrouve le 36.

— Ton équipe le sait ?

— Non. Comme la tienne ignore que tu vas retourner dans la maison sans autorisation, quoi que tu prétendes. Chacun de nous connaît le secret de l'autre, c'est la meilleure manière de ne pas se faire de mal.

Noémie regarda devant elle les photos sous-marines éparpillées prises par *Pop-corn*. Le toit effondré et le minuscule passage qui avait servi de point d'entrée rejoindraient bientôt les murs surchargés de son bureau.

— Cette plongée, tu en es vraiment sûr ?

— Quand tu casses une porte à coups de bélier à 6 heures du matin, tu ignores ce que tu vas trouver derrière, exact ? Alors pourquoi tu aurais le droit d'être plus courageuse que moi ?

— Le courage, c'est une qualité. La témérité, c'est une faiblesse.

— Tu n'auras qu'à surveiller tout ça du bateau demain, la défia-t-il.

34

Minuit.
À Avalone et ailleurs.

Lily, sous sa couette illuminée par sa lampe de poche, tournait les dernières pages de *L'Histoire sans fin*, un roman qu'elle avait déjà lu deux fois et qui serait la cause d'un petit visage fripé au matin.

Dans la chambre d'à côté, Aminata s'était endormie dans les bras de Romain. Les insomnies de Noémie, comme un virus contagieux, s'étaient emparées de son mari, qui se souvint du jour où il avait accueilli son nouvel officier sur le quai de la gare. Rien n'aurait pu, à ce moment, laisser prévoir la tempête qui l'accompagnait, comme si elle l'avait emportée dans ses valises.

À l'Hôtel du Parc, Sonar avait fait ses bagages, déjà rappelé par Paris. Une gamine avait sauté du pont des Arts et n'était jamais remontée. C'était à lui de la retrouver. Le sauvetage de *Pop-corn* avait été minutieusement étudié et, au matin, Sonar laisserait ses deux équipiers pour une dernière plongée.

Mme Saulnier avait vu Elsa passer devant sa fenêtre et attendait patiemment qu'elle repasse, assise sur une chaise longue de son jardin, comme une vieille héritière prend le soleil sur la Côte d'Azur, mais à la lueur de la lune.

Pierre Valant, que ses fonctions de maire et d'agriculteur forçaient à faire des journées de dix-huit heures, était encore avec le vétérinaire, dans la grange de sa ferme, seule lueur au milieu de ses hectares de champs. Sur une paillasse de foin couverte de sang et de liquide amniotique, Zora, une de ses plus belles vaches, venait d'accoucher d'un bébé qu'elle refusait maintenant à grands coups de sabot. Impossible de le coller au pis sans qu'elle le morde au sang. Pierre s'était alors adossé à la palissade d'un box vide, un énorme biberon dans sa main ridée, le nouveau-né entre ses jambes croisées, palliant l'absence d'amour maternel. Le veau s'en contentait pour l'instant. Même si son regard triste semblait chercher la chaleur de sa mère et son museau mouillé rose bébé, son odeur, il était conscient que quelque chose n'était pas normal.

Juliette Casteran n'avait jamais cru en Dieu, mais il était venu à elle à sa trente-cinquième année, en 1994, lorsqu'on lui avait enlevé son fils. André Casteran avait jugé que cette soudaine bigoterie valait mieux que des antidépresseurs et avait laissé éclore sur les murs, ici et là, des icônes et autres images pieuses qui, avec la myriade de photos du petit Cyril, avaient transformé leur maison en une chapelle ardente. Refusant de vivre dans un mausolée, André sortait de chez lui à l'aurore et ne rentrait qu'à la nuit tombée, la plupart du temps sérieusement éméché, alcool, croyances divines ou médicaments revenant à la même fuite en avant. Ce soir-là, titubant et agressif, terrifié par la découverte d'un possible nouveau cadavre qui pouvait être celui de leur enfant, il avait rageusement arraché les photos du mur avant de s'écrouler sur le lit, tout habillé. Doucement, Juliette avait ramassé les souvenirs jonchant le sol, écornés, déchirés, les avait rafistolés et avait recommencé à les punaiser. Tout devait être en ordre pour le retour de Cyril.

Serge Dorin, les mains posées à plat sur la table en bois du salon, ne trouvait pas le courage de cliquer sur son stylo quatre couleurs. Juste à côté du stylo se trouvait un dossier d'obsèques, ouvert. Le plus dur était de répondre aux trois premières questions : Nom – Prénom – Âge.

Dorin. Alex. Dix ans. C'était tout simplement impossible à écrire.

— C'est quoi ? lui demanda Bruno en passant.

— Quelque chose que je ferai demain, fils, répondit le vieil homme en refermant le dossier.

Picasso s'était couché auprès de Noémie, la tête sur ses genoux, apaisé comme il n'avait pas dû l'être depuis longtemps. Il se mit à courir dans le vide, captivé par un rêve de liberté, avant de retrouver son calme. Afin de ne pas se brûler, Chastain tira sur les manches de son pull pour prendre le bol de thé posé sur la table basse et, pour la troisième fois, elle fit défiler les derniers textos reçus, la majeure partie venant de son ancienne équipe. Comme tous les deux jours, Chloé lui avait envoyé un message bienveillant auquel elle était toujours incapable de répondre. Se reconstruire en regardant en arrière était impossible. « Je ne t'oublie pas. J'ai besoin de plus de temps », se força à écrire Noémie. Mais, pour la suite des messages, elle refusa de faire le moindre effort. Adriel s'en voulait. Adriel s'excusait. Adriel se maudissait. Une seconde chance, mendiait-il seulement. Une dizaine d'appels refusés ne l'avaient pas éconduit et il persistait lourdement. Elle coupa son téléphone pour le faire disparaître.

Pop-corn, lui, sommeillait dans les ténèbres, attendant d'être secouru.

35

Arès avait été remis à l'eau et le GPS embarqué les conduisit vers le centre du lac, en direction de la maison communale sous-marine. Hugo Massey et Lanson n'avaient pas échangé un mot, concentrés sur leurs tâches respectives.

Sur la berge, Romain avait augmenté le nombre des policiers en tenue. Ils tentaient de contenir une foule qui avait doublé depuis la nouvelle d'un deuxième cadavre potentiel. Certains assouvissaient une curiosité macabre, comme on lance une vidéo morbide sur Internet, quand d'autres étaient là pour soutenir André Casteran, que sa femme n'avait pas accompagné, certaine que son fils ne pouvait être mort. Romain regarda s'éloigner le bateau, Noémie à son bord.

Combinaison thermocline enfilée, Massey laissa filer ses doigts à la surface de l'eau. Il semblait la flatter, communiquer avec elle, l'apprivoiser. Chastain le regarda faire, si absorbé que tout autour de lui avait semblé disparaître. En jetant l'ancre, Lanson passa devant son équipier et posa une main sur son épaule. Sans se retourner, Massey posa sa main sur la sienne un instant. Leur amitié n'avait besoin d'aucun mot superflu.

Lanson vérifia l'ouverture complète du robinet du bloc de plongée et Hugo respira deux fois dans son détendeur pour confirmer que l'air passait bien. Après le contrôle de la ceinture de lestage de sept kilos, il s'assit dos au lac, fit un clin d'œil à Noémie avant de baisser son masque et de se laisser tomber en arrière.

Mais à peine avait-il disparu que Chastain fut prise d'une terrible angoisse. La caméra GoPro attachée au torse d'Hugo transmettait au moniteur vidéo les premières images et elle découvrit les ténèbres dans lesquelles il s'enfonçait. D'un bond, elle rejoignit Lanson.

— Il va y aller, avoua-t-elle, le souffle court. Il ne s'arrêtera pas au sauvetage de votre robot. Il va entrer dans la maison.

Lanson gardait les yeux rivés sur les images.

— Bien sûr qu'il va y entrer, répéta-t-il calmement. Vous pensez qu'il peut me mentir ? Je le connais depuis si longtemps que je pourrais écrire ses journées à l'avance. Et il a pris un fil d'Ariane et un parachute de relevage, difficile de ne pas comprendre.

— C'est censé me rassurer ?

— Le fil d'Ariane, c'est pour retrouver son chemin. Le parachute de relevage, c'est un réservoir souple qu'on remplit avec l'air des bouteilles et qui permet de remonter des charges lourdes à la surface.

— Comme un fût ?

— Je crois bien que c'est le but. Mais il faudra d'abord qu'il le sorte de la maison.

Noémie regarda les flots, redevenus étals après le plongeon d'Hugo.

— Il en est capable ?

— Évidemment qu'il en est capable.

— Et tu es inquiet ?

— Raisonnablement.

La perte d'intensité lumineuse annule certaines couleurs. À cinq mètres de profondeur, le rouge disparut. À sept mètres, ce fut le jaune. Hugo alluma alors la lampe fixée à son casque pour rétablir la colorimétrie comme on réglerait un vieux poste de télé. Il se laissa ensuite couler sur les vingt-neuf mètres restants, entraîné par le poids de sa ceinture de lest.

Le village apparut au loin en ombre chinoise, puis de plus en plus net alors qu'Hugo arrivait au niveau du toit éventré. Il se saisit de la gouttière qui courait le long du mur et s'en servit de guide pour arriver au bas de la maison communale. Il dirigea le faisceau de sa lampe et retrouva facilement l'anfractuosité qui avait permis à *Pop-corn* de se faufiler.

D'un coup de palme, il se posta devant l'une des fenêtres de la bâtisse dont il cassa le carreau avec le manche de son poignard. Le verre tomba en pluie au ralenti, Hugo racla les bords du cadre afin de ne pas se blesser sur un éclat. Il posa alors les deux mains sur le rebord et se propulsa à l'intérieur.

Le ROV, petite bulle endormie, l'attendait patiemment. Massey dut s'y prendre à de nombreuses reprises pour dérouler le tissu bloquant l'hélice, et d'un signe du pouce à sa caméra GoPro, indiqua à la surface que *Pop-corn* pouvait être réactivé. Le robot s'illumina et en deux coups légers de manette, Lanson vérifia que les hélices étaient opérationnelles. Comme on libère un poisson d'un filet de pêche, Hugo le replaça devant le passage étroit et d'une petite poussée le laissa filer hors de la maison. Il accrocha son fil d'Ariane argenté juste à cet endroit, afin de retrouver la sortie si sa lampe tombait en panne ou si un nuage de vase et d'alluvions lui parasitait la vue.

Les vieilles bâtisses vivent. Qu'elles soient immergées ou non, elles parlent la nuit, grincent, frottent, se contractent ou se dilatent. Sous l'eau, le son se ressent plus qu'il ne s'entend. En vibrations sourdes et étouffées, les ondes meurent juste après leur naissance. Si les pierres des murs avaient un message à transmettre à Hugo, une alerte ou une mise en garde, il était prêt à l'entendre. Il s'assit donc simplement sur l'un des fauteuils de la salle de réunion aquatique, ferma les yeux, respira le plus doucement possible et tendit l'oreille. Par son silence, la maison l'invita à poursuivre.

Un coup d'œil au profondimètre. 36 mètres. 11 minutes de plongée.

Il fit un nouveau nœud de son fil d'Ariane à l'accoudoir du fauteuil.

Il se dirigea en apesanteur vers le couloir qui menait à la pièce de stockage et y retrouva les images qu'il avait vues la veille. Cette poutre immense partant du toit et s'enfonçant comme un pieu dans le plancher, révélant l'entrée de la cave par la double trappe perforée. Le fût rouge était là, sans surprise, mais le voir en vrai et savoir ce qu'il pouvait contenir était autrement troublant.

Avant de le déplacer et de risquer de perturber l'équilibre instable qui tenait encore la maison, il voulut vérifier en sous-sol la présence d'un second fût. Il ouvrit en grand la partie gauche de la trappe pour s'offrir une voie plus large. D'abord un dernier nœud d'Ariane, puis il passa la tête, et le corps suivit. Il se retrouva dans la cave, une grande pièce qui avait auparavant servi à entreposer le charbon et qui, même illuminée par la puissante torche, restait noire, du sol aux murs. Noire, et totalement vide. Il imagina la déception de Noémie, une quarantaine de mètres plus haut.

Hugo remonta au niveau du fût rouge bloqué par la poutre et analysa mentalement, comme dans un jeu de mikado, les conséquences possibles s'il le délogeait. Les jambes encore dans la cave et le reste du corps au-dessus de la trappe, il tira légèrement dessus, puis le poussa, en vain. Il recommença plus fort, tenta même de passer dessous pour le dégager avec son poignard sans meilleur résultat, et accepta à contrecœur d'être arrivé aux limites de ses possibilités. Il mit alors ses deux avant-bras en croix devant la caméra pour indiquer une fin de plongée.

Sur le bateau, malgré la mauvaise nouvelle, Noémie et Lanson soufflèrent enfin. La capitaine devrait trouver une autre manière de s'y prendre. Ils avaient tout tenté, même le téméraire.

Massey vérifia son profondimètre à nouveau. Il affichait 38 mètres, soit les deux mètres de plus équivalant à la profondeur de la cave, pour 19 minutes de plongée. Malgré sa seconde bouteille de secours, il était temps de remonter et de quitter cet environnement à risques. Longeant la poutre pour sortir de la pièce en sous-sol, il sentit alors une résistance, comme si une main invisible le retenait. Il s'immobilisa instantanément, regarda chaque partie de ses équipements à la recherche d'un corps étranger sans pourtant voir dans son dos la longue écharde de bois qui saillait de la trappe défoncée et qui s'était insérée entre l'une de ses bouteilles et son détendeur. Rassuré, il poussa d'un coup sur ses jambes et le flexible s'arracha, se désolidarisant du bloc dans un jet d'un million de bulles. Tout autour de lui n'était qu'un bouillon furieux d'air comprimé.

Il devait se recentrer, ne pas céder à la panique et agir comme lors d'un simple exercice. Quelques secondes lui suffirent. Hugo cracha l'embout de son détendeur et attrapa celui de la bouteille de secours. Le stress le fit respirer plus vite et il consomma à une vitesse anormale l'air de cette seconde bouteille. En un éclair, le flexible sectionné libéra plus d'un mètre cube d'air comprimé qui se répandit dans toute la maison, soulevant vingt-cinq années de dépôt minéral et végétal dans un immense nuage sombre. L'équivalent de mille litres d'air s'inséra dans le moindre espace libre, entre les planches et les pierres, et la maison entière se mit à vibrer. Il posa sa main sur le fil argenté qui avait, nœud après nœud, jalonné son parcours et, alors qu'il allait sortir de la cave, la maison, dans un bruit mat d'engrenages de pierre, hurla une dernière fois sa colère et la partie haute de la poutre s'effondra, écrasant ses jambes.

Sur le bateau, Lanson serrait les poings et Noémie n'osait même plus respirer.

La poutre aurait dû lui broyer les genoux, mais elle ne fit que l'immobiliser complètement, sauvé par le fût en plastique rouge qui supporta une grande partie de son poids. Mais le plastique, pourtant épais, se déchira sous la pression et l'entaille latérale laissa apparaître un morceau de crâne à l'intérieur. Deux grandes orbites vides le regardèrent et Hugo crut se voir dans un miroir.

Il avait trouvé le deuxième gosse. Il allait crever, ici, avec lui, mais il l'avait retrouvé. Le plongeur et l'enfant se dévisagèrent un instant.

— Ton parachute de relevage, putain, utilise ton parachute ! cria Lanson à la surface.

Perdu, choqué et affolé malgré son expérience, Hugo n'arrivait pas à reprendre contact avec la réalité. Sa respiration saccadée dévorait tout son air, ne lui laissant qu'une vingtaine de minutes pour trouver une solution.

Sa main glissa le long de sa cuisse et ouvrit la poche latérale de sa combinaison pour en sortir le parachute. Il en accrocha les sangles autour de la poutre, puis suspendit son geste.

Il ne lui restait qu'une bouteille, maintenant à moitié pleine. S'il remplissait le parachute avec, la remontée devrait se faire en apnée…

— Une apnée presque irréalisable, poursuivit Lanson, comme si leurs deux cerveaux fonctionnaient de concert. Il doit soulever la poutre, sortir de la maison et remonter sur près de quarante mètres en expirant de l'air au fur et à mesure pour que ses poumons ne se déchirent pas. Et les efforts divisent notre capacité d'apnée par deux.

Mais Hugo avait beau se répéter plusieurs fois le scénario dans sa tête, il restait toujours une impossibilité, car expirer sur tout le trajet n'était pas la seule obligation. Il devait en plus de cela remonter à une vitesse inférieure à quinze mètres par minute pour que l'azote contenu dans son sang ne se mette pas à bouillonner et se bloquer dans son cerveau ou dans sa moelle épinière. Il n'aurait jamais assez de souffle.

À moins que Lanson ne pense exactement comme lui.

C'était la seule manière de s'en sortir vivant. Il allait quitter cette maison et faire une remontée d'urgence. Le reste serait entre les mains de son ami.

Hugo prit une grande inspiration, sortit son détendeur de sa bouche et le colla à l'embout du parachute qui en quelques secondes se remplit presque entièrement. La poutre grogna, quasi animale. Alors que le parachute se transformait en une énorme montgolfière sous-marine, il regarda sur son manomètre sa réserve d'air qui diminuait. Il avait espéré pouvoir garder quelques respirations pour au moins quitter la maison, mais le parachute engloutit tout ce qu'il restait. La poutre, sous l'effet de traction, bougea d'à peine un centimètre. Ce qu'il lui fallait. Juste ce qu'il lui fallait. Il tira sur ses jambes, poussa sur ses bras et réussit dans un ultime effort à se défaire de l'emprise. Un dernier regard involontaire vers le fût rouge, puis il se saisit de son fil d'Ariane et activa ses palmes le plus vite possible. D'abord la salle d'entreposage, ensuite le couloir, puis la salle de réunion, enfin le passage dans le mur et il se retrouva hors de la maison.

Temps d'apnée : deux minutes.

Il lui faudrait encore une minute et trente secondes pour remonter trente-six mètres tout en expulsant son air en un filet contrôlé.

Il avait déjà fait près de quatre minutes en piscine, et en statique, mais le stress, les efforts et le fait de constamment libérer de l'air n'avaient rien d'un exercice et lui feraient frôler l'asphyxie. Il refit le signe de fin de plongée devant la caméra en espérant que Lanson comprenne. Il ferma les yeux et battit des palmes vers la surface aussi rapidement qu'il le put.

Sur le bateau, Lanson avait déjà fait les mêmes calculs de probabilités et avait compris que Massey ne pourrait pas éviter une remontée d'urgence, donc sans paliers. Il retrouverait l'air libre, mais son corps ne le supporterait pas.

— J'ai moins de trois minutes pour le ramener au fond, dit-il tout haut pour lui-même. Après ce sera l'accident de décompression.

Il se saisit d'une bouteille et se mit à l'eau à son tour. Il empoigna la chaîne de l'ancre et là, au milieu du lac, les secondes qui s'égrenèrent furent une torture. Lanson regardait autour de lui à l'affût du moindre frémissement, de la moindre vaguelette. Son attention fut attirée par quelques bulles d'air puis Hugo apparut dans une grande inspiration.

Les yeux révulsés, le souffle encombré, il jetait ses bras en tous sens comme s'il pensait encore devoir nager. Lanson l'attrapa par les épaules et lui hurla dessus.

— Tu dois retourner au fond, Hugo, c'est ta seule chance !

Massey, comme pris d'ivresse, ne sut qu'acquiescer. Lanson lui enfourna alors le détendeur dans la bouche.

— Cinq minutes à dix-huit mètres de profondeur, dix minutes à six et trente-huit minutes à trois. T'inquiète, je viens avec toi.

Lanson l'attrapa fermement et, suivant la chaîne de l'ancre, l'entraîna de nouveau sous les eaux. Ils se stabilisèrent à dix-huit mètres et Lanson accrocha Hugo à un maillon de la chaîne pour qu'il ne remonte pas.

Les deux hommes restèrent ainsi trente secondes face à face, dans le silence et la noirceur du lac, et Massey, alors que son sang libérait l'azote au fur et à mesure, retrouva un rythme de respiration plus calme. Lanson arriva aux limites de son apnée et dut remonter.

— Il va bien ? s'inquiéta Noémie, livide.

— Laisse-moi cinquante minutes pour en être sûr, répondit-il, essoufflé. Passe-moi une bouteille, vite !

Elle s'exécuta et le vit disparaître de nouveau. Pendant les cinquante minutes qui suivirent, elle ne put qu'attendre le verdict, rageant de son inutilité.

Ce fut d'abord Lanson qui remonta et s'accrocha à un pneumatique du Zodiac. Hugo apparut quelques secondes après, déboussolé mais vivant, et Noémie lui tendit la main par-dessus l'eau.

36

Noémie s'était débarrassée de tout protocole et s'adressait maintenant au procureur comme à un enfant que l'on dispute.

— J'ai failli perdre un homme ! cria-t-elle. Tout ça pour éviter de faire des vagues ? Bien joué, c'est un raz-de-marée que vous allez vous prendre.

— Capitaine Chastain…

— Et je dis quoi aux familles ? Qu'on a trouvé un deuxième gosse mais qu'il va rester avec les poissons parce que vous n'osez pas vider ce putain de lac ?

— Capitaine Chastain…

— Et la presse balancera quoi ? Qu'on ne peut pas y aller parce que c'est trop compliqué ? Trop coûteux ?

— Capitaine Chastain…

— Oui ? Quoi « capitaine Chastain » ? Merde à la fin !

— Je voulais juste vous dire que vous aviez le feu vert. Le vidage du lac commence demain matin. Le préfet et pas mal de personnes bien au-dessus de moi m'ont clairement fait comprendre qu'il fallait vous faciliter l'enquête au mieux et vous laisser les mains libres.

— Ah, pardon, se calma immédiatement Noémie. Vous auriez pu le dire plus tôt, ajouta-t-elle avec une mauvaise foi évidente.

Le procureur ne releva pas, conscient de ce qu'elle venait de traverser.

— Le lac d'Annecy a été vidé en six semaines et celui de Sarrans en quatre. Je me suis renseigné. Le lac d'Avalone est deux fois plus petit. J'imagine que d'ici une dizaine de jours vous devriez voir apparaître les premiers toits de maisons. Autant de temps perdu pour votre enquête.

— Je ne vois pas les choses comme ça. Ce sera juste suffisant. Si les preuves sont sous l'eau, les infos dont j'ai besoin sont toujours dans les mémoires. C'est à mon tour d'y plonger.

— Et justement, votre plongeur, comment se porte-t-il ?

— Vertiges et grosse fatigue. Il est dans sa chambre d'hôtel sous oxygène pur, sous le contrôle de son équipier. Il va dormir douze heures et ça devrait être bon.

— Bien, je suis sincèrement soulagé. Vous avez besoin de quoi alors ? Du matériel ? Des effectifs en plus ? À ce stade, je peux forcer une équipe de police judiciaire à venir en renfort, si vous voulez.

— Non ! Pas de PJ ! C'est mon affaire.

Le procureur apprécia le changement d'attitude et ne put s'empêcher de le lui faire remarquer.

— Que s'est-il passé en trois jours, capitaine ?

— Je suis redevenue flic.

— Ravi de l'entendre.

*
* *

Chastain gara son Land Rover devant l'Hôtel du Parc et ouvrit la porte arrière pour libérer Picasso qu'elle n'avait pas eu le courage de priver d'une balade. Le chien bondit à l'extérieur et trouva immédiatement le chemin de l'enclos à chevaux. Le baby-sitting canin réglé, Noémie se dirigea vers l'entrée.

Elle demanda les numéros des chambres de la Fluviale à la jolie gamine de la réception et, un étage plus tard, elle toquait doucement à la porte d'Hugo. N'obtenant pas de réponse, elle ouvrit par conscience professionnelle. Uniquement pour voir s'il allait bien, se jura-t-elle. Elle ne trouva là qu'un lit défait avec une bonbonne d'oxygène pur contre la table de chevet et s'apprêtait à quitter la chambre quand la porte de la salle de bains s'ouvrit en grand.

Serviette autour des hanches, Hugo sortit d'un nuage de vapeur, tout aussi surpris qu'elle. Ils se regardèrent, d'abord gênés, puis de moins en moins.

— Je t'en prie, passe un tee-shirt.

— Désolé, je pensais que c'était la petite de la réception, la titilla Hugo.

— Comment tu te sens ?

— Vivant, répondit-il en passant un léger pull noir à même la peau. Terriblement vivant, même.

— Je connais ça. Enfin, ça n'a pas duré longtemps.

Instinctivement, elle tourna le visage pour n'offrir que son profil gauche. Elle rejouait les midinettes. Elle se serait collé des baffes.

— J'aurais aimé t'aider davantage, je te promets, souffla-t-il en s'asseyant sur le large lit.

— Tu as confirmé la présence d'un second corps. Le procureur fait vider le lac, et c'est grâce à toi.

— Alors ma mission est terminée. Encore douze heures d'immobilisation et une journée pour finir mes comptes rendus de plongée et tu n'auras plus qu'à m'ordonner de partir, dit-il en se penchant vers elle.

Il aurait pu rester au fond. Sa chance avait été indécente. Il aurait dû se noyer. Chacune de ses respirations était une provocation à ce destin dont il s'était échappé en apnée. Vivant. Survivant. Avide de toutes les secondes à venir. Libéré des peurs et des entraves. Sans plus jamais de temps à perdre. Il se saisit du poignet de Noémie et l'attira vers lui, assez lentement pour qu'elle se défasse de son emprise si elle le souhaitait.

— T'es en plein choc post-traumatique, là, dit-elle sans pour autant résister. Tu vas faire n'importe quoi, et tu vas t'en vouloir.

Elle posa un genou sur le lit, puis sa main sur le torse du plongeur et sentit battre son cœur. Elle sembla hésiter un instant mais Hugo n'écouta pas sa retenue et l'attira encore plus près. Jusqu'à poser ses lèvres sur les siennes. Un premier baiser, furtif comme un contact timide. Un deuxième plus long, plus appuyé. L'armure de Noémie tomba en pièces et elle se détendit dans un frisson, les reins cambrés, le corps en avant. Le baiser suivant n'aurait pas eu de fin si Hugo n'avait pas, sans y réfléchir et emporté par le moment, posé sa main sur son visage accidenté. Une violente décharge de honte et de dégoût d'elle-même la fit se relever d'un coup.

— Pardon, je suis désolé, s'excusa-t-il.

Noémie se retrouva désorientée entre son désir et sa propre répulsion.

— Il n'y a que toi qui te trouves…

— Tais-toi, s'il te plaît, le coupa-t-elle. Je sais très bien ce que je suis. Je sais très bien ce que tu vois. Et tu ne peux pas vouloir cela.

Gêné pour lui et blessé pour elle, Hugo la regarda partir sans un mot et, une fois la porte claquée, se laissa tomber en arrière sur le lit. Il ne pouvait pas aider Noémie sur le chemin qu'il lui restait à faire.

37

Serge Dorin avait ressorti un costume gris qui n'avait vu le jour que trois ans plus tôt, lors du mariage d'un de ses lointains cousins pour lequel il n'avait d'ailleurs aucune affection. Aujourd'hui, la cérémonie serait bien différente. Les restes du corps d'Alex lui avaient été remis dans une boîte en bois noir. Il se dit qu'elle prendrait bien peu de place dans un cercueil pourtant pas très grand…

Puis il vint à la rescousse de son fils Bruno qui, dans la salle de bains, s'emmêlait les doigts dans son nœud de cravate. Le fils sentit le souffle de son père sur son visage alors qu'il essayait de l'aider.

— Tu vas lui parler ? demanda Bruno.

— Pas aujourd'hui.

— Tu sais qu'il t'a menti, pourtant ?

— On n'en est pas sûrs.

— Pas besoin d'être sûrs pour lui parler. C'est toi qui as du sang sur les mains, pas lui.

— Ne dis jamais ça ! s'écria Serge. De toute façon, je lirai bien dans ses yeux s'il me dit la vérité.

Il ajusta enfin le col et centra le nœud.

— Voilà. T'es cravaté, fils.

Milk gara la voiture sérigraphiée Police nationale juste devant la baie vitrée de la maison de Noémie. Picasso grogna pour la forme avant de lui tourner autour comme un satellite déréglé. Noémie le siffla pour libérer le jeune policier.

— Salut, capitaine. Romain est déjà sur place. Je me suis dit que ce serait plus facile pour vous de ne pas arriver toute seule. Avec tous ces inconnus.

— Gentille attention, merci. T'es tout beau, dis-moi.

Milk lui sourit tristement.

— Je vous dépose juste, capitaine. Je dois retourner au commissariat, le temps de l'enterrement. Presque tout le service veut s'y rendre, alors je tiendrai la permanence.

Puis il la regarda à son tour, dans son ensemble noir, pantalon droit et veste cintrée.

— Vous aviez prévu une tenue appropriée ? s'étonna-t-il.

— Je ne suis pas très couleurs vives, si tu ne l'as pas remarqué.

— Pour pas qu'on vous voie trop ? déduisit-il candidement.

— C'est ça. Pour pas qu'on me voie trop.

*
**

Le cimetière d'Avalone s'était niché entre deux collines, comme s'il voulait ne se révéler qu'à ceux qui venaient y prier. Les allées de tombes n'étaient visibles que des fenêtres du train, lorsqu'il empruntait le pont qui les enjambait. Romain les attendait devant les grandes grilles forgées, lui aussi costumé pour l'occasion. À son côté, sa femme Aminata était splendide et digne dans sa robe bleu nuit. Lily lui lâcha la main et courut vers Noémie dont elle entoura la taille de ses petits bras, la tête posée sur son ventre.

— Je sais que c'est pas un jour pour être contente, dit-elle sur le ton de la confidence, mais je suis contente de te voir, No.

Puis elle se tourna vers Milk et s'adressa à lui avec assurance.

— C'est bon, je m'occupe d'elle.

Elles marchèrent toutes deux en silence sur le chemin de graviers et Noémie se pencha à son oreille.

— Il y a déjà du monde ?

— Ben oui, voyons. Il y a tout le monde.

— C'est-à-dire ?

Grille passée, Chastain se retrouva face à la totalité du village. Plus de six cents personnes étaient là, l'air grave, les yeux rivés sur ce trou de terre encore vide. Un premier visage se tourna vers elle, puis un deuxième qui en attira une dizaine d'autres avant qu'Avalone entier la regarde. Certains voyaient pour la première fois cette fameuse flic de Paris au visage de carambolage et ne se gênaient pas pour l'inspecter comme on estimerait le prix d'une voiture d'occasion. Elle qui voulait passer inaperçue…

Pourtant, elle ne vola pas la vedette bien longtemps. Soudain, la foule s'ouvrit en son centre, laissant passer les deux porteurs, car il n'en fallait pas davantage pour soutenir le petit cercueil en sapin aux poignées dorées.

Elle comprit alors que toute une partie du village était restée pendant des années en suspens. Les anciens, comme figés dans le temps par cette histoire macabre, avaient tenu à être là et accompagnés de leurs proches pour tourner la page d'un drame qui n'avait cessé de les tourmenter.

Serge Dorin, lui, semblait ne pas être présent. Jamais son regard ne se posait sur les porteurs, ni ne croisait celui des autres. Melchior aurait certainement parlé de dissociation traumatique.

Bruno, le cadet des Dorin, serrait les dents et les poings, comme si, vingt-cinq années plus tard, il restait une injustice à réparer. Son grand frère avait disparu lorsqu'il avait huit ans et il avait grandi avec une absence qui avait pris toute la place, toute l'attention de ses parents, et avait finalement poussé sa mère au suicide. Il se souvenait du jour où il avait ouvert la porte de la grange et était tombé à genoux dans la paille, face à ce corps suspendu à une poutre. Parfois, dans la nuit, il lui était arrivé de haïr son frère. Il était un enfant à l'époque. Il avait aujourd'hui trente-trois ans.

Dorin père n'était pas un homme sociable, loin s'en faut. Bourru, comme façonné d'une seule pièce, il n'avait même pas imaginé préparer une réception après l'enterrement et n'avait, en aucun cas, envie de voir qui que ce soit. Poignée de terre jetée sur les restes de son fils, il quitta le cimetière, Bruno dans son ombre.

Serge ralentit au niveau de Noémie et de son équipe, mais les mots restèrent dans sa gorge. Pourtant, quelques mètres après, passant devant le maire, il lui murmura à l'oreille :

— Est-ce que tu m'as menti, Pierre ?

Valant, désàrçonné, ne sut que répondre.

— Mon gamin, poursuivit Serge. Dans le lac. Je ne comprends plus. Il n'avait rien à faire là, non ?

— Parlons-en plus tard, s'il te plaît, répondit le maire à voix haute.

Bruno, le rouge aux joues, s'inséra dans la conversation.

— Plus tard ? Pourquoi, plus tard ? Si t'as quelque chose à nous dire, c'est maintenant ! Que tes électeurs entendent, c'est ça qui te gêne, monsieur le maire ?

— Tais-toi, fils ! le coupa Serge. Tais-toi.

Bruno allait de nouveau s'emporter mais le regard de son père, posé sur la nouvelle capitaine de police qui s'approchait d'eux en quittant la cérémonie, le fit taire sur l'instant.

Noémie leur adressa un simple salut de la tête, auquel les trois hommes répondirent sobrement. La distance l'avait empêchée d'entendre le contenu de leur conversation houleuse, mais les gestes et les attitudes avaient trahi le clan Dorin et Pierre Valant. Une animosité. Une information de plus pour Chastain. Quelque chose à garder en mémoire, si sa mémoire le voulait bien.

Devant les grilles du cimetière, elle avait réuni Bousquet et Valant. Sans le savoir, elle se posait les mêmes questions que Serge Dorin.

— Trois gamins que l'on pensait enlevés et loin d'ici, et deux corps retrouvés sous les eaux. Alex Dorin, on en est sûrs. Pour le deuxième, Elsa Saulnier ou Cyril Casteran, nous le saurons une fois le lac vidé. Mais, j'en suis certaine, tout s'est passé dans l'ancien

213

Avalone et Fortin n'a jamais été rien d'autre qu'une diversion. Le troisième enfant est là, quelque part.

— Sauf que l'affaire peut être double, avança Romain. Rien ne nous prouve que deux des enfants n'ont pas pu être assassinés ici alors que le troisième aurait été enlevé par Fortin.

— Dans la même nuit, un assassin et un kidnappeur se seraient croisés ? C'est beaucoup de coïncidences pour un si petit endroit, remarqua Bousquet.

— J'en reviens à Fortin, s'entêta Valant. Il peut être les deux. L'assassin et le ravisseur.

— Et moi, j'en reviens à Avalone, insista Noémie. Tout a eu lieu ici, en 1994. Alors, à moins que vous n'ayez besoin de prendre du temps pour vous après l'enterrement, je vous suggère de retourner au service et de faire un bond de vingt-cinq années en arrière. Comme nous ne savons rien et que nous n'avons toujours aucune piste, je veux reconstituer le village et tout ce qu'il s'y passait. Une radiographie complète, mieux, une autopsie. Même le détail le plus insignifiant ou le plus anecdotique, je veux tout sur le mur. Et je veux que la porte du bureau soit constamment fermée au public comme aux collègues.

— C'est une crise de confiance ? s'étonna Romain.

— Si je n'ai aucun suspect, alors je suspecte tout le monde. Milk, Bousquet, toi, le commandant Roze et moi serons les seuls à avoir la clé et à pouvoir entrer dans le bureau. Et je te laisse faire la leçon à notre bébé policier sur le concept du devoir de réserve et de la non-divulgation d'informations sur une affaire en cours.

— Ce serait plus facile de le bâillonner directement, mais ça pourrait être perçu comme de la maltraitance infantile, s'amusa Bousquet.

Laissant le cimetière derrière elle, Noémie marqua une pause. Quelque chose clochait. Elle se retourna et embrassa du regard les allées de tombes fleuries.

Oui. Quelque chose clochait. Comme un anachronisme ou un figurant dans la foule qui sourit à la caméra. Comme une cravate qui jure avec le costume. Un détail l'irritait, mais quoi ? Elle plaça mentalement un petit drapeau rouge au-dessus du cimetière, se jurant d'y revenir.

En montant dans la voiture conduite par Romain, Noémie hésita à lui parler de l'altercation dont elle n'avait pourtant rien entendu, sans pouvoir y résister bien longtemps.

— Il y a une raison pour que les Dorin s'embrouillent avec ton père le jour de l'enterrement de leur fils ?

— Oui. Il y en a mille. Comme avec tout le monde. Vu son caractère de merde, il faudrait plutôt savoir avec qui il n'a pas de conflits.

Évidemment, parler du père avec le fils avait été une vraie mauvaise idée.

38

Chacun avait reçu sa mission. Milk avait été envoyé dans les locaux du journal *La Dépêche*, situés au bas de la rue commerçante de Decazeville. Bousquet s'était mis un casque audio sur les oreilles, musique à fond, pour naviguer sur Internet à la recherche d'une aiguille dans une cyber-meule de foin. Romain, au sous-sol, épluchait les procédures de l'époque et Noémie centralisait le tout au fur et à mesure.

En fin d'après-midi, Milk retrouva l'équipe, les bras chargés de photocopies de coupures de presse et ce qu'il portait se retrouva directement punaisé avec le reste.

— Saint-Charles n'a pas posé de problème ? demanda Chastain.

— Non, il a même passé la journée avec moi, pour être plus efficace.

— C'est dans son intérêt, reconnut-elle. Si on résout cette affaire, il a son scoop. Il fait maintenant partie de notre écosystème.

Elle referma la dernière boîte de punaises déjà presque vide et admira le mur du fond du bureau, totalement recouvert d'un puzzle d'informations hétéroclites. Faits divers, mains courantes, articles, photos, constatations, auditions et plaintes sur une période de cinq ans avant la triple disparition. Si les faits avaient bien eu lieu à Avalone, les indices se trouvaient dans un laps de temps se situant entre le jour des crimes et les semaines ou années le précédant. Donc, très probablement sous leurs yeux.

Au centre du mur étaient affichés les visages des trois enfants, à l'origine de l'univers toujours en expansion que formait cette enquête. Autour d'eux se chevauchaient toutes les pièces éparses glanées ici et là, dont certaines, si elles étaient correctement reliées, devaient former un engrenage menant à la vérité. C'était juste une question d'horlogerie, de logique et de chance, dans des dosages encore inconnus.

Évidemment, en bonne place, on y trouvait le tout premier article de presse sur la disparition d'Alex, Cyril et Elsa. Le choc des villageois. Les premières hypothèses. Les premières suspicions. Le commandant Roze, jeune lieutenant à l'époque, assurait le laïus habituel auprès du journaliste, affirmant en conclusion que toutes les forces vives de son service étaient réquisitionnées pour retrouver la trace des enfants.

— Lieutenant Roze ? releva Noémie. Il aura passé la totalité de sa carrière ici, dans le même commissariat, c'est ahurissant.

— J'aimerais bien pouvoir faire la même chose, se défendit Milk. On n'a pas tous des envies de grande ville et de métro bondé.

L'odeur, la saleté et la promiscuité des transports parisiens assaillirent Noémie en souvenirs malvenus. Paris semblait si loin.

Elle se recentra sur l'affaire et sur les auditions des parents, des proches et des moins proches. Les familles Casteran, Dorin et Saulnier avaient dû répondre à des questions surréalistes lorsqu'elles portent sur des gosses. « Leur connaissez-vous des ennemis ? » « Ont-ils des addictions ? » « Leur connaissez-vous de mauvaises fréquentations ? » « Ont-ils été menacés de mort ou de violence dans les jours précédents ? » Noémie ne pouvait qu'imaginer l'état de détresse et d'incompréhension de ces pères et de ces mères aux cœurs torturés face à la machine judiciaire.

— Justement, que sait-on de ces enfants ? demanda-t-elle.

— À dix ans, il n'y a pas grand-chose à en dire. C'était des gamins, juste des gamins. Mais les auditions des familles respectives s'accordent toutes sur ce point : Alex, Cyril et Elsa formaient un trio inséparable. Cyril et Alex étaient meilleurs amis. Alex et Elsa étaient fous amoureux mais, comme l'amour, à cet âge-là, c'est se tenir la main, ça n'a pas déséquilibré leur petit groupe.

Sous ces auditions voisinait un article sur le marché décroché par Global Water Energy en vue de la construction du barrage électrique et de l'inondation de la vallée. Un autre reportage avait pris pour sujet l'arrivée dans le village de manifestants écologistes et leur vaine tentative d'installer une sorte de ZAD pour s'opposer à Global et protéger les animaux menacés par le gigantesque chantier. On les voyait tous, sur la photo prise à l'époque, porter le même tee-shirt à l'effigie d'un héron pourpré, espèce en voie de disparition dans la région et emblème de leur combat.

D'un pas de côté, Chastain se retrouva face à un autre pan de l'enquête, celui destiné au suspect principal. La photo de Fortin représentait un homme aux sourcils épais et au large front. Si, à cette époque, un producteur de cinéma avait lancé un casting de salauds pour un film noir, Fortin aurait décroché le rôle sans même ouvrir la bouche. Il était parfait, avec sa mâchoire carrée et son regard inamical. Il avait successivement été désigné comme « monstre », « kidnappeur », « ogre », et même « pédophile », sans pourtant aucune preuve, juste pour augmenter le tirage presse, sans penser aux parents qui, à la lecture de ce dernier mot, se fabriqueraient des images insupportables.

Il y avait aussi un cliché de la camionnette volée à Pierre Valant, retrouvée entièrement détruite par les flammes et dont tout le monde s'était accordé à dire qu'elle avait été le moyen de fuite de Fortin.

Sur la partie haute du mur, on découvrait, photo après photo, article après article, les différentes étapes de la renaissance d'Avalone. L'inondation complète de la vallée en même temps que se bâtissait, à quelques kilomètres de là, un village jumeau quasi à l'identique. Au même endroit sur le mur, un entrefilet parlait d'une colonie de vacances pour les enfants d'Avalone, sous le titre : « Des vacances pour oublier ».

Oublier les trois gosses disparus ? Ou oublier que leur village allait être noyé ? se demanda Noémie.

— Imagine ce qu'ils ont vécu, pensa Romain tout haut. Tu vois ta vie et tes souvenirs disparaître jour après jour sous l'eau, pendant que, de l'autre côté de la vallée, on te construit un endroit qui ressemble à chez toi, sans être vraiment chez toi. Comme un décor de cinéma, factice et irréel. Ou comme un épisode de *La Quatrième Dimension*.

— Tu y étais pourtant, tu ne t'en souviens pas ? s'étonna Milk.

— Non, pas vraiment. J'avais dix piges. Je me souviens juste des balades avec mon père, le long de ce qui deviendrait le lac d'Avalone. Et puis il y a eu la grande colonie. Les vacances pour oublier, comme dit l'article. Global a offert deux semaines à la montagne à tous les enfants. Une manière de nous faciliter la transition. L'idée était plutôt bonne mais personne, chez Global, n'avait prévu ce que seraient ces deux semaines. Trois gamins avaient disparu et, avec notre départ, il n'est plus resté que des adultes dans le village. Comme si tous les parents devaient être punis de la même souffrance. Toujours est-il que, quand nous sommes rentrés, le déménagement avait été fait. Les eaux avaient tout effacé et j'avais une nouvelle chambre, un peu plus grande que la précédente, dans une maison, elle aussi un peu plus grande. Global a été généreux, tout le monde y a gagné.

Chastain se concentra ensuite sur la zone du mur attribuée aux victimes et plus particulièrement à la famille Dorin. Le procès-verbal accompagné de la photo du corps suicidé suspendu à une poutre relatait les constatations effectuées dans la grange. Comment le corps de Mme Dorin avait été retrouvé, ce qu'elle portait sur elle, l'absence de lettre d'adieu aussi bien que les bijoux qu'elle avait tenu à arborer une dernière fois.

— Toute cette quincaillerie, s'étonna Noémie. C'est beaucoup, voire un peu trop.

— Presque vulgaire pour des gens qui n'ont jamais fait dans l'ostentatoire, confirma Valant.

— Elle voulait peut-être être belle pour retrouver son fils. Ça fait sens, non ? objecta Milk.

Chastain fit un nouveau pas de côté et son attention se porta sur la photo. Mme Dorin. Sa jolie robe, bleue, aux motifs à entrelacs de lignes. Ses cheveux, bien coiffés. Et tous ses bijoux. Deux colliers dorés. Une paire de boucles d'oreilles se terminant par une bille de nacre noire. Six bagues, dont seulement deux serties d'une pierre. Et une gourmette. Plutôt masculine.

Un moment de malaise… Elle se força à relire le procès-verbal de restitution au bas duquel se trouvait pourtant la signature de Serge Dorin.

Tous les bijoux y figuraient.

Tous sauf un.

— Il manque la gourmette, dit-elle.

Ses trois policiers se levèrent et se postèrent à son côté.

— Là, dans le rapport, les bijoux sont listés. Mais sur la photo, elle porte une gourmette. Elle n'apparaît nulle part. Et elle détonne par rapport au reste.

— Des chaînons épais et une plaque large, remarqua Bousquet. Plutôt masculin.

— Une gourmette pour garçon portée par une femme, ce n'est pas si suspect, mais que ce soit justement ce bijou qui ne soit pas acté dans le procès-verbal, ça commence à être plus intéressant.

— Un oubli du flic qui a fait les constatations ? Un vol d'un des policiers sur place ?

— Réfléchissez, les coupa Noémie. Elle a eu deux fils. Si c'est celle de Bruno, le second, pourquoi l'aurait-elle ? Mais, plus intéressant, si c'est celle d'Alex, expliquez-moi comment elle peut se trouver sur elle, alors que le gamin a disparu et qu'il devait, normalement, la porter à son propre poignet ?

Face à ce point de détail surprenant, ses hommes restèrent silencieux.

— Non mais ce sont de vraies questions que je vous pose ! J'attends que vous rebondissiez, là. C'est comme ça que je bossais, à la Crime. Absolument toutes les branches de l'arbre des hypothèses sont inspectées, jusqu'à leurs feuilles les plus chétives. C'est pas de moi, c'est un dicton de mon patron au Bastion.

— Alors, hypothèse une, se lança Milk. L'un des enfants n'aime pas la porter et elle n'aime pas la laisser dans une boîte à bijoux.

— Possible.

— Hypothèse deux, c'est celle d'un des hommes de sa famille. Son mari, son père ou un aïeul.

— Ça se tient, oui.

— Hypothèse trois, c'est la sienne, malgré le modèle que tu trouves masculin.

— Possible aussi.

— Alors ?

Noémie se pencha sur la photo, le nez presque à la toucher.

— Alors on envoie le cliché au département image de la police judiciaire de…

— Toulouse, toujours, compléta Romain.

— Oui, Toulouse, et on leur demande s'ils peuvent lire le prénom sur le bijou. Tant qu'on ne sait pas à qui elle appartient, on ne s'expliquera pas pourquoi elle a disparu en cours de route.

— C'est une piste ? se fit confirmer Milk.

— Non. C'est juste une zone d'ombre.

Noémie fit trois pas en arrière afin d'avoir une vision complète du patchwork pour l'instant indigeste.

— Bien. Tout est là. Ou presque. On n'aura pas mieux pour l'instant. Il faut lire, relire et relire, et si une pièce n'est pas à sa place ou si elle manque, ça tiltera à un moment ou à un autre. Même les romanciers, quand ils sont bloqués, laissent passer la nuit pour que leur inconscient trouve le chemin. Je dis pas qu'il faut rien glander non plus, mais laisser reposer, ça peut aider.

L'attention de Milk fut attirée par la vibration de son portable et il accompagna la lecture du message reçu d'une petite moue.

— Maman s'inquiète ? se moqua Bousquet.

— Non. Maman nous conseille d'allumer BFM.

— Fallait s'y attendre, se désola Noémie. Je les trouve même un peu à la traîne.

D'un coup de télécommande, Milk alluma le poste, discret dans un coin de la pièce, et l'équipe attrapa la journaliste en plein milieu de son intervention.

— Et c'est AVRIL, l'Agence de vidage, de réfection et d'inspection des lacs, qui supervisera l'opération. Nous sommes actuellement avec M. Boscus, responsable des centrales hydroélectriques, qui nous confirmait tout à l'heure le caractère exceptionnel de cet assec, puisqu'il est judiciaire et pas technique.

La journaliste tendit alors son micro audit M. Boscus qui tenta de ne pas verser dans le sensationnalisme.

— Vous savez, que l'assec soit demandé par la justice ou rendu nécessaire par un entretien des turbines du barrage par exemple, l'opération reste la même.

Nous allons ouvrir les vannes progressivement pour vider le lac d'Avalone. L'évacuation des eaux ne dépassera pas trente mètres cubes par seconde pour éviter de faire sortir la Sentinelle de son lit. Nous nous attendons tout de même à voir le lac baisser de cinq centimètres par heure. Dans le même temps, nous utiliserons un système d'infrasons dit « repoussoir » pour diriger les poissons afin qu'ils prennent le même chemin. L'aspect de la sauvegarde biologique est au cœur de toutes nos actions.

Puis son visage s'empourpra lorsqu'il réalisa qu'il semblait davantage faire cas des brochets que de la recherche d'un corps d'enfant. Il tenta de reprendre la parole mais la journaliste récupéra son micro, le cameraman centra l'image sur elle, le responsable d'AVRIL sortit du champ de l'écran et Milk éteignit la télé.

— Fin de journée, messieurs, décréta Chastain. Je vous veux sur le pont demain à 8 heures. Et personne ne parle aux journalistes. Ni à la maman de Milk.

39

Épuisée, Noémie s'effeuilla en toute approxima-
tion. Les clés tombèrent à côté de la table et le manteau manqua le canapé. Elle se fit chauffer de l'eau et
s'apprêtait à choisir entre camomille et réglisse quand
elle prit conscience qu'il lui manquait quelques jappe-
ments et un accueil chaleureux.

De la fenêtre de la cuisine, elle vit le soleil toucher
le lac, prêt à s'y noyer, et au bout de son ponton, assis
comme chez lui, caressant son chien, profitant de sa
vue, une silhouette malheureusement trop familière.
Même de dos, elle le reconnut.

Elle sortit avec tant de violence contenue que
Picasso baissa la queue et profita de la porte entrou-
verte pour filer à l'intérieur. Alors qu'il la frôlait,
Noémie lui lança un regard noir.

— Toi, tu me diras quand tu serviras à quelque
chose.

Elle traversa la pelouse rase et hésita à pousser l'in-
trus directement dans l'eau.

— Qu'est-ce que tu fous ici, Adriel ? Comment tu
m'as trouvée ?

— J'ai demandé.

— Je ne connais quasiment personne.

— Mais tout le monde te connaît. Chercher la flic de Paris à Avalone, j'ai connu des enquêtes plus complexes.

— Bravo, t'es un champion. Mais, pour la seconde fois, qu'est ce que tu fous ici ?

— C'est joli, ton petit lagon, éluda-t-il.

Le lac se vidait à bonne allure et, déjà, le sommet du clocher de l'ancienne église pointait à la surface la croix qui le surplombait. Une simple croix de pierre, émergeant au milieu des eaux.

— C'est pas un lagon, c'est un lac. Et puis, de toute façon, c'est plus un lac, c'est un cimetière.

— J'ai vu ça à la télé, oui. Je t'ai vue, toi aussi. Tout le monde suit ton affaire au 36, même si personne n'en parle.

— Écoute, c'était vraiment bien de te revoir, je t'assure, mais maintenant il faut vite que tu partes avant que je te fasse mal.

Il n'en fit rien et s'approcha avec la précaution d'un dompteur pas très sûr de son coup.

— Je suis venu pour m'excuser, d'accord ? J'ai déconné. J'ai totalement déconné. J'ai été en dessous de tout.

— J'en ai rien à foutre, de tes remords, Adriel ! Tu n'imagines même pas la haine que je ressens à ce moment précis. Alors dis-moi où tu as planqué ta bagnole et je t'y raccompagne.

— Je suis venu en train. Et il n'y en a plus avant demain matin.

Noémie sentit le piège se refermer sur elle. Impossible de demander à un membre de son équipe d'héberger son ex sans avoir à donner un minimum d'explications, et

226

l'Hôtel du Parc était une option tout simplement inenvisageable puisque Hugo s'y trouvait. Pour avoir failli maintes fois partir d'Avalone comme une voleuse, Noémie connaissait par cœur les horaires vers Paris.

— Il y a un train demain à 6 h 56 pour la gare d'Austerlitz. La maison est grande et j'ai un canapé, ça devrait être supportable pour une nuit.

— Je n'ai pas peur d'une mauvaise nuit, j'en ai passé beaucoup dernièrement.

— Le supportable de la situation ne concernait que moi, crétin. Réveil 5 h 30. Ensuite, tu disparais de ma vie. Tes remords, je n'en veux pas.

Il enfonça les mains dans ses poches, l'air penaud.

— T'aurais quand même un truc à grignoter ou on se couche à 21 heures ?

Elle goûta un spaghetti en se brûlant les doigts et les lèvres. Une pointe de beurre et du sel, il n'aurait rien de plus. Le parfum d'Adriel qu'elle avait tant aimé flottait maintenant autour d'elle. Deux ans de relation heureuse et passionnée remontaient doucement à la surface comme un cadavre.

Elle l'entendit marcher dans le salon à l'étage, puis descendre l'escalier. Elle entendit ses pas se rapprocher, sans pour autant oser se retourner. Son souffle était maintenant tout proche d'elle. Adriel posa fermement ses mains sur les hanches de Noémie et ses pouces s'enfoncèrent dans ses reins alors qu'il embrassait sa nuque. Il connaissait son corps comme nul autre, savait appuyer là où elle aimait, et son contact réveilla le souvenir de mille nuits. Comme brûlée, elle se retourna vivement, déstabilisée, rancunière et blessée.

— C'est peut-être moins évident avec une lumière tamisée mais je te rappelle que j'ai exactement la même gueule que celle qui t'a fait fuir il y a trois mois.

— Non. Je t'assure. Tu es plus forte. Assumée. Et tu me manques.

— T'as pas le droit de me dire ça. T'as même pas le droit d'être là.

Elle ouvrit un placard et en sortit une bouteille de vodka amoindrie d'à peine quelques centilitres.

— Ne crois pas que je t'offre un verre. Je me dis juste que la soirée va passer plus vite avec un alcool fort.

Elle s'en versa la moitié d'une tasse en porcelaine blanche.

— Sers-toi si tu veux. Mon hospitalité ne va pas jusque-là.

Adriel s'exécuta avant qu'elle change d'avis et aborda un sujet qu'il lui savait cher.

— Tu veux des nouvelles de ton équipe ?

— C'est ton équipe, maintenant. Tu t'es bien battu pour ça, non ? Mon équipe, elle est ici.

— Chloé est enceinte, asséna-t-il.

Noémie avait tout laissé derrière elle. Paris et le Bastion. Même son amitié avec Chloé. Elle s'était juré de prendre le temps de l'appeler et de la rassurer, mais elle n'en avait rien fait. Ce bébé, cette nouvelle vie et ce nouvel avenir, elle en avait été exclue. Meurtrie de ne pas avoir été mise dans la confidence et de ne pouvoir en vouloir qu'à elle-même, No vida son verre d'un trait, le remplit à nouveau et mordit par réflexe.

— Et elle, vous allez l'envoyer où ? À Saint-Pierre-et-Miquelon ? Une flic avec un gros bide, c'est pas très utile, au 36, non ?

— Tu as raison. Raison d'être en colère et de m'en vouloir. Je mérite tout ça, j'en suis conscient. Venir te voir était stupide et égoïste, je te fais plus de mal qu'autre chose. Rassure-toi, tu ne me verras même pas partir demain.

Il se servit à son tour un deuxième verre alors que le premier le réchauffait déjà. Noémie attrapa la bouteille de vodka et monta à l'étage pour se poser devant la cheminée. Les spaghettis abandonnés refroidirent dans la cuisine et le feu lancé illumina le salon de tons dorés.

— Elle est à combien ?

— Six mois.

Calcul fait, elle tiqua et Adriel confirma.

— Oui, elle était enceinte de trois mois quand tu as eu ton accident. Elle voulait nous l'annoncer dans les jours suivants.

Noémie comprit alors que le bonheur de Chloé avait dû lui sembler indécent. Une vie qui prend un puissant coup d'arrêt, face à une autre qui commence à peine, c'était assez cruel pour que Chloé ait préféré ne rien lui dire.

— Tu as une photo, au moins ?

— Bien sûr. On a fait un pot sans alcool pour fêter ça. C'était chiant, mais amusant.

Adriel fouilla son portable et le tendit à Noémie. Rapidement les yeux de No s'embuèrent.

— J'aurais dû vivre ça avec vous. Mais tu me l'as volé.

Le troisième verre s'évapora à la même vitesse que les premiers. Adriel perdit un peu de sa prudente réserve alors que Noémie retrouvait sa colère. Comme dans la cheminée, les braises étaient toujours aussi vives.

— Mais tu es aussi fautive, se défendit-il. Fautive de m'avoir cru plus fort que je n'étais.

Le regard de Noémie s'assombrit d'un coup, mais Adriel ne vit pas l'alerte ouragan.

— Désolé, poursuivit-il, mais tes blessures, tu n'as pas eu le choix de vivre avec ou non. Et moi, un instant, je l'ai eu. Il n'a fallu qu'un instant. J'ai eu peur de ne pas être à la hauteur. Peur de ne pas pouvoir t'aider à surmonter cette épreuve.

Les quelques mois de solitude d'Adriel lui avaient permis de réécrire l'histoire à son avantage, mais Noémie ressentait aujourd'hui encore toute la brutalité de sa lâcheté. Elle ne lui avait jamais demandé de continuer à l'aimer. Juste de l'oublier, de la plaquer s'il le voulait, mais de la laisser reprendre son travail. Comme une souris qui ne voit pas que le chat va griffer et qu'il est temps de filer, Adriel tenta encore de se défendre.

— Et si j'ai transmis mon rapport au sujet de ton échec de tir de reprise, c'était juste pour la sécurité de l'équipe. J'ai pris la décision que tu aurais dû prendre, parce que tu n'en étais pas capable à ce moment-là.

La main de Noémie se mit à s'agiter légèrement, et la vodka dans sa tasse frémit en ondes concentriques, comme si au loin grondait un tremblement de terre. Comme si au loin une armée faisait vibrer le sol.

Il l'avait effacée lorsque son visage s'était abîmé. Il l'avait éloignée lorsqu'elle avait voulu reprendre sa vie normale. Il l'avait écartée de son équipe lorsqu'elle avait besoin de tout son soutien. Il avait sabordé sa vie avec autant de violence qu'on lui avait tiré dessus. Elle réalisa soudain que pas une fois elle n'avait pensé à Sohan, l'homme à l'autre bout du fusil, mais que bien souvent elle avait maudit Adriel. Lui qui, même aujourd'hui, n'arrivait pas à fixer son profil droit plus de deux secondes.

Noémie aurait peut-être cédé. Noémie aurait peut-être pardonné. Mais No préféra la vengeance.

Elle chevaucha Adriel sur le canapé et prit sa tête entre ses mains.

— Regarde-moi. Regarde-moi bien. C'est ce que je suis aujourd'hui.

Animale, elle caressa son visage accidenté contre le sien, si lisse. Elle l'embrassa bouche grande ouverte, sans délicatesse. Sans plus de délicatesse, elle le déshabilla en même temps qu'elle enlevait son pantalon, et le força presque à entrer en elle. Adriel semblait perdu, dépassé, mal à l'aise.

— Je te hais, Adriel, souffla-t-elle contre sa peau.

Elle lui attrapa les mains qu'elle posa sur ses cicatrices. Dans un sursaut de virilité, il se défit de son emprise, empoigna ses seins comme pour reprendre le dessus sur une situation qui lui échappait totalement mais No, d'un geste mauvais, les replaça à nouveau sur ses blessures.

— Tu ne peux plus me faire de mal. Tu n'auras plus jamais rien de moi.

Elle atteignit l'orgasme en quelques coups de reins et abandonna Adriel sans qu'il ait eu le temps de jouir à son tour.

— Je ne donne plus. Je prends.

Elle ne lui avait pas fait l'amour, elle l'avait baisé. Non, elle ne l'avait pas baisé, elle l'avait humilié. Elle rassembla ses affaires en boule avant de prendre la direction de sa chambre et de l'abandonner sur le canapé.

— Réveil 5 h 30 demain. Je t'emmènerai à la gare. Et si je te revois ici, je te tire dessus.

Sous la douche, tandis qu'elle se frottait jusqu'à s'en faire mal, les larmes invisibles de Noémie se mélangèrent à l'eau brûlante. Puis, imperceptiblement, un sourire presque intérieur se dessina sur ses lèvres.

Dans le salon, Adriel, à moitié défroqué, n'avait toujours pas bougé d'un centimètre.

40

3 h 30 du matin.
Exploitation agricole de Pierre Valant.

C'est une vieille jument, sur la fin de sa vie, qui avait accepté de partager son box avec ce jeune veau refusé dès la naissance par sa mère. La chaleur de l'animal, allongé sur la paille, se substituait suffisamment à l'affection maternelle pour que le veau fasse enfin des nuits sans vagir sa peine et son incompréhension. Autour, paisibles, chevaux et vaches dormaient profondément, alors que deux moutons, épais de laine et insomniaques, en profitaient pour se câliner les flancs.

Un bruit métallique.

La jument dressa les oreilles. D'autres l'imitèrent lorsque le cadenas de la grange tomba au sol, sectionné en deux.

L'homme entra à pas feutrés, portant à bout de bras deux jerricans pleins dont il ouvrit les bouchons l'un après l'autre. Une vive odeur de pétrole s'en échappa alors qu'il les vidait sur les ballots de paille et sur

233

les planches des murs. Les effluves d'essence déformèrent l'image comme autour des mirages.

De nouveau à l'extérieur de la grange, l'homme imbiba une pomme de pin sèche et l'alluma à la flamme de son briquet. Un cocktail Molotov rural qu'il lança à l'intérieur. La pomme de pin roula en rebondissant jusqu'au fond, provoquant un départ de feu à chaque contact avec le sol. Bientôt, les foyers épars se rejoignirent en grandes flammes.

La chaleur augmenta rapidement et la fumée envahit le plafond en un nuage blanc épais qui grandissait à vue d'œil, se rapprochant dangereusement du sol et des animaux, déjà affolés.

Alertée, la jument se leva sur ses vieilles pattes et réveilla le veau d'un coup de museau. Les chevaux voisins, apeurés par le brasier, lançaient des ruades contre les portes de leurs box. Les moutons, libres d'entraves, filèrent vers la sortie aussi vite que possible mais leur laine s'enflamma dans l'instant et, persuadés du bon choix, ils firent demi-tour en rôtissant sur eux-mêmes avant de s'effondrer. L'odeur de brûlé et les bêlements de douleur affolèrent le reste des animaux. Les sabots frappèrent, les cris déchirèrent la nuit.

La jument rua aussi fort qu'elle le pouvait malgré son âge et réussit à fendre le bois, puis à exploser le loquet de fermeture. Le veau, terrorisé, s'était recroquevillé dans un coin et refusait maintenant de sortir du box. Pourtant, la jument ne se résolut pas à profiter des dernières secondes pour s'échapper. Elle n'avait jamais enfanté et ce nouveau-né, au moment où il avait été placé contre son flanc, était devenu sien. Elle fit demi-tour, se plaça derrière lui et poussa. Sa queue s'enflamma, elle se cabra et se renversa sur le dos. Sa crinière se recouvrit de feu et lorsqu'elle vit le veau disparaître dans la fumée, elle cessa de se battre, ferma les yeux et souffla une dernière fois.

Les vaches ne comprirent rien à la situation et se laissèrent cramer en se percutant bêtement les unes les autres.

D'autres box cédèrent, mais bien trop tard, et dans les ténèbres de la nuit sortirent de la grange des chevaux en feu, courant dans les champs comme des éclairs traversant le ciel.

Aveuglés par la douleur et l'intense luminosité de leur propre consumation, les étalons tapaient furieusement au hasard et hennissaient. L'un d'eux déboula dans la cour de la ferme de Pierre Valant, alerté par le vacarme et déjà dehors, fusil à la main. Le cheval manqua de percuter le fermier et finit sa course dans le mur de la maison. Déséquilibré, il mit deux genoux à terre un instant, puis, avec la force du désespoir, il se releva et, juste devant Valant, se cabra tout en flammes avant de s'écrouler sur lui-même.

Il y a une limite irréversible à l'incendie, celle où l'on ne peut plus rien faire que le regarder dévorer sa proie. Pierre Valant, en chaussettes sur la terre humide face à sa grange, laissa alors le bûcher se consumer.

Il passa à côté des carcasses fumantes des chevaux et, lorsque cela était nécessaire, un tir après l'autre, mit fin à leur agonie. Puis il se dirigea vers sa maison pour téléphoner aux pompiers, le canon de son fusil traînant sur le sol et traçant derrière lui un sillon dans les cendres chaudes.

Quand il fut de retour dans sa cour, le pare-brise de sa fourgonnette explosa. Valant s'immobilisa mais ne vit autour de lui que la nuit.

Puis ce furent ses fenêtres, les unes après les autres. Certaines s'étoilèrent quand d'autres se volatilisèrent sous le choc des balles.

Pourtant Valant ne bougea pas, comme s'il était certain qu'on n'aurait pas le courage de l'abattre là, devant chez lui.

Enfin, les coups de feu cessèrent.

41

Romain avait tenté de joindre Chastain à plusieurs reprises sur son portable, en vain. Suivant le pinceau de lumière de sa lampe torche, il longea la maison de son officier et fut surpris d'y voir déjà de la lumière à 5 heures du matin à peine passées.

Noémie apparut en pantalon de lin et tee-shirt moulant, parfaitement réveillée.

— C'est beaucoup trop tôt pour une bonne nouvelle, lança-t-elle en guise d'accueil.

— C'est parfait alors, parce que je n'en ai pas. Mais ça ne te concerne pas vraiment, ni l'enquête, d'ailleurs. Une partie de l'exploitation de mon père a été incendiée. Il a perdu pas mal de bêtes.

— Merde, je suis désolée. Tu sais comment c'est arrivé ?

— Les pompiers ont trouvé des traces d'hydrocarbures un peu partout. Il y a aussi eu des tirs sur sa maison.

— Des tirs ? Comment va-t-il ?

— T'inquiète. Il en faut plus pour lui faire peur.

Chastain sembla réfléchir un instant…

— Quoi que tu en dises, ça pourrait concerner l'enquête, conclut-elle. Vu qu'on n'a aucune piste, tout ce qui va de travers à dix bornes à la ronde est à considérer comme ayant un lien possible.

Dans l'aube qui pointait, une silhouette se dessina derrière Romain.

— C'est ce que j'ai dit à ton lieutenant sur le trajet, confirma Hugo.

Moment de surprise. De gêne. Et à partir de là, en fonction des scénarios et de la discrétion d'Adriel, tout pouvait déraper.

— Salut, capitaine, sourit Hugo. On pensait te réveiller.

— Salut, plongeur. Et toi ? Tu rôdes autour de chez moi ? dit-elle d'un ton faussement détaché.

— Les flammes étaient visibles de l'Hôtel du Parc, et la fumée a suivi. Un flic reste un flic, alors je suis allé voir et j'ai croisé ton adjoint sur place.

Il s'avança, comme si l'invitation à entrer était une évidence, mais Noémie ne bougea pas.

— Tu nous fais un café ou on reste dehors avec le chien ?

C'est ce moment que choisit Adriel pour sortir de la douche, une serviette autour des hanches, un sourire stupide aux lèvres.

— Je suis prêt dans dix minutes, lança-t-il à la cantonade avant d'apercevoir les deux policiers sur le pas de la porte-fenêtre.

Sans gêne aucune, il s'approcha d'eux une main tendue, l'autre retenant sa serviette.

— Messieurs, bonjour. Adriel. Ex-collègue. Ex-copain.

Les deux hommes le saluèrent en retour. Romain ne savait pas où se mettre et Hugo n'aurait pas pu avoir l'air plus inamical.

— Je me fais un café, j'en fais un pour tout le monde ? dit Adriel en faisant demi-tour, confiant et à l'aise, comme s'il habitait là depuis toujours.

Hugo marmonna un « J'attends dans la voiture » et disparut dans le jour encore timide. Romain, qui avait vu le trouble de son officier dès qu'elle était en présence du plongeur et l'intérêt évident de ce dernier qui avait parlé d'elle tout au long du trajet menant à la maison, préféra regarder ailleurs. Noémie, décontenancée, se prit la tête dans les mains avec l'envie de se gifler en continu.

— Quelle conne, mais quelle conne, mais quelle ultra-conne ! se fustigea-t-elle.

— Ouais. T'as bien merdé, là, capitaine, confirma Valant. Surtout si c'est ton ex du 36 dont tu m'as parlé.

Noémie se ressaisit en un instant et géra d'abord l'insupportable.

— Vraiment désolée pour ton père, mais tu veux bien me ramener ce connard à la gare s'il te plaît ?

— Le 6 h 56 ? Je m'en occupe. Et toi, cours !

*
* *

— Attends !

Son pantalon se tacha de terre humide sur le chemin irrégulier. Clés du Land Rover en main, elle accéléra le pas.

— Mais attends, s'il te plaît ! Laisse-moi te raccompagner à l'hôtel.

Hugo s'arrêta, à contrecœur.

— Je te laisse le temps d'une apnée.

— J'ai déconné, j'ai complètement déconné…

Elle utilisait les mêmes mots qu'Adriel la veille ! Elle fut incapable de terminer sa phrase. Elle resta silencieuse, à chercher comment expliquer l'absence totale d'explication crédible. Un sursaut de colère envers Adriel. Une vengeance sournoise. Un défi stupide. De la rancœur toujours en fusion. Le dominer puis le jeter. Rien de bien concret pour atténuer la peine qui se lisait sur le sourire déçu d'Hugo. Alors il prit la parole.

— Tu caches tes blessures. Mais, pour moi, tu n'es ni moins bien ni mieux qu'avant. Je ne t'ai jamais connue que comme tu es. Et ça me va. Elles sont honnêtes, au moins, tes blessures. Elles ne se cachent pas, elles ne mentent pas. Elles te racontent. Mais peut-être que tu as réfléchi ? Peut-être qu'à revoir ton ex tu t'es dit que tu pouvais tout effacer, reprendre ta vie là où tu l'avais laissée, à un moment où tu t'aimais un peu. Dans ce cas-là, je n'ai pas de place. Et ce n'est pas si grave, on se connaît à peine. Rien n'a commencé, personne ne souffrira.

« Ce n'est pas ce que tu crois. »

« Je peux tout expliquer. »

« Il ne représente rien pour moi. »

Bien que tout cela soit absolument vrai, Noémie pensa et écarta chacune de ces excuses entendues si souvent lorsqu'il n'en existe pas. Le mutisme dans lequel elle se retrouva bloquée annonça la fin de la conversation. Hugo tendit la main vers la sienne.

Noémie espéra qu'ainsi il allait lui pardonner, mais il ne fit que se saisir des clés du 4 × 4.

— Je le garerai sur le parking de l'hôtel, tu le feras récupérer par un de tes gars. Je te laisse faire le ménage que tu jugeras bon dans ta vie. Tu sais où j'habite. Quais de Seine. Brigade fluviale.

En rentrant à la maison du lac, Noémie, le regard sombre, croisa Romain et Adriel.

— Tu envoies l'identité judiciaire sur place, je veux qu'ils me retrouvent une des balles perdues et qu'ils l'envoient à la balistique. Ensuite, tu convoques ton père pour dans une heure au service. S'il y a eu un incendie criminel, alors Pierre Valant a un ennemi. Je veux savoir qui.

— Reçu, confirma Romain.

Adriel s'approcha, probablement pour dire au revoir. Mais, bouche ouverte, il n'eut pas le temps de prononcer le moindre mot.

— Toi, ta gueule.

42

Noémie faisait face à Pierre Valant, seule dans son bureau, comme elle l'avait exigé. Hors de question que Romain assiste ou participe à l'audition de son père, conflit d'intérêts oblige, même si l'affection relative que se portaient les deux hommes assurait une objectivité parfaite. Le costume de monsieur le maire était resté à l'hôtel de ville d'Avalone et Chastain ne voyait ce matin qu'un agriculteur fatigué, les cheveux blancs en bataille, les vêtements recouverts de suie noire, empestant l'essence et le bois brûlé.

— Il paraît qu'une enquête de village n'a rien à voir avec une enquête de ville, c'est ce que m'a dit le commandant Roze dès mon arrivée. Il paraît qu'ici tout le monde connaît les secrets des autres, leur passé et leurs conflits, et que toutes nos techniques scientifiques ne valent pas une bonne connaissance des gens. Alors, monsieur Valant ? Qui a foutu le feu à vos vaches cette nuit, et qui vous a tiré dessus ?

— Si mon fusil est encore à son râtelier, c'est que je n'en ai aucune idée.

— Pourquoi ? Vous êtes du genre à régler vos querelles par vous-même ?

— C'était une façon de parler. Juste une façon de parler, se reprit-il. J'aurais évidemment averti mon fils.

Noémie ajusta le clavier d'ordinateur devant elle.

— Donc j'écris que vous ne savez pas ? Ça fait court comme déposition.

— Désolé. Vous n'avez qu'à dire qu'ici nous sommes des taiseux, des hommes de la terre et pas des hommes de lettres. Cela s'ajoutera à la longue liste de vos clichés sur la campagne.

Vu la tournure de l'échange, Noémie abandonna son écran et se posta à la fenêtre, dos à Valant. Peut-être était-ce aussi dû à sa difficulté à le regarder en face. Ce trouble qu'elle ressentait en retrouvant dans ses attitudes et ses gestes un certain héritage laissé à son fils.

— Des jalousies ? poursuivit-elle.

— Je soutiens le projet chinois de la Mecanic Vallée.

— Quel rapport ?

— Les gens ont peur du changement. Ils imaginent qu'on va leur prendre leur terre. Ils craignent qu'à force de changer d'économie on en vienne à oublier l'agriculture. D'autres ont tout simplement peur d'une invasion de bridés. Ça crée des tensions. Ça fabrique des animosités. Ajoutez que je suis le plus important propriétaire terrien des six communes. La question n'est pas de savoir qui me jalouse, mais plutôt de trouver qui ne me jalouse pas.

— Ça fait sens. Si vous n'arrivez même pas à vous entendre avec votre fils, j'imagine que le reste doit être à l'avenant.

— Je vous déconseille d'aller sur ce terrain, capitaine.

— Désolée, vous connaissez les Parisiens, nous n'avons pas de manières.

Dans le match des clichés, la balle était maintenant au centre.

— C'est la première fois ? poursuivit-elle.

— L'incendie ? Oui. Les tirs aussi, remarquez.

— Êtes-vous actuellement en train de vendre ou d'acheter un bien, avez-vous un projet particulier, une mésentente commerciale ?

— J'ai bien assez de travail pour ne pas m'en rajouter. Je fais comme tous les paysans, j'essaie de ne pas crever, de payer mes salariés à temps et de m'adapter à l'Europe.

Récupéré à l'Hôtel du Parc, le Land Rover trouva une place sur le parking du commissariat et Milk en descendit. D'en bas, il fit un salut de la main à Noémie, auquel elle répondit par un sourire, derrière sa fenêtre. Elle se retourna enfin.

— À la ville, il arrive aux gens de brûler leurs vieilles bagnoles et de faire passer l'incident pour criminel, histoire de faire marcher les assurances.

Valant se redressa sur sa chaise, insulté dans son honneur.

— Mon exploitation n'est pas une vieille bagnole. C'est difficile, je ne dis pas le contraire, mais j'ai encore la tête hors de l'eau. Et si j'en étais arrivé à de telles extrémités, j'aurais fait en sorte de cramer un endroit sans animaux à l'intérieur. Je les ai presque tous fait naître. Ils ont chacun un prénom. Vous ignorez tout du lien qui nous unit.

Noémie pensa à Picasso. Sans savoir pourquoi, elle refusa de croire à l'implication de Pierre Valant. Mais elle était prête à changer d'avis à la seconde.

— Et votre enquête ? demanda Valant.

— Elle avance assez doucement, je dois dire.

— Ce n'est pas l'agriculteur qui vous parle, mais bien le maire qui vous demande un point clair de votre avancement sur un drame survenu dans sa commune. Dois-je vous rappeler que, de par mes fonctions, je suis le premier OPJ d'Avalone ?

Les rôles s'étaient inversés en une phrase et c'était au tour de Noémie d'être interrogée.

— Alex Dorin a été découvert dans un fût. La Brigade fluviale a retrouvé un second fût, au même endroit. Ce sera Elsa Saulnier ou Cyril Casteran. Mais il n'y a pas de troisième fût. Pas de troisième gosse.

— Il est peut-être ailleurs ?

— C'est ce que je me dis, mais ça n'a pas de sens. La cave de la maison communale est assez grande pour contenir un cimetière. Pourquoi enlever trois gosses et, en fonction des hypothèses, en tuer deux et pas le troisième, ou en tuer trois mais chercher deux sites différents pour les cacher ? Si je me réfère uniquement aux probabilités, nous avons trois enfants disparus qui deviennent deux cadavres, il y a donc pas mal de chances que le troisième aussi soit mort. Et c'est lui que je cherche.

— Se référer aux probabilités, c'est du bon sens, mais elles n'ont jamais résolu une enquête, remarqua Valant.

— Elles me dirigent juste vers ce qui a le plus de chances d'aboutir.

— Vous pataugez, en somme.

Chastain, à son tour piquée dans son orgueil, ouvrit la porte du bureau en grand.

— Je vous ai retenu assez longtemps, monsieur le maire. Le brigadier Bousquet terminera votre plainte. Pour les assurances.

Alors qu'elle s'apprêtait à sortir du commissariat pour fumer sur le perron une cigarette censée la calmer, Noémie croisa Milk qui papotait avec la jeune flic de l'accueil. Elle lui tendit la main et il lui rendit les clés du Land Rover.

— Des nouvelles de l'identité judiciaire ?

— Oui, capitaine. Une des balles a été tirée dans la fourgonnette de Valant. Elle a traversé le pare-brise, le siège conducteur, et s'est fichée dans l'appuie-tête du siège arrière. Elle est partie à la balistique, comme vous l'avez demandé.

Tandis que Noémie écoutait le rapport bon élève de son équipier, son attention fut attirée par un pot de fleurs incongru, en équilibre sur les genoux d'une femme dans les soixante-dix ans, assise en salle d'attente, le regard dans le vide. Elle interrogea Milk d'un coup d'œil.

— C'est Juliette Casteran, la mère du petit Cyril. Vous l'avez vue une fois ici même, le jour de l'annonce de l'identification du premier corps.

Les regards des deux femmes se croisèrent alors et il fut impossible pour Noémie de ne pas aller la saluer.

— Je suis le capitaine Chastain, vous me remettez ? se présenta-t-elle.

— Oui, répondit Juliette en se levant. Je venais justement vous voir.

— Mon bureau ? proposa Noémie en rangeant son paquet de cigarettes dans la poche arrière de son jean.

— Vous avez bien d'autres choses à faire, je suppose. Je voulais juste vous demander de me tenir au courant, lorsque vous sortirez la petite Elsa des eaux. Je ne regarde jamais la télévision et j'écoute peu la radio, je ne voudrais pas oublier de fleurir sa tombe.

La petite. Ou le petit. Elsa. Ou Cyril. Mme Casteran semblait oublier qu'il restait toujours deux possibilités dont l'une était son fils, mais Noémie se refusa à l'attaquer de front. D'un coup de menton, elle désigna le pot de fleurs.

— C'est pour Alex ?

— Oui. Ce sont des marguerites. Vous saviez que mon mari était le gardien du cimetière ? J'ai toujours eu pour habitude de fleurir les stèles des oubliés. Certains étaient aussi mes patients. Mon mari disait souvent : « Si tu n'arrives pas à les guérir, je prendrai la suite. »

La journée était pluvieuse et Noémie remarqua que le bas du pantalon de Juliette Casteran était humide. Elle en déduisit qu'elle avait fait le chemin à pied pour venir la voir.

— Ça va vous faire une petite trotte jusqu'au cimetière. Je vous dépose ?

43

Noémie fumait enfin sa cigarette, assise sur le muret qui encerclait le cimetière, laissant Mme Casteran se recueillir sur la tombe d'Alex Dorin. Puis elle écrasa son mégot dans un bouquet de lavande et se rapprocha de Juliette.

— Je vais être incapable de le dire avec délicatesse, alors autant y aller franchement, prévint-elle.

— Je sais bien ce que vous pensez, l'interrompit Mme Casteran. Saulnier est cinglée, les Dorin sont aussi avenants qu'un ours blessé et voilà la vieille Casteran qui refuse de croire à la mort de son fils.

— J'y aurais quand même mis plus de formes, mais c'est l'idée.

Juliette arrangea le bouquet de marguerites et se releva.

— Vous vous attendiez à quoi ? Nous y avons tous laissé une partie de notre raison. La perte d'un enfant mais, surtout, l'absence d'informations qui nous pousse à penser au pire. On dit qu'une mère reçoit un coup au cœur lorsque son enfant s'éteint. Même si un continent les sépare. Et moi, je n'ai rien senti.

— C'est tout ? Je veux dire, ça vous suffit ?

— Cela me suffit pour espérer. Je n'ai jamais abandonné. J'appelle toutes les semaines l'APEV pour me tenir au courant. Je prie tous les jours. J'ai même engagé un détective privé pendant près de quatre ans, mais j'ai surtout perdu beaucoup d'argent. Je ne suis pas folle, je suis confiante. Naissances et enterrements. La vie se raconte en berceaux et en sépultures. Une tombe après l'autre. Mais ce n'est pas le moment de mon Cyril.

En parlant avec Juliette Casteran, Noémie ressentit le même malaise que quelques jours plus tôt, lorsqu'elle avait quitté le cimetière et que son inconscient lui y avait mentalement fait placer un drapeau rouge. Quelque chose clochait et elle se souvint des paroles de Melchior au sujet de son accident et de l'hypermnésie qui pouvait en découler. Hypermnésie, c'est justement ce qu'elle demandait à sa mémoire. Retrouver cette couleur, cette odeur, cette texture, ce bruit ou cette mélodie, ce simple détail qui, par association d'idées, l'avait alertée. Et cela avait un lien avec son enquête, elle en était sûre.

Elle regarda au loin le préposé du cimetière passer de tombe en tombe et arroser les plantes. Une tombe après l'autre, comme le disait Casteran. Une tombe après l'autre. Encore et encore. Putain de mémoire.

Puis le mécanisme de ses pensées libéra l'évidence. Juste sous ses yeux. À ses pieds. Cette stèle, qui annonçait une date de décès en 1987. Puis ces allées et ces allées sur une centaine de mètres. Tout cela était bien trop grand pour un si petit village. Elle abandonna Juliette et fonça vers le préposé qui releva son arrosoir et fit un pas en arrière, comme s'il allait se faire gronder.

— Chastain. Police, s'annonça-t-elle, carte trico-lore tendue devant elle.

— Euh, ouais, je sais, s'inquiéta le jeune homme en salopette verte et bottes assorties.

— Il y a combien de tombes exactement ?

— Exactement ? J'sais pas. Un petit millier.

— Donc mille personnes, on est d'accord ?

— Ah non. Si vous regardez les stèles, vous verrez que la plupart sont des caveaux familiaux. Et il peut y avoir entre deux et six corps par tombe.

— Donc un minimum de deux mille personnes décédées en vingt-cinq années.

Noémie attrapa son portable et lui parla directement :

— Taux de mortalité Avalone 2018, articula-t-elle clairement.

— Le village d'Avalone a compté trente et un décès au cours de l'année 2018, lui répondit la voix métallique de son téléphone.

— Ce qui nous fait donc, sur une période de vingt-cinq ans et si on garde 2018 comme référence, un maximum de sept cent soixante-quinze décès. Pas deux mille. À moins qu'il y ait eu une épidémie à Avalone, une guerre ou un tremblement de terre dont on ne m'aurait pas parlé, ce cimetière est trois fois trop grand.

Le préposé regarda tout autour de lui et sembla soudain découvrir que le rapport entre l'ancienneté et la taille ne convenait absolument pas.

— Ah ouais, finit-il par concéder mollement.

Noémie inspecta les dates gravées dans le marbre ou la pierre. Certaines étaient récentes, toutes autour des années 2000, ce qui concordait parfaitement.

D'autres étaient plus étranges et affichaient des années que le cimetière n'aurait jamais dû connaître : 1980. 1970. 1960.

Avalone avait été englouti en 1994 et elles n'avaient donc rien à faire ici. Elle laissa le préposé à son arrosage et retrouva Juliette, déjà sur le chemin de graviers qui menait à la sortie.

— Attendez, madame Casteran, je vous raccompagne.

— Vous êtes adorable, mais j'habite à seulement cinq cents mètres.

— Ouais, ben je vous raccompagne quand même. Votre mari est là ?

La vieille dame regarda sa montre à son maigre poignet.

— 10 heures ? Oui. Mais il ne faut pas tarder. Dans moins d'une heure il sera au bar. Ce sera moins simple de le comprendre.

*
* *

L'intérieur de la maison des Casteran était comme le lui avait décrit Romain Valant. Pas une place libre sur les murs, recouverts de photos de Cyril à tout âge. Enfin, jusqu'à ses dix ans.

Juliette avait disparu dans une pièce et Noémie se retrouva seule avec André, le mari. Les mains tremblantes, le visage détruit par la cirrhose en longues veines rouges éclatées, les joues et le nez boursouflés et tavelés comme du plastique brûlé. Il versa deux cafés, moitié dans la tasse, moitié sur la nappe en toile cirée.

— Vous lui avez dit quoi, à ma femme ?

— Rien en particulier. C'est surtout elle qui m'a parlé.

— Faut pas lui brouiller la tête, hein ? Son gosse, il va revenir, c'est tout ce qu'elle sait dire. Tout le temps qu'elle perd à espérer, c'est du temps où elle me fout la paix. J'demande rien de plus. Elle est chiante, mais j'ai personne d'autre avec qui vivre. Faudrait pas que le corps sous l'eau, ce soit le petit. Elle le supporterait pas.

Noémie le regarda allonger son café d'une dose équivalente d'armagnac.

— Mais vous, monsieur Casteran, vous le savez bien qu'il y a une possibilité ?

— Ouais. Si c'est lui, j'aviserai.

— Vous pensez qu'elle ne le découvrira jamais ?

— Elle regarde pas la télé, elle lit pas les journaux, elle écoute pas la radio, sauf pour la musique. Les gens, ça fait vingt-cinq ans qu'ils l'entendent parler de Cyril. Personne ne la contredit, c'est pas aujourd'hui qu'ils vont commencer. Tout le monde sait qu'elle est fragile. Si c'est lui, je dis bien « si c'est lui », on l'enterrera discrètement. Ça passera.

D'un hochement de tête, Chastain accepta une larme d'alcool dans son café. Malheureusement, la tremblote d'André Casteran transforma la larme en rivière.

— Justement, en parlant d'enterrement, je voudrais vous poser quelques questions sur le cimetière. Vous en étiez bien le gardien dans l'ancien Avalone ? Mais aujourd'hui, pour vingt-cinq années d'usage, il n'est pas un peu grand ? Et ces tombes d'avant 1980 ? À moins d'une anachronie, je n'arrive pas à comprendre comment elles peuvent se trouver là…

— Vingt-cinq années ? D'où vous sortez ce chiffre ? s'étonna-t-il. Le cimetière, il n'a pas d'âge. C'est le même depuis tout le temps. C'est la seule chose qu'on ne s'est pas résolu à noyer. Il a été déménagé, cercueil après cercueil, dans le nouvel Avalone. Même si certains n'aimaient pas trop que l'on dérange les morts, ils aimaient encore moins l'idée de les laisser sous le lac.

— Et vous vous souvenez de la date précise ?

— J'ai réussi à oublier mon fils dans l'alcool, alors le déménagement, je vais vous dire, il en reste plus grand-chose dans ma mémoire.

— Des archives, peut-être ? tenta Noémie.

— Ouais. Certainement. Faut juste retourner d'où vous venez. Désolé pour le temps perdu.

— Ne le soyez pas. Retourner sur ses pas, c'est la base d'une enquête.

*
* *

Noémie se fraya un chemin entre les rangées d'armoires métalliques pliant sous le poids des classeurs. L'annexe administrative du cimetière se trouvait dans une bicoque en pierre claire et au toit plat recouvert de mousse dont l'unique fenêtre donnait sur le dos de la stèle d'un imposant caveau familial, bloquant toute la lumière. Milk, malgré son petit gabarit, devait se coller au mur pour ne pas frôler sa capitaine lorsqu'ils se croisaient.

— On cherche quoi ? demanda-t-il.

— La date exacte du déménagement. Les gamins ont disparu le 21 novembre 1994. Nous avons deux

253

corps sur trois, alors que les trois font partie de la même affaire.

— Donc, on cherche une seconde planque ?

— Exactement.

— Et pourquoi ici ?

Noémie rangea un dossier poussiéreux et, pour la première fois, elle verbalisa une hypothèse qui ne relevait que du flair policier.

— C'est une simple vérification. Même si je n'arrive pas à comprendre pourquoi ils auraient été cachés en deux endroits différents, je ne peux que constater l'évidence. Alors je me demande où l'on peut cacher un corps sans risquer qu'il soit retrouvé un jour ou l'autre.

— Dans un cimetière ?

— Oui, Milk. Là où on n'oserait jamais aller fouiller.

Noémie mit enfin la main sur un classeur dont la date inscrite sur la tranche chevauchait deux années. 1993/1994. Elle en tourna les pages jaunies et tomba rapidement sur une copie du contrat de marché public prévoyant une opération de déménagement entre le 1er et le 30 novembre 1994. À partir d'une simple tombe à la date anachronique, Noémie avait probablement découvert sa première piste fiable. Elle montra le document à son petit policier.

— Surtout quand ce cimetière est en chantier pendant trente jours et que les sépultures sont déménagées sur un autre terrain, au moment même où quelqu'un doit chercher un endroit pour cacher un corps. Ajoute que je n'ai trouvé aucune trace de contrat de surveillance.

— Vous savez, ici, c'est pas le Père-Lachaise. On n'a pas beaucoup de gothiques qui zonent entre les sépultures, encore moins de satanistes à faire déguerpir.

— Je parle de surveillance entre les deux déménagements en 1994. Les cimetières étaient éventrés comme des calendriers de l'Avent à la veille de Noël. Un millier de trous de terre sur le site original, un autre millier de trous attendant d'être comblés sur le nouveau site. Un de plus, un de moins, aucun contrôle, personne n'y aurait rien vu.

— Vous pensez qu'il peut être là-dessous ?

— Je n'en ai aucune idée, mais c'est comme ça que je procédais, quand j'étais à la Crime. Absolument toutes les branches de l'arbre des hypothèses sont inspectées, jusqu'à leurs feuilles les plus chétives.

Milk ne releva pas, par respect, mais il entendait cette phrase pour la deuxième fois.

— Comment vous voyez la suite des opérations, capitaine ?

— Nous allons diviser les allées en quatre et compter exactement le nombre de tombes et le nombre de locataires. S'il y en a un de plus, nous saurons où creuser.

*
* *

La nouvelle fit le tour du village sans que la presse ni les ragots aient eu besoin de la faire voyager. Même Pierre Valant, le maire d'Avalone, regardait la scène de loin, entouré d'une centaine de badauds. Les quatre policiers du groupe d'enquête comptabilisaient soigneusement les locataires de leurs zones attribuées et, quand ils eurent terminé, ils annoncèrent le résultat final.

Ce dernier nécessita alors que l'on reprenne tout du début.

Ils échangèrent leurs places pour faire un recomptage et, une heure plus tard, ils répétèrent chacun exactement les mêmes chiffres qui, additionnés, firent 2 327 corps. 2 327 corps pour 2 326 enregistrements. Il y avait là, parmi toutes ces tombes, une usurpatrice. Une surnuméraire. Un cadavre en plus.

Doucement, avec le soleil couchant, une pluie fine se mit à tomber.

— Il va falloir comparer chaque tombe avec la liste des actes de décès des archives.

— On ne verra plus rien d'ici à une trentaine de minutes, fit remarquer Romain.

— Alors je vous attends tous demain à l'aube. Je ne veux pas de public.

*
* *

À son corps défendant, André Casteran n'avait pas immédiatement filé au bar. Il avait supporté ses tremblements et les violentes contractions qui lui broyaient le ventre, son sang suppliant qu'on lui offre quelques gouttes d'alcool. De loin, sans pourtant chercher à se cacher, il avait suivi avec attention l'opération de la flic de Paris et, maintenant, le stress et les mauvais souvenirs enfouis le faisaient souffrir encore plus que le manque.

Il se saisit de son téléphone portable, un ancien modèle à clapet, et patienta quelques sonneries avant de joindre son interlocuteur.

— Elle est au cimetière, annonça-t-il sans se présenter.

— Pour quoi faire ?

— Elle compte, répondit-il d'une voix inquiète.

— Même si elle trouve la tombe, je ne vois pas comment elle pourrait remonter jusqu'à nous.

— Tu es prêt à parier ?

Le silence lourd sembla répondre à la question.

— Rentre chez toi, André, je te rappelle.

44

À quelques minutes de 21 heures, Noémie reçut un mail du service balistique. Le projectile retrouvé dans l'appuie-tête du véhicule de Valant était exploitable, mais malheureusement pas enregistré dans leurs fichiers. Une munition de 8 mm, peu courante, sans être rarissime. Le mystère Valant en resterait là pour ce soir.

En montant dans le Land Rover, elle pensa au chemin si reposant qui la menait à Avalone, à sa cheminée, à son ponton entrant dans les eaux comme une route au tracé interrompu, à son chien. Un air de « chez soi » qu'elle ressentait pour la première fois.

Elle quitta le parking et, à sa suite, un vieil utilitaire aux phares éteints démarra, respectant une distance suffisante pour ne pas être repéré. Elle traversa Decazeville, passa sous le pont d'Aubin puis emprunta la colline qui montait jusqu'au sommet du barrage. En contrebas, Avalone s'illuminait à la faveur de la nuit tombante. Le niveau du lac était de plus en plus bas et les toits des maisons les plus hautes apparaissaient ici et là. Plus que quelques jours et l'on pourrait marcher dans les rues de l'ancien village.

Une fois arrivée, elle se ferait un grand bol de thé. Elle appellerait Melchior. Et, si elle en avait l'audace, elle tenterait de s'excuser encore auprès d'Hugo. Elle songeait à tout cela quand une lumière vive incendia son rétroviseur. Puis un choc violent à l'arrière. Elle fut envoyée à quelques centimètres du talus et frôla un chêne massif avant de se rétablir d'un coup sec de volant. Mais l'autre voiture se colla à son pare-chocs, pneus fumants et moteur rugissant, et la poussa vers le ravin. Lorsque le Land Rover de Noémie quitta la route, un instant en suspens dans l'air, les roues tournant dans le vide, elle se souvint exactement de la hauteur du barrage.

Cent treize mètres.

Donc cent treize mètres de chute.

La voiture tomba lourdement, entamant une série de tonneaux dans un nuage scintillant de verre brisé. Les phares projetèrent leur lumière au hasard des rebonds, révélant brièvement la couleur des rochers et des arbres qu'elle déracinait sur son passage. La ceinture de sécurité la compressa jusqu'à l'étouffement alors que la tonne de métal labourait sans effort la terre de la montagne. Dans l'habitacle, un ballet d'objets divers en apesanteur. Ils s'écroulèrent d'un coup au moment où elle s'écrasa tout en bas, sur la rive sablonneuse de la Sentinelle.

45

Dans la nuit, le gyrophare orange de la dépanneuse enflammait les arbres de la forêt qui bordaient la route. Le filin métallique, tendu à se rompre, disparaissait dans le fossé et tirait, centimètre après centimètre, la lourde carcasse vide aux fenêtres explosées.

Valant et Bousquet regardaient prudemment en contrebas le dévers vertigineux que leurs lampes torches n'arrivaient pas à éclairer jusqu'au bout.

— J'ai trouvé ça, annonça Milk, un sac à scellés dans la main. Des éclats de peinture blanche, partout sur la route.

— Blanc. Comme tous les véhicules utilitaires, remarqua Bousquet. Comme le Land Rover du capitaine. C'est malheureusement inutile.

*
* *

Le médecin de garde des urgences de Decazeville s'approcha de l'urgentiste, concentré sur la radiographie de sa nouvelle patiente, affichée sur le tableau lumineux.

— Putain, mais c'est quoi ça ? Un boxeur ? Un cascadeur ?

— Non. C'est un flic. Une flic. Je sais pas comment on dit.

Le docteur de garde détacha la radio et continua à l'analyser tout en marchant dans le couloir, s'aidant parfois en la levant à la lumière des néons. Il s'annonça en toquant à la chambre du fond.

— Mademoiselle Noémie Chastain ?

La chute de sa voiture avait été freinée au fur et à mesure par les arbres et ce n'était qu'à eux qu'elle devait d'être encore en vie. Elle s'était réveillée accrochée à sa ceinture de sécurité, entourée d'un nuage trouble d'essence, le visage contre le sol à travers la vitre brisée, de la terre dans la bouche.

Elle portait maintenant une éraflure rouge sur toute la joue. La gauche bien sûr, comme si le destin cherchait une symétrie dans ses emmerdements.

— À voir vos examens et votre radiographie, annonça le médecin, j'imagine que c'est une journée comme une autre pour vous.

— Je sors quand ?

— N'importe quoi, se désola-t-il. Vous allez dormir ici cette nuit, puis on fera un petit scanner de routine et vous serez libre d'aller vous jeter d'une autre falaise.

— Pas la peine de m'engueuler, c'était pas un accident.

Alors qu'il accrochait le dossier médical plutôt chargé sur le devant de son lit, le médecin suspendit son geste.

— Pas un accident ? répéta-t-il, surpris. Vous voulez dire que… Mais il faut prévenir la…

Il réalisa alors qu'il parlait justement à la police.

— Ouais, l'interrompit Noémie. Je m'occupe de tout.

La douleur irradia son profil gauche et elle passa les doigts sur ses nouvelles blessures.

— Dites-moi juste si les éraflures sont profondes. Je ne voudrais pas que ça dénature mon visage, ironisa-t-elle.

— Bétadine et crème cicatrisante, cela devrait partir en huit jours. Je vous ferai une prescription. Par contre, la ceinture de sécurité vous a laissé un méchant bleu qui part de l'épaule et va jusqu'à la hanche. Il mettra du temps à disparaître. En attendant, il est 1 heure du matin et je voudrais que vous dormiez.

— Il va falloir me donner un coup de main.

— C'est dans mes cordes.

46

Lorsqu'elle se réveilla, Noémie aperçut une petite fille assise en tailleur au bout de son lit, comme un ange gardien surveillant son sommeil.

— Comment ça va, No ? demanda Lily.

Noémie se redressa et se frotta les yeux.

— T'inquiète, j'ai vu pire.

Puis elle regarda son équipe en montrant son visage.

— Et donc, pas une blague, pas une vanne ? Rien ? Vous me décevez, les gars.

— C'est-à-dire qu'on les a déjà toutes faites dans la voiture en venant, avoua Milk. Mais c'était juste pour détendre l'atmosphère, on se moquait pas vraiment.

Romain s'approcha.

— Tu as vu quelque chose ? Quelqu'un ?

— Non, malheureusement. Mais le message est clair. On grenouille autour du cimetière et, une heure après, je suis invitée de force à un crash-test improvisé. Cause et conséquences. Moi, je dis qu'on n'est pas loin du bon chemin. Vous avez fait surveiller le cimetière cette nuit ?

— Oui, bien sûr, la rassura Valant. Intérieur, extérieur. Rien à signaler.

— Alors on y retourne, on trouve cette putain de tombe et on regarde dedans.

— Langage, la corrigea Romain.

— T'as dit « putain », s'amusa Lily.

— Impossible, j'utilise jamais ce mot, fit mine de s'offusquer Noémie. Mais toi tu devrais être à l'école, non ? Tu serais pas en train de sécher ? Tu sais que tu es hors la loi ?

— Je voulais te voir, dit Lily en tirant sur la fine chaîne en or autour de son cou, jusqu'à retrouver la médaille qui y était accrochée… En plus, j'ai prié pour toi.

Noémie se saisit de la médaille entre ses deux doigts pour mieux la voir.

— Une Vierge Marie ?

— Oui. C'est celle de ma grand-mère en Afrique. Je l'ai eue pour ma première communion. Je préfère ça aux gourmettes.

Une chaîne ou une gourmette.

Chastain ressentit cette même alerte, désormais familière.

— On a les résultats du département image pour la gourmette ?

— Euh, oui, s'étonna Milk. Je vous l'ai dit hier mais ça n'a pas semblé vous intéresser.

Il reçut un discret coup de coude de Romain.

— À moins que j'aie oublié, c'est possible, se rattrapa-t-il. Mais ils sont catégoriques. L'angle du cliché est bon, c'est la qualité de la définition qui ne permet pas de zoomer sur le nom gravé sur la gourmette.

— Elle a donc disparu entre le moment de la prise du cliché dans la grange et le moment où les effets personnels ont été listés. On est d'accord, les proches des victimes sont informés que tous les effets ou vêtements portés par le défunt sont restitués dans les quarante-huit heures s'ils n'intéressent pas l'affaire en cours.

— Sinon, ils ne nous laisseraient jamais partir avec des objets sentimentaux, confirma Bousquet.

— Alors, pourquoi faire l'effort de prendre la gourmette directement sur la victime ? Et pourquoi seulement elle ? À moins que, justement, elle puisse intéresser l'enquête. Peut-être même un peu trop. Et lorsqu'on a remis les bijoux de sa femme à Serge Dorin, comment n'aurait-il pas vu qu'il y manquait l'un d'eux ? Ça ne colle pas. Ou ça colle parfaitement.

— Tu écartes un peu vite nos collègues. On a tous connu un policier à la main légère.

— Tu te vois, toi, chourer des bijoux sur un cadavre ? C'est pas très *karma friendly*. Et même, admettons que tu n'aies aucune morale, tu prendrais le truc qui a le moins de valeur ? Quasiment tout est en or et c'est l'argent qui disparaît ? Non. Il y a quelque chose d'assez important avec cette gourmette qui a justifié qu'on la vole sur le corps de Mme Dorin juste après sa mort, pour qu'elle n'aille pas jusqu'aux flics. Et comme ce jour-là, à part les policiers, il n'y avait que Serge et Bruno Dorin, ça ne laisse pas beaucoup de suspects.

— J'ai comme l'impression qu'on ne va pas se faire des amis, s'inquiéta Romain. Enquêter sur les parents des disparus, ça va grincer.

— Je m'en fous.

— Je sais.

— Avec le cimetière, ça nous fait deux pistes maintenant, remarqua Bousquet.

— Le cimetière est une piste. La gourmette, c'est juste une zone d'ombre.

— Alors on commence par quoi ?

— On peut très bien gérer les deux en même temps. Romain, je voudrais que tu fasses le point avec le commandant Roze. Tout ça commence à se compliquer et on ne laisse jamais sa hiérarchie de côté.

En s'approchant d'elle pour l'embrasser, Lily souffla un secret à l'oreille de Noémie, à la manière des enfants, donc parfaitement audible de tous.

— Y a ton amoureux dans la salle d'attente.

Le visage de Chastain se décomposa en pensant à Adriel et Romain comprit immédiatement le quiproquo.

— Non pas celui-là, l'autre, la rassura-t-il. Il a dû apprendre ton accident par l'état-major. À peine arrivé sur Paris, il a pris sa voiture pour faire immédiatement demi-tour. C'est bon signe, tu crois pas ?

Elle passa de l'inquiétude aux remords. Au moins, sur Adriel, elle aurait pu hurler, faire la méchante, l'exécrable, se cacher dans un manteau de haine. Là, avec Hugo, elle serait nue, sans bouclier. Elle.

— On t'attend au commissariat, No.

*
* *

— Pourquoi tu es revenu ? demanda-t-elle sur un ton reconnaissant qui tranchait avec la question posée.

Hugo s'assit sur le lit, à vingt centimètres d'elle.

— Parce que, dès que je te laisse toute seule quelques heures, tu fais des bêtises avec ton corps.

— Il ne s'est rien passé. Rien d'important, je te le jure.

— Alors n'en parlons plus.

— Aussi simple que ça ?

— J'ai mille scénarios bien plus compliqués, mais j'ai choisi celui-là. Pour l'instant, ce qui m'inquiète le plus, c'est ton enquête. Vu ce qu'il vient de se passer, tu as mis quelqu'un en rogne.

— C'est ce que je me dis.

— Et au lieu de freiner, j'imagine que tu vas accélérer ?

— On est assez similaires sur ce point, non ?

Noémie s'approcha un peu.

— Tu vas rester ?

— J'ai pas mal d'heures supplémentaires à transformer en jours de repos. Et il faut quelqu'un pour veiller sur toi.

Noémie s'approcha un peu plus.

— Et tu vas m'embrasser ?

Hugo la regarda bien en face et passa d'une blessure à l'autre.

— Je veux bien, mais où ?

— Salaud, sourit-elle.

L'infirmière ouvrit la porte de la chambre sans s'annoncer et la referma aussitôt.

— Eh bien, entre, lui dit sa collègue. Il faut nettoyer la chambre.

— On va attendre un peu, je crois.

Depuis les premières gouttes tombées la veille sur Avalone, la pluie n'avait pas cessé. On avait installé une table sur tréteaux entre deux allées du cimetière et planté un parasol en plastique au-dessus, afin de protéger les archives. Milk cochait sur le listing et écartait les copies des actes de décès au fur et à mesure que Bousquet et Valant criaient à voix haute les noms marqués sur les stèles.

— Claire Favan ?

— Ouais, confirma Milk. Favan, Claire, je l'ai.

— Jacques Saussey ?

— Saussey, Jacques, je l'ai.

Bousquet avait pensé à planter des tiges de bois auxquelles on aurait accroché un petit ruban de tissu rouge afin de voir quelles tombes étaient déjà contrôlées, mais il aurait fallu des milliers de tiges de bois et tout autant de petits rubans rouges et l'idée fut abandonnée. Ce qu'ils avaient par contre en stock, et en quantité, c'étaient les rouleaux de ruban plastique que l'on mettait autour des lieux des accidents et des scènes de crime. Ainsi, chaque tombe validée se

trouvait habillée d'une écharpe rouge et jaune, siglée
« Police nationale ».

La couleur des pierres tombales, des stèles et de la
terre s'assombrit au fur et à mesure que la pluie les
trempait.

Après avoir laissé Hugo à la maison du lac, Noémie
avait emprunté le tout-terrain Ford avec lequel il était
revenu de Paris en urgence. Elle fit d'abord un crochet
par le cimetière avant les auditions prévues de Serge
et de Bruno Dorin. Sur place, elle découvrit avec surprise la nouvelle décoration en rubans rouge et jaune
des sépultures d'Avalone.

— Ça fait très art moderne, observa-t-elle.

— Il nous en reste moins de la moitié à contrôler,
l'avertit Milk. Ça prend un temps fou.

— Je sais, mais soit il y a une erreur d'archives, soit
il y a un des gosses qui nous attend depuis vingt-cinq
ans là-dessous. Alors restez motivés, moi je retourne
au bureau.

*
* *

Serge Dorin fixait maintenant Noémie de son regard
bleu, froid et rigoureux comme un mauvais hiver.

— Vous n'avez pas autre chose à faire ?

— Que de chercher l'assassin de votre fils ?

— Vous m'avez parfaitement compris. C'est nous
les victimes dans cette histoire. Et c'est nous qui
sommes au commissariat ?

— C'est une simple audition de témoignage.

— Et vous pensez vraiment que cette disparition de gourmette va vous mener à quelque chose ?

— C'est une zone d'ombre. Tout ce qui se cache dans les zones d'ombre m'intéresse.

— Sale métier que vous faites.

— J'en suis consciente. C'est bien Bruno qui a découvert sa mère en premier ?

Dès qu'elle parla de son fils, Serge Dorin se renferma un peu plus, si cela était possible.

— Il a perdu sa mère et son frère dans la même année. Foutez-lui la paix. Retrouvez plutôt les policiers qui étaient chez moi ce jour-là. Ça m'étonnerait pas que l'un d'entre eux l'ait fauchée.

— C'est aussi une de nos hypothèses, confirma Chastain pour le calmer un peu. Vos deux fils ont-ils été baptisés ?

— Baptême et première communion, oui. Et oui, ils ont tous les deux reçu une gourmette si c'est ce que vous voulez savoir.

— Pourtant, lorsque nous avons retrouvé le corps de votre fils, il n'en portait pas. Nous avons bien retrouvé des œillets métalliques de chaussure, une pièce de dix centimes, mais rien d'autre.

Dorin serra les poings, posés sur ses genoux.

— Alors vous acceptez l'idée qu'on l'ait tué, mais pas celle qu'on lui ait volé un objet de valeur ? Vous faites comme vous voulez, en gros. Vous prenez ce qui vous arrange et vous laissez de côté ce qui ne rentre pas dans vos hypothèses fumeuses.

— C'est exactement le contraire. Je tire sur toutes les ficelles qui se trouvent sur mon chemin. Je n'accorde pas plus d'importance à l'une qu'à l'autre, quelles que soient leur longueur ou leur épaisseur.

Je vais jusqu'au bout. C'est pour cette raison que je devrai poser les mêmes questions à votre fils.

— Il n'avait que huit ans, c'est ridicule, s'emporta Dorin.

— La procédure est exigeante. Je vous accorde que les souvenirs avant dix ans sont rares, mais les événements traumatisants restent gravés comme s'ils dataient d'hier, j'en sais quelque chose.

Alors qu'elle l'imaginait se lever et hurler, l'insulter ou pourquoi pas renverser son bureau, l'attitude adoptée par Serge Dorin fut à l'opposé. Son corps s'affaissa, et les traits de son visage s'apaisèrent.

— C'est moi, souffla-t-il enfin, comme on se libère d'un poids.

— Il va falloir préciser.

— Alex la portait tout le temps. Bruno, lui, n'a jamais voulu mettre la sienne, et elle s'est retrouvée dans la boîte à bijoux de ma femme. Ce jour-là, il y avait des flics partout dans la grange, à prendre des photos et à poser des questions. La corde a été coupée, le corps a été placé sur un brancard et quand j'ai eu le droit de l'embrasser une dernière fois, j'ai reconnu la gourmette de Bruno à son poignet. Alors je l'ai enlevée.

— Pourquoi ?

— Parce qu'elle n'avait rien à faire là. Parce que je n'arrivais pas à comprendre le message. Pourquoi s'ôter la vie en portant un objet appartenant à son fils ?

— Et maintenant ? Où se trouve-t-elle ?

— Je l'ai gardée longtemps avec moi, en souvenir. D'abord dans ma poche, ensuite elle a traîné dans ma voiture et un jour je ne l'ai plus retrouvée. Bruno n'a jamais été au courant de tout ça et lui poser des questions ne vous servira à rien. À rien sauf à le perturber encore davantage.

— Vu son dossier judiciaire, il n'a pas l'air si fragile que ça. Usage de drogue, violences, escroqueries et extorsions, cambriolages, dégradations de biens privés. Je me demande comment il a évité la case prison.

Serge Dorin se souvenait de ces appels du commissariat au beau milieu de la nuit et de ces altercations violentes où ils en venaient parfois aux mains qu'aucun père ne devrait avoir avec son enfant.

— Je ne sais pas comment était votre jeunesse, mais la sienne a commencé avec la disparition de son frère et le suicide de sa mère. Mais il n'a plus eu affaire à la police depuis ses dix-huit ans. C'est un travailleur, bien plus que je ne le suis, et aujourd'hui, il ne cause de problèmes à personne, alors oubliez-le, s'il vous plaît.

Noémie n'avait pas grand-chose de plus en réserve et décida de mettre un terme à l'entretien. Quelques minutes plus tard, elle vit le père et le fils quitter le commissariat, l'un protégeant l'autre de la pluie avec un pan de son imperméable, avant de s'engouffrer dans leur vieille camionnette blanche partiellement recouverte de terre et de poussière.

Elle s'alluma une cigarette sur le pas de la porte, profitant de l'air frais quand le commandant Roze vint la retrouver.

— Comment s'est passée l'audition ?

— Comme une allumette qui discute avec un bidon d'essence.

— Il s'explique ?

— Mal.

— Vous avez l'impression qu'il vous balade ?

— C'est très possible. Mais il le fait bien.

— De toute façon, à la lecture de la procédure, on n'a pas grand-chose contre lui, fit remarquer Roze. Juste cette histoire de gourmette disparue.

La vieille camionnette des Dorin quitta le parking dans une pétarade de moteur fatigué.

— J'en arrive aux mêmes conclusions, concéda Noémie.

Son portable sonna alors dans sa poche et elle s'excusa d'un geste auprès de Roze.

— Tu réponds pas à ton fixe ? demanda Romain.

— Je ne suis plus au bureau. J'ai terminé avec Dorin.

— Les deux ?

— Non, je n'ai pas entendu le fils. Je sens que ce n'est pas le bon moment.

— Je suis avec Milk et Bousquet, au cimetière.

Noémie écrasa sa cigarette en écoutant la suite de l'information.

— Appelle l'identité judiciaire, je les veux sur place dans l'immédiat, dit-elle en raccrochant.

Elle se tourna enfin vers Roze.

— Ils ont trouvé la tombe.

QUATRIÈME PARTIE

En plein cœur

48

Moins de trois heures plus tard, une bâche avait été tirée au-dessus de la sépulture supplémentaire. On lisait sur la stèle l'identité gravée et probablement inventée : « Pauline Destrel, 1972-1994 ».

Autour du cimetière, une grande partie du village était retenue par un cordon de policiers en uniforme du commissariat de Decazeville.

— Vous l'avez passée au fichier ? demanda Noémie.

— Inconnue.

Elle se tourna vers le généalogiste de l'équipe.

— Milk ? Famille Destrel, ça te dit quelque chose ?

— Non. Pas dans nos six communes en tout cas.

— Pour une fois, je te donne l'autorisation de passer un coup de fil à ta mère, histoire de vérifier.

Milk s'empourpra et Noémie comprit que l'information venait directement d'elle.

La pierre tombale de Pauline Destrel avait été soulevée grâce au palan du cimetière et les premiers coups de pelle prudents attaquaient la terre gorgée d'eau. Les effectifs de l'identité judiciaire, déjà habillés de leurs combinaisons blanches, attendaient le bruit sourd de la pelle contre le bois du cercueil pour enfin intervenir.

Mais le bruit ne fut pas celui espéré. Un craquement lugubre de branche cassée suspendit l'opération. Un technicien mit un genou à terre, plongea ses mains dans le sol meuble et en tira un os abîmé par le temps et partiellement dévoré par les insectes. Malgré son état, le fémur gauche était reconnaissable. Le seul problème était sa taille.

Avec force précaution, la terre fut déblayée. Le soir tombait déjà et un spot éclairait maintenant la scène d'archéologie criminelle.

— C'est un squelette adulte, assura le policier de la scientifique. C'est pas vraiment ce que vous cherchiez.

— Non, pas vraiment, confirma Noémie, plus perdue que jamais.

La pluie se mit à redoubler d'intensité. Les gouttes rebondissaient sur les graviers, créant, en plus du rideau d'averse, une brume dense jusqu'aux genoux.

Quand les restes furent mieux dégagés, elle s'agenouilla devant le puzzle d'os et, à l'aide de son stylo, fit basculer le crâne sur le côté. À l'arrière de ce dernier, un large trou. Coup de feu ? Choc avec un instrument contondant ? Et ce corps avait-il un rapport avec les gamins ? Noémie maudit cette enquête qui semblait ne jamais devoir s'arrêter.

— Milk, tu termines avec l'identité judiciaire et le squelette part chez le légiste. Pour être honnête avec vous, c'est une journée de merde qui nous ramène au point zéro. On se revoit demain après une nuit de sommeil.

— On laisse reposer, comme les romanciers ? fayota Milk.

— C'est ça. Comme les romanciers.

278

Alors qu'elle quittait le cimetière trempée jusque sous ses vêtements, derrière la foule de curieux dispersés au fur et à mesure par les effectifs en tenue, Noémie aperçut sous un parapluie le journaliste Saint-Charles, assis sans gêne sur le tout-terrain d'Hugo qui remplaçait le Land Rover désormais en pièces détachées.

— Ça patauge ? l'accueillit-il.

— J'aime pas trop cette expression, mais oui. J'ai l'impression d'avoir commencé cette journée il y a une semaine.

Saint-Charles se redressa, son carnet de notes à la main.

— Votre accident, on en parle ?

— Si on peut éviter…

— Et dans la tombe, vous avez trouvé quelque chose ?

— Oui. Un squelette adulte.

Le journaliste faisait tous les efforts du monde pour ne pas trépigner sur place tant la nouvelle était inattendue.

— Et de ça, je peux en parler ?

C'était bien la première fois qu'un journaliste lui demandait une quelconque autorisation pour publier, et elle en profita.

— Vous pouvez patienter quelques jours ?

— Si j'ai la priorité sur la suite, c'est d'accord.

Noémie tendit la main et Saint-Charles la serra.

— Vous êtes en Aveyron, capitaine. Vous connaissez toute la conséquence d'une poignée de main ? Il y a moins d'un siècle, les transactions et les accords les plus importants n'avaient besoin de rien de plus pour être scellés.

— À Paris, les promesses n'engagent que ceux qui les reçoivent, mais je veux bien m'adapter aux coutumes locales.

Il rangea stylo et carnet dans sa poche, comme pour valider leur entente.

— Faites attention à vous, Chastain. Vous avez visiblement mis quelqu'un en colère.

— Merci, Saint-Charles, on me l'a déjà dit.

49

La nuit fut chargée d'une armée de mauvais rêves qui se déversèrent sur Avalone et les communes avoisinantes. Les souvenirs avaient été ravivés, comme autant de croquemitaines sortant des placards et de sous les lits.

*
* *

Serge Dorin se réveilla en sursaut, les poings serrés, le ventre broyé par une main invisible.

Sékou. Il se souvenait de son prénom.

À peine fut-il de nouveau endormi que le cauchemar se poursuivit, comme s'il n'avait été que mis en pause. Il se retrouva sur le chantier du barrage, vingt-cinq ans plus tôt, en pleine nuit, son fusil dans les mains, un jeune homme africain agenouillé dans la terre devant lui, tremblant, en simple tee-shirt et les jambes nues.

— Moi c'est Sékou, disait-il, terrorisé.

Dorin arma son fusil et le braqua sur la nuque, noire et trempée de transpiration.

— Moi c'est Sékou, répétait l'étranger comme s'il y avait une méprise que la simple prononciation de son prénom pouvait dissiper.

— Tire, entendit-il derrière lui.

Il fit un pas en arrière, ferma les yeux et tira.

Le corps de l'Africain partit en avant et s'effondra sur le sol. Le sang disparut au fur et à mesure qu'il s'écoulait, avalé par la terre.

Dorin se réveilla de nouveau, la bouche sèche et le cœur battant.

Dans la salle de bains, l'eau fraîche coula et il s'en aspergea le visage.

Il descendit ensuite à la cave, passant discrètement devant la chambre de son fils, alluma la lumière de l'escalier, poussa la vieille porte vermoulue et fouilla derrière les bouteilles de verre vides en pyramide instable. Il en retira une boîte rouge poussiéreuse et sentit sa gorge se nouer. Comme dans un petit nid d'insectes colorés, il fouilla sous les bijoux, l'or et l'argent, avant d'en sortir une gourmette aux larges chaînons gravée au prénom d'Alex. Il la fit jouer entre ses doigts, puis il fondit en larmes.

*
* *

André Casteran tourna dans son lit, le corps en sueur, exsudant en relents tanniques tout le vin rouge ingurgité au long de la journée, l'esprit assailli par des images qu'il tentait de repousser.

Le cimetière. Son cimetière. Et ces voix.

— Il faut l'enterrer, disait l'une.

— C'est le nègre assassin, disait l'autre. Il n'a eu que ce qu'il méritait.

Dans son rêve, Casteran creusait avec ses mains jusqu'à ce qu'elles saignent. Le corps était jeté au fond du trou sans même un cercueil, puis recouvert de terre.

— Tu fais ce qu'il faut, André, tu fais ce qu'il faut.

*
* *

Romain Valant entendit du bruit dans la maison. Comme une mastication humide lorsqu'on mange un fruit juteux. Il se leva et marcha dans un brouillard qui se répandait doucement sur le vieux parquet. Arrivé devant la porte fermée de sa fille, il aperçut au sol un rai de lumière venant de l'intérieur. La mastication devenait de plus en plus forte, entrecoupée de bruits de succion. Il ouvrit doucement, son arme désormais dans sa main. Seule la lune éclairait la chambre de Lily et il distingua clairement ce qu'il s'y passait. L'ogre de Malbouche, sale et puant, à genoux sur le lit, une peau de bête sur les épaules, écrasait entre ses mains puissantes le corps de sa fille. Sa mâchoire, écartée comme celle des serpents, avait entièrement gobé la tête et commençait à engloutir le reste du corps. Romain tira jusqu'à ne plus avoir de cartouches et Aminata le réveilla.

— Tu fais un cauchemar.

Il dut passer une bonne heure, assis sur la chaise en rotin qui faisait face au lit de Lily, à la regarder dormir paisiblement avant de pouvoir aller se recoucher.

Noémie était endormie au côté d'Hugo et, dans la nuit, son chat monta sur le lit. Prudemment, il grimpa sur ses jambes et remonta son corps, au fur et à mesure. Arrivé au creux du ventre, il enfonça ses pattes les unes après les autres, comme s'il lui faisait un massage ou l'attendrissait. Il tourna une fois sur lui-même avant de poursuivre son chemin, toujours plus haut. Arrivé au visage, il lui lécha les joues de sa langue râpeuse, puis, à pleine gueule, il lui croqua le nez. Pas de douleur. Pas de sang. Sa chair n'était faite ni de peau ni de muscles mais d'une délicieuse génoise blonde, légère et aérienne dont les couches se révélaient à chaque bouchée. Il la dévora encore jusqu'à entrer dans sa tête en gâteau et s'y installer en ronronnant.

Au réveil, elle décida donc de téléphoner à Melchior qu'elle avait délaissé depuis trop longtemps et lança un appel vidéo sur son ordinateur.

— N'importe quoi, s'amusa le psychiatre en écoutant le résumé de sa nuit.

— C'est aussi ce que je me suis dit.

— Et sinon, vous avez compris le message ?

— Pas vraiment. Vous avez une piste ?

— Le gâteau est un dessert. Il arrive en fin de repas. Peut-être arrivez-vous à la fin de votre enquête ?

— C'est vrai que ça fait un bail que je ne vous ai pas appelé. Alors je vais tenter de trouver les mots justes pour être concise. J'en suis au point zéro.

— Votre chat semble pourtant bien rassasié, installé confortablement dans votre cerveau en génoise.

Peut-être que vous avez justement tout ce qu'il vous faut mais que vous ne faites pas le lien.

— Ce n'est pas comme ça que j'ai appris à la Crime. Un indice mène à une preuve et la preuve coffre le bandit. Moi, je n'ai rien de tout ça.

— Bien sûr que non. Vous avez vingt-cinq années de retard sur votre enquête. Les indices, les preuves, tout ça a disparu depuis belle lurette. Cette affaire, vous la résoudrez avec votre esprit, votre logique et vos capacités de déduction.

— Un genre de grand final à la Agatha Christie ?

— Comment pensez-vous que vos prédécesseurs faisaient avant toutes les sciences d'investigation ?

— Je vous rappelle qu'à l'époque dont vous parlez on terminait en prison sur simple délation.

— Toutes les générations connaissent leurs mauvais flics, et vous n'en faites pas partie. Je n'ai aucune inquiétude.

Hugo traversa le salon pour préparer le café en jetant tout de même un œil discret à l'écran pour se rassurer.

— Dites-moi, s'étonna Melchior, je viens de voir passer une silhouette derrière vous. J'appelle la police ou vous me racontez ?

Noémie rougit comme une adolescente amoureuse.

— C'est Hugo. Le plongeur de la Fluviale.

— Mais vous savez que je suis ravi d'apprendre qu'il existe un Hugo ?

— Merci. J'ai un chien aussi.

— C'est une excellente nouvelle. À dire vrai, il ne peut rien vous arriver de mieux, et je parle plus du Hugo que du chien. Cela sous-tend tellement de bons signaux sur vos progrès que je devrais même vous considérer comme guérie.

— Je vous interdis de m'abandonner, s'offusqua Noémie.

— Il faudra bien, un jour.

— Vous pourriez être un peu jaloux, quand même.

— Ça, vous ne le saurez jamais, Noémie. Mais promis, pour l'instant, je ne vous lâche pas. Parlez-moi plutôt de votre équipe.

— Justement, c'est le mot. C'est devenu une équipe. Ça dit tout.

— Et dans le village ? Vous devez raviver une période dont personne ne veut se souvenir. Comment est perçu votre travail ?

— Ouais, à ce sujet, j'aurais bien aimé vous avoir dans mon groupe. Je dois composer avec des victimes plutôt complexes. Pas mal de blessures profondes qui font relativiser les miennes. J'ai un alcoolique au dernier degré, une femme qui s'est autopersuadée que son fils est encore en vie et un agriculteur à vif qui me mène probablement en bateau. J'ai aussi une vieille folle qui est restée bloquée il y a un quart de siècle et qu'on retrouve paumée un peu partout dans le village, mais je ne lui ai pas encore vraiment parlé.

Melchior lui offrit un large sourire qui avait tout de la moquerie.

— Vous êtes en train de me dire que vous avez sous la main une vieille dame pour qui 1994 était hier, dans une enquête où votre plus gros problème est l'ancienneté des faits, et que vous n'allez pas à sa rencontre ?

Moue de gêne et envie de disparaître, Noémie ne sut plus où se mettre.

— J'ai un peu l'air conne, là, merci.

— Capitaine Chastain, dit Melchior d'une voix sérieuse, il y a trois mois, on vous tirait en pleine tête, on vous perforait la mâchoire de part en part pour y mettre des broches en métal, on vous extrayait des plombs de fusil du crâne et, aujourd'hui, vous êtes à la tête d'un groupe, respectée, et aux commandes de l'enquête la plus retorse de votre carrière. Avec un chien. Et un Hugo. Vous assurez, Noémie, vous assurez.

Et comme dans les films américains, Melchior disparut sans attendre de réponse.

Noémie descendit à la cuisine et découvrit sur la table assez de petites attentions, chaudes, sucrées et vitaminées, pour remercier Hugo d'un long baiser. En se laissant servir un café, elle repensa à la vieille Saulnier. La seule chose qu'elle savait d'elle, excepté sa raison vacillante, était son goût pour les balades impromptues. Et si ces dernières suivaient un chemin régulièrement similaire, il y avait certainement une raison. Contre toute attente, sa mémoire aléatoire lui permit de se souvenir en détail de sa conversation avec Romain lorsqu'il lui avait listé les points de chute des errances de Saulnier.

La médiathèque et l'ancien cinéma de Decazeville, les rives du lac d'Avalone, et le puy de Wolf. Ils devaient tous avoir un lien avec Elsa.

La médiathèque et le cinéma, probablement là où Marguerite avait éveillé la curiosité intellectuelle de sa fille.

Le lac et, sous ses eaux, la maison dans laquelle elle avait grandi et l'école primaire où elle avait appris à lire.

Restait de cette liste le puy de Wolf. Vu son inclinaison et son relief tourmenté, rien ne justifiait que l'on choisisse cet endroit pour une promenade. Encore moins avec une gamine. Non. Décidément, rien n'expliquait le puy.

Elle laissa fondre un sucre dans son café et attrapa la main d'Hugo.

— Ça te dit, une balade ?

— C'est professionnel ?

— On le saura là-haut.

Noémie attendit son plongeur sur les premières lattes de bois de son ponton. Face à elle, le niveau du lac ne dépassait même plus les fenêtres des maisons. Encore vingt-quatre heures et ils pourraient enfin retrouver le second fût. Cyril ou Elsa.

Derrière elle, Picasso tournoyait déjà autour d'Hugo.

— Je crois qu'il a senti la promenade, s'amusa-t-il.

50

Comme si Hugo était nouveau dans l'équipe, Noémie profita de l'ascension du puy pour lui raconter son enquête en détail. Ce faisant, elle replaçait au fur et à mesure les pièces éparses dans son cerveau.

— Je perds de ma virilité si je te réclame une pause ? Monter, c'est pas trop mon truc, moi je préfère les profondeurs.

— Avec ses quatre-vingt-dix piges, Saulnier le fait pourtant sans effort.

— Et elle se balade dans quel coin ? demanda-t-il en embrassant l'immense colline du regard.

— Au sommet.

— Évidemment.

Souffle récupéré et orgueil blessé, Hugo reprit sa marche en tirant la main de Noémie, Picasso sur leurs talons, inépuisable.

Le vent couchait les herbes sauvages et les rochers affleuraient à la surface en dômes de mousse brune et sèche. Çà et là, la roche serpentine jaillissait du sol en couteaux tranchants, comme autant de griffes sorties de la terre.

Arrivés au point culminant ils découvrirent, à perte de vue et s'étendant à quelques vallées de là, le spectaculaire parc paysager de la Vaysse, la plus grande forêt d'acacias de toute l'Europe, que le mois de mai avait fleurie de blanc.

— Je n'arrive toujours pas à comprendre ce qu'elle faisait là, si loin de chez elle et dans un lieu si compliqué d'accès, réfléchit Noémie.

Devant ce calme déchaînement de nature, Hugo ne regarda pas où se posaient ses chaussures et dérapa sur un rocher, provoquant un minuscule éboulement de petits cailloux. Il se rattrapa bien vite et Noémie suivit la course des pierres qui dévalèrent la pente et disparurent entre deux rochers. Une fraction de seconde plus tard, ils les entendirent se répercuter contre les parois à plusieurs reprises. Il y avait donc là un gouffre presque invisible. Celui dans lequel Mme Saulnier avait risqué de chuter à leur première rencontre et dont ils avaient retrouvé l'exact emplacement. Noémie s'approcha alors et regarda en bas. Picasso fit de même, et grogna.

— Il y a au moins trois mètres, jaugea-t-elle. Et c'est bourré de saloperies de genêts.

— Tu veux que je passe en premier ? proposa Hugo, maladroitement galant.

— Tu veux me vexer ?

Noémie alluma sa mini-lampe torche qu'elle coinça entre ses dents et entreprit, prise après prise, la descente prudente jusqu'au fond.

— Alors ? Tu vois quelque chose ?

Devant le rideau d'épines, elle s'agenouilla. Elle ôta son pull qu'elle enroula autour de sa main et se mit à écarter les branches en déchirant la laine sans s'en soucier. Elle dirigea le faisceau de sa lampe et découvrit, cachée derrière les genêts, une vieille croix de bois, posée contre la paroi.

« Alex. 1984-1994 », était-il gravé dessus, maladroitement, à la pointe d'un couteau.

— Putain. Encore une tombe ? se désola-t-elle.

Elle sortit son portable et prit une photo avant de remonter.

— Je crois que j'ai trouvé ce qu'elle vient faire ici, dit-elle à Hugo en remettant son pull désormais lépreux.

— Regarde tes mains, on dirait que tu t'es battue avec un chat.

— Il y a bien un chat dans l'histoire, mais tu me prendrais pour une folle si je t'expliquais.

L'air frais la fit frissonner et Hugo lui frotta le dos pour la réchauffer.

— Comment une vieille dame peut-elle venir jusque dans ce gouffre sans se casser tous les os ? se demanda-t-il.

— Une vieille dame, je ne sais pas, mais si tu lui enlèves vingt-cinq ans, ça peut le faire. Et je ne pense pas que ce soit Saulnier qui venait là, regarde.

Noémie afficha la croix de bois sur son écran et poursuivit son raisonnement.

— La croix est au prénom d'Alex. C'est donc tout logiquement Jeanne ou Serge Dorin qui l'a fabriquée. Et, une fois de plus, j'ai un problème avec les dates.

— 1984-1994, ça fait pourtant dix ans, l'âge du gamin.

— Oui, ça, c'est imparable. Mais essaie de te mettre dans la peau de cette famille. Le gosse disparaît le 21 novembre 1994. On pense à l'époque à un simple enlèvement. Et pourtant, quelqu'un a mis une croix ici, comme s'il était mort avec certitude. Tu comprends où ça coince ?

— Le délai ?

— C'est ça, le délai. Cette croix a été posée entre le 21 novembre et le 31 décembre. Un jour après, il y aurait marqué 1995 et non pas 1994. Il a donc fallu moins de quarante jours à celui qui a gravé ces dates dans le bois pour se persuader qu'Alex était mort. Ça fait court pour perdre espoir.

— Si je suis ton raisonnement, tu crois qu'un membre de la famille Dorin savait qu'il n'y avait plus rien à attendre ? Tu veux faire creuser dessous ?

— Pas la peine. On a déjà retrouvé Alex à la surface du lac d'Avalone. Et tu as vu la composition du sol ? De la roche. Personne ne pourrait l'égratigner sans un matériel de forage.

— Quoi qu'il en soit, même si c'est étrange, ça n'a rien d'une preuve accablante.

— Des preuves, il paraît que je dois me résigner à ne plus en découvrir. Je veux juste trouver un scénario qui tienne droit. C'est une nouvelle zone d'ombre et, avec l'histoire de la gourmette, c'est la seconde qui plane au-dessus des Dorin.

— Tu veux aller leur parler ?

— Non, je les connais maintenant. Ils diront qu'ils ne savent pas, qu'ils ont oublié, ou ils mettront ça sur le compte du désespoir de la mère. Comme tu dis, je n'ai rien d'accablant. Par contre, il y en a une qui pourrait me parler avec plus de facilité.

D'un glissement de doigt, Noémie fit disparaître la photo de la croix affichée sur son écran et passa en mode appel pour joindre Romain.

— Tu me retrouves chez Saulnier ? Je voudrais lui évoquer le passé.

— Et t'oublies rien ? lui rappela Valant.

— Si, beaucoup de choses. C'est même ma marque de fabrique.

— On a l'autopsie du squelette par visioconférence dans moins d'une heure.

— On aura le temps. Alors, tu te pointes ?

— J'ai pas mal de procès-verbaux en retard et les réquisitions pour l'institut médico-légal à faire partir.

— Envoie Milk, dans ce cas.

— Si tu ne veux pas faire peur à Saulnier, je te conseille d'y aller avec quelqu'un qui ne lui sera pas étranger. Quelqu'un qu'elle a connu bébé flic.

— Le commandant Roze ?

51

Devant la maison à deux étages en grès rouge, Noémie gara sa voiture. Roze, immobile, fixa avec mélancolie la façade décrépite recouverte de vigne vierge et les rebords de fenêtres fleuris.

— Le cerveau humain peut stocker l'équivalent de 213 000 DVD, pensa Chastain tout haut. Voyons ce que Saulnier a gardé en mémoire.

L'information ne sembla pas atteindre Roze.

— Ça va, patron ?

— C'est la première fois que vous m'appelez ainsi, remarqua le commandant.

— Vous avez l'air… hésitant.

— Ce sont seulement des souvenirs difficiles.

Elle coupa le moteur et se tourna d'un quart pour lui faire face.

— C'est vous qui avez fait les annonces aux familles suite aux enlèvements, c'est ça ?

— Pas à toutes. Mais à elle, oui.

— Vous préférez que j'y aille seule ?

— Je ne suis pas non plus en sucre.

Il fallut sonner à plusieurs reprises pour entendre bouger à l'intérieur. À travers la vitre opaque, une silhouette s'approcha de plus en plus et la porte s'ouvrit enfin.

— Mais c'est mon petit Arthur de la police, ça ! s'écria Saulnier, radieuse.

— Bonjour, Marguerite, répondit Roze avec la voix douce et l'attitude du jeune homme qu'elle avait connu et qu'elle voyait certainement encore.

— Qu'est-ce qui se passe ? Elsa a fait une bêtise ?

— N'ayez aucune inquiétude. Elsa ne fait jamais de bêtises, vous le savez bien. Je viens juste vous présenter Noémie. Une autre policière. Elle a des questions à vous poser.

— Je refuse pas un peu de compagnie. Entrez, entrez, je vais faire du café, dit-elle avant de disparaître derrière un rideau de perles de bois comme Chastain n'en avait vu que chez son arrière-grand-tante.

C'est dans un bruit de tasses entrechoquées que Marguerite déposa le plateau que Noémie comme Roze s'étaient attendus à voir s'envoler à tout moment sur le court trajet qui séparait la cuisine du salon.

— Vous souvenez-vous de notre rencontre, là-haut, sur le puy ? demanda Noémie.

Saulnier lui sourit. Ce sourire d'excuse des vieilles personnes au cerveau en balade, quand elles perdent le fil du temps.

— Imagine que nous sommes vingt-cinq ans en arrière, souffla Roze à Noémie.

Noémie réajusta alors son questionnaire et s'adapta à l'univers refabriqué de la vieille dame.

— Comment va Elsa ? reprit-elle.

Resituée dans son espace-temps, Marguerite Saulnier éclaira son visage d'un sourire.

— Oh, vous savez, elle grandit trop vite. Elle ne m'attend même plus aux grilles de l'école. Elle rentre toute seule, elle fait ses devoirs et, quand je me lève, elle est déjà repartie. Une vraie jeune fille qui n'a plus besoin de personne. Mon mari aurait été si fier.

— Vous l'avez accueillie à ses trois ans, c'est ça ?

— Ah, vous savez, se rembrunit Marguerite Saulnier.

Elle tenta de remplir les tasses et Roze vint à son secours avant la catastrophe évidente.

— C'est encore toi, Arthur, qui ne sais pas tenir ta langue, le gronda-t-elle d'un doigt noueux et réprobateur. Elsa ne doit rien savoir, c'est important. Je sais, certains disent que je suis trop protectrice. Mais quand elle est arrivée chez nous, le pédiatre a diagnostiqué une apnée du sommeil. J'ai passé presque deux ans à la regarder dormir, à m'affoler dès qu'elle ne respirait plus quelques secondes. Alors il y a eu comme une fusion entre elle et moi. Mon mari voulait lui parler lorsqu'elle serait en âge de comprendre. J'ai toujours hésité. Maintenant qu'il n'est plus là, ce sera à moi de décider.

Elle se leva difficilement et attrapa sur un buffet une photo en noir et blanc d'un homme en smoking et d'une femme en robe meringuée sous une pluie de confettis.

— Regardez comme nous étions beaux tous les deux ! Le pauvre n'aura même pas vu les dix ans d'Elsa. Quelques années après l'arrivée de notre fille, il est mort en tombant bêtement. Les plombs avaient sauté et il s'est éclairé à la bougie pour aller les changer. Il disait toujours qu'il était né sous le signe du chat et qu'il y voyait parfaitement en pleine nuit. Il disait beaucoup de choses pour m'impressionner. En tout cas, il a raté une marche, il s'est envolé dans les escaliers sans plus en toucher aucune, sauf la dernière sur laquelle il s'est ouvert le crâne en deux. Et il ne s'est jamais relevé. Ça devait être sa septième vie. Même sept vies, ça file, mes enfants.

À chacun sa mémoire. Amie ou ennemie. Celle de Noémie se situait entre les deux, comme si elle cherchait encore son chemin. Celle de Marguerite, en bonne alliée, la protégeait d'une souffrance qu'elle n'aurait pas supportée. La mort de son mari devait faire partie des éventualités sinon acceptables, au moins attendues. Mais la perte d'un enfant, scénario impossible, avait généré un mécanisme d'autodéfense qui permettait à la vieille dame de vivre un jour après l'autre. Chastain l'emmena de nouveau là où elle le souhaitait.

— Et le puy de Wolf, c'est une des balades que vous faites avec Elsa ?

— Ah, le puy… Oui. C'est important, sembla se souvenir Saulnier. Elle aimerait cet endroit, certainement. Il faudrait que je le lui montre, un jour après l'école.

— C'est important pour qui ? insista Noémie.

— Pour Jeanne, pardi. C'est elle qui m'y emmène. Pour parler au petit Alex.

— Jeanne Dorin ?

— Je n'en connais pas d'autres. Nous sommes amies vous savez. Enfin, nous étions, corrigea-t-elle.

Cela fait longtemps qu'elle n'est pas venue me voir pour que je l'accompagne là-haut.

Roze fit glisser son portable sur la table du salon et son écran informa Noémie qu'ils n'avaient plus que dix minutes pour se rendre au service avant le début de l'autopsie.

La capitaine et le commandant laissèrent Marguerite sur le pas de sa porte et elle les regarda s'éloigner. Noémie tenta un petit au revoir de la main que la vieille dame ne remarqua même pas. Elle comprit alors que Saulnier était déjà loin dans sa tête, à attendre l'heure de la fin de l'école.

Dans la voiture, Roze resta silencieux, pas très sûr des résultats de cette rencontre.

— Vous avez appris quelque chose d'intéressant ?

Chastain lui présenta son portable affichant la croix découverte au matin.

— C'est ça que venait voir Jeanne Dorin au sommet du puy de Wolf. Une croix au nom d'Alex datée de 1994.

Puis elle laissa son commandant mouliner cette information sur quelques kilomètres, histoire de voir. Cinq minutes plus tard, la voiture entra dans Decazeville et Roze percuta enfin.

— 1994 ?

— Un souci, mon petit Arthur ? s'amusa-t-elle.

52

Noémie monta deux à deux les marches du commissariat, laissant Roze à la traîne, et entra dans le bureau du groupe d'enquête les joues teintées par ses efforts. Valant, Bousquet et Milk étaient assis en couronne autour d'un des ordinateurs.

— J'ai raté un truc ? s'inquiéta-t-elle.

— On vous attendait, capitaine, dit une voix venant de l'écran.

Le légiste, déjà habillé et ganté, lui fit un salut amical. Derrière lui se distinguaient la table en inox brillant et dessus, reconstitué, le squelette inconnu.

— Bonjour docteur. Désolée du retard.

— Bonjour Chastain. J'espère que vous n'allez pas encore me demander une datation de la mort ?

— Pas la peine. Il est mort entre le 1er et le 30 novembre 1994, au moment où le cimetière a été déménagé. Mais c'est la seule chose que nous savons.

— Alors laissez-moi vous aider un peu, dit le légiste avec un brin de fierté. Votre cadavre est un homme. Un homme africain si j'en crois les mesures du pont nasal, de l'ouverture nasale et des os zygomatiques.

— Désolée, mais je suis nouvelle dans la région, le coupa Noémie en s'adressant à ses hommes. Je ne connais pas l'histoire de votre immigration. Un Noir, ici, dans les années 1990, c'était courant ?

— Courant, non, mais il y en avait, confirma Roze, qu'elle n'avait pas vu entrer. Métallurgie, travaux publics, chantiers, poursuivit-il. Ils n'ont jamais été notre immigration la plus importante mais ils étaient bel et bien là. Surtout en 1991.

— Pourquoi cette date précisément ?

— C'est le début du chantier du barrage par Global Water Energy. Qui croyez-vous qu'ils aient fait trimer à prix cassés, sans se soucier du droit du travail ni d'un éventuel syndicat ?

— Des pauvres types comme lui, répondit Noémie en désignant le squelette.

Le légiste délogea la webcam de sa base et la dirigea vers les restes du cadavre.

— Quoi qu'il en soit, mes chers policiers, il n'est pas mort d'un accident du travail, c'est certain.

Tout le monde s'approcha alors que la caméra se faisait exploratrice.

— J'imagine que la première chose que vous avez vue est ce trou à l'arrière du crâne, supposa le docteur.

— Difficile de le rater. Un projectile ? proposa Noémie. Il a été abattu ?

— Je le pense. On ne se suicide pas en se tirant dessus à l'arrière de la tête. Mais si vous suivez la trajectoire, vous remarquerez que l'ogive a rencontré pas mal d'obstacles et fait tout autant de dégâts sur son passage.

Il sortit un pointeur laser de la poche de sa blouse et le dirigea au fur et à mesure de sa démonstration.

— Le point de pénétration est l'os occipital. L'ogive traverse ensuite l'os temporal sur la base du crâne, puis l'os maxillaire et elle vient se ficher dans la mandibule.

— Vient se ficher ? répéta Noémie.

— Oui, capitaine. C'est ce que j'ai dit.

Il approcha la caméra du point rouge du laser et une pièce métallique ronde brilla sous la lumière.

— Regardez-moi ça, savoura le légiste. Elle nous attend là depuis vingt-cinq ans. C'est presque émouvant.

Noémie se redressa, regonflée d'énergie.

— Ok, doc, vous nous la sortez sans la rayer, c'est capital pour la balistique. On vous envoie un équipage la récupérer. C'est de l'excellent travail.

— C'est moi qui vous remercie, capitaine. Vous égayez mon quotidien depuis votre arrivée.

Il replaça la webcam dans son logement et lui parla directement, imposant à tous son visage en gros plan sur l'écran.

— Vous avez une piste pour le troisième enfant ?

— Autant vous dire que c'est lui que l'on attendait dans la tombe.

— Alors vous êtes déçue ?

— Tout dépendra de ce que nous dira l'ogive.

— Je m'y mets à l'instant, conclut le légiste.

Dans le bureau, personne n'avait encore bougé de place face à l'écran redevenu noir. Comme pour elle seule, Noémie inclut ces nouvelles informations au tableau brumeux des hypothèses qui se bousculaient dans son cerveau.

— Les faits se déroulent dans un laps de temps très court, résuma-t-elle. D'un côté, trois enfants disparaissent et deux d'entre eux sont cachés dans une cave, dans des fûts. De l'autre, nous avons un nouveau cadavre : un Africain abattu d'une balle dans la tête. Si ces deux histoires ont un rapport, quel est le lien entre ce nouveau cadavre et Malbouche ?

— Fortin, la corrigea Valant.

— Ouais, Fortin, c'est ce que je voulais dire. *A contrario*, si ces deux histoires n'ont aucun rapport, il y a eu une sacrée activité criminelle, ici, en novembre 1994 !

Les quatre hommes la regardaient comme on attend le dénouement d'une bonne série à la télévision.

— Messieurs ? dit-elle en haussant le ton. On rebondit, s'il vous plaît !

Si Milk était le cadet de l'équipe et le plus inexpérimenté, il était aussi celui qui, par sa jeunesse, avait le moins peur de foncer, quitte à dire une ânerie.

— Fortin et le Black étaient peut-être de mèche et la suite s'est mal passée ? Alors Fortin s'est débarrassé de lui.

— Les duos meurtriers sont rares, mais pourquoi pas, concéda Noémie.

— Un témoin gênant qui aurait vu Fortin ? poursuivit Bousquet.

— Ça se tient.

— Un accident du travail à dissimuler sur le chantier de Global ?

— Pourquoi pas.

Elle regarda une nouvelle fois son mur puzzle sur lequel s'étaient incrustées de nouvelles photos. Le fût retrouvé. Les images sous-marines des explorations de la Fluviale. Les restes fumants de la grange de Pierre Valant. Le Land Rover écrabouillé. Et enfin, ce squelette recouvert de terre, dans le cimetière d'Avalone.

— Laissons infuser, la solution n'est pas ailleurs que dans ce que nous avons déjà.

— Et à part ça ? demanda Romain, tu as des instructions précises ?

Elle récupéra son manteau sur le dossier de la chaise et s'apprêta à quitter le bureau.

— Le lac sera totalement vidé demain. Il me faut une carte du village le plus détaillée possible. Milk, je te donne l'autorisation d'aller papoter avec maman. Qu'elle nous indique qui vivait où avant l'inondation. Ça devrait lui prendre une bonne partie de la journée.

— Elle vous fera ça en une heure, crâna le petit policier.

— Et ensuite ? demanda Bousquet.

— Ensuite ? répéta Noémie. Je sais pas, vous, mais moi, je vais m'acheter une paire de bottes. La journée s'annonce boueuse.

– 53 –

Comme les flics leurs bottes, la mini-pelleteuse d'AVRIL – l'Agence de vidage, de réfection et d'inspection des lacs – avait revêtu ses chenilles plastiques prévues pour les terrains accidentés et marécageux. Elle déblayait sans fatigue les amas de pierres qui, longtemps, avaient composé la maison communale d'Avalone.

Autour du lac vide, il avait fallu ériger une zone de sécurité avec les barrières Vauban métalliques dont la mairie se servait les jours de marché. De l'autre côté de ces barrières, le village dans sa quasi-totalité assistait à l'opération, accompagné d'autant de journalistes, micros tendus, caméras à l'épaule. Avalone retrouvait, un quart de siècle plus tard, sa sombre notoriété.

Noémie croisa Saint-Charles, qui la salua d'un signe de tête. Il n'avait soufflé mot de son accident de voiture, ni de la découverte du squelette. Leur poignée de main avait été respectée, comme il l'avait promis.

Dans la foule, un cameraman se fraya un passage jusqu'à une journaliste assise dans sa voiture, un carnet de notes à la main, et manqua de bousculer Bousquet qui peinait à enfiler ses bottes en caoutchouc.

— T'as trouvé un bon client ? demanda la jeune femme.

— Y a qu'à se baisser, répondit le cameraman. Ils ont tous une théorie ou au moins un truc à raconter. Mais je crois que j'ai trouvé mieux.

La journaliste déposa son carnet sur le fauteuil passager, se leva et regarda, dans la direction qu'il indiquait, la capitaine de police en charge de l'enquête.

— Tu vois la flic, là-bas ? Tu vois la cicatrice sur sa joue ? C'est la capitaine de Paris, celle des Stups…

— Oh putain ! Je la veux, s'excita-t-elle. On va faire de la bonne télé, là.

Ils tentaient discrètement de passer par-dessus la barrière Vauban quand Bousquet, qui n'avait rien perdu de leur conversation, leur fit face.

— Si vous approchez de mon officier, je casse votre caméra et je vous la fais bouffer.

— Vous n'avez pas le droit, s'offusqua le cameraman.

— Je dirai qu'elle est tombée. Et toi aussi, gros con, je dirai que t'es tombé en même temps que ta machine.

Bousquet l'attrapa par le col et lui fit faire deux pas en arrière.

— Y a une barrière, restez du bon côté.

Au centre du village, sous une tente de plastique blanc, un quartier général de fortune avait été installé. Sur la table aux pieds plantés dans la vase, une carte du village était annotée de toutes parts et canalisait l'attention de chacun.

— Un problème avec les médias ? demanda Noémie à Bousquet, qui rejoignait enfin l'équipe.

— Vous les connaissez, capitaine. Ils sont comme des gosses, à toujours vouloir s'approcher plus près du feu. Ils se tiendront à carreau.

Un pan de la tente se souleva et un ouvrier en combinaison tachée de boue fit son entrée.

— On est arrivés au niveau de la cave. On va finir la suite à la main, si vous voulez venir.

Une fois déblayés les éboulis du toit et de l'un des murs, Noémie reconnut l'intérieur de la maison qu'elle n'avait vu que par le biais de la caméra GoPro d'Hugo, lors de la plongée qui avait failli être sa dernière. L'entrée, la salle de réunion, le couloir, la salle de stockage et, enfin, la double trappe au sol qui menait à la cave, perforée par l'une des poutres de soutènement. Le parachute de relevage qui avait permis de la soulever n'était plus qu'une baudruche dégonflée.

Là, rouge, immobile, éventré, partiellement recouvert de microalgues et écrasé par les centaines de kilos de la poutre, se trouvait le fût. Par la large déchirure dans le plastique, on y voyait le crâne d'un gamin d'Avalone.

— Vous faites partir le corps à l'institut médico-légal, ordonna Chastain, avec une réquisition pour l'autopsie et une réquisition de comparaison ADN pour le labo. Le tout en urgence.

— Pour ne pas faire attendre les familles ? demanda Milk.

— Pas vraiment. Si c'est Cyril, sa mère refusera l'évidence. Son mari ne veut même pas qu'on lui en parle. Si c'est Elsa, Marguerite Saulnier ne nous entendra simplement pas. Je demande les résultats en urgence uniquement parce que ça me bouffe le ventre de ne pas savoir.

Un des ouvriers d'AVRIL les informa que la poutre allait être soulevée et que l'opération nécessitait que l'on fasse place nette. Tout le monde quitta la maison, laissant le premier rôle à la grue hydraulique.

Noémie retourna à la tente et en sortit avec la carte détaillée.

— Bien. Milk, tu me fais visiter le village ?

La balade judiciaire commença sur ce paysage de désolation, cette terre marécageuse jonchée de pierres gorgées d'eau et ces arbres pétrifiés par les minéraux, à la couleur gris béton, aux branches dressées semblant demander secours, figées tels les habitants de Pompéi. Alors qu'ils entraient dans l'ancien Avalone, l'ambiance devint postapocalyptique. Une ville sans âme qui vive, aux maisons éventrées, comme croquées par un géant qui aurait voulu goûter chacune d'elles en une bouchée.

Ils longèrent la rue principale et s'arrêtèrent au niveau d'un réverbère métallique, penché presque à toucher terre. Sur leur gauche, au centre d'une cour entourée d'un bâtiment en « L » partiellement effondré, subsistaient une vieille cage à écureuil rouillée et un toboggan à la glissière sectionnée qui n'arrivait pas jusqu'au sol. Noémie s'approcha d'un panneau signalétique resté droit et recouvert d'un dépôt encore visqueux qu'elle essuya d'un revers de son imperméable. Deux petites silhouettes se tenant la main au centre d'un triangle apparurent.

— L'école ? demanda Noémie.

— Oui. Celle des trois gamins, confirma Milk.

Elle en fit le tour et, à la base du mur de l'entrée, découvrit sur une des pierres la trace d'une histoire d'amour d'enfant. Un cœur y avait été maladroitement gravé.

Ils poursuivirent leur marche et se perdirent dans les petites rues adjacentes. Milk lui montra l'ancienne maison de la famille Casteran. Une centaine de mètres plus loin, presque à la sortie du village, celle des Dorin, voisine d'une zone nue de toute construction sur plusieurs hectares et qui devait être l'emplacement de leurs terrains agricoles. Enfin, longeant les limites de l'ancien Avalone, sur une large butte aux côtés raides et au sommet plat, se dressait la maison de la famille Saulnier, presque identique à celle que Noémie avait vue la veille. Une grille en fer forgée qui avait dû en délimiter l'entrée était encore vaillante et l'attention de Chastain fut attirée par une des pierres du muret écroulé qui la jouxtait. Elle mit un genou à terre pour voir un peu mieux ce petit cœur qui y était profondément gravé. Le second de la journée, et il s'expliquait désormais plus clairement. Elle pensa à Alex et Elsa. Un amour d'enfants, sans limite, d'un engagement total et dépourvu de toutes les craintes des amours adultes.

— Capitaine ?

Noémie se retourna vers un des techniciens de l'identité judiciaire, vêtu d'une combinaison qui avait dû être blanche quelques heures plus tôt.

— Le fût est délogé, il part à l'IML avec le corps dedans, selon vos instructions. Par contre, nous n'avons pas trouvé de troisième victime. Dans aucune des pièces, ni dans le sous-sol de la maison.

Sans surprise, pensa Noémie, même si elle ne s'expliquait toujours pas pourquoi les trois enfants avaient été séparés.

— On se barre ? Je crois que cet endroit me file le bourdon, Milk, conclut-elle.

— Alors imaginez pour eux, répondit le jeune flic.

Elle se tourna vers la rive du lac, là où quelques barrières retenaient une foule de curieux. Parmi eux, ceux qui avaient vécu dans l'ancien village le redécouvraient avec une amère nostalgie. Tous leurs souvenirs, leurs étés, leurs printemps et leurs enfances étaient dorénavant ternis par l'horreur de ce qui s'y était déroulé. L'enquête piétinait leur passé, insultait tout ce qu'ils avaient vécu d'heureux, ne laissant plus qu'une sombre affaire criminelle.

Quand Noémie et Milk regagnèrent le centre du village, Bousquet sortit de la tente, son téléphone à la main.

— La balistique pour vous, capitaine.

Noémie se mit à l'écart du vrombissement des moteurs et, une main sur l'oreille et le téléphone dans l'autre, écouta avec attention.

— Le projectile est inconnu du fichier Cible, l'informa le technicien. Mais comme c'est la deuxième fois que vous nous envoyez le même modèle de munition, on a comparé.

— Le même modèle, vous voulez dire du 8 mm ? Je croyais que c'était assez peu commun.

— Ben, c'est ça. Tellement peu commun qu'on a comparé les deux et que ça matche. L'ogive délogée de l'appuie-tête de la fourgonnette du maire a été tirée par la même arme que l'ogive découverte dans le crâne de votre squelette.

Noémie resta sans voix.

— Ça vous aide, capitaine ?

— Je ne sais pas encore.

— Je vous envoie une copie de mon rapport par mail et l'original par courrier ?

— Oui, je vais vous donner mon mail personnel. Et adressez le courrier à mon nom propre. Je ne voudrais pas qu'il s'égare, vous comprenez…

Pieux mensonge. Elle voulait juste que cette information reste pour l'instant en sa seule possession.

— Alors ? s'enquit Romain. La balistique dit quoi ?

Un point rapide permettait d'établir qu'en novembre 1994, une arme tirant du 8 mm tuait un Africain au moment même où trois gosses étaient prétendument enlevés par Fortin. Et en 2019, cette même arme tirait sur la fourgonnette de Pierre Valant le jour même où l'on enterrait Alex Dorin. Noémie en était sûre : ce qui s'était passé dans l'ancien Avalone se répercutait aujourd'hui dans le nouveau village et impliquait bien plus de monde que l'ogre de Malbouche. Mais, là encore, elle voulait garder ses conclusions pour elle.

— La balistique ne dit rien, Romain. Projectile non fiché.

*
* *

Le légiste avait chamboulé son emploi du temps pour faire passer l'enquête des disparus d'Avalone en priorité. Parce qu'elle était exceptionnelle, et que la capitaine qui en avait la charge l'était tout autant à ses yeux. Il ne laissa même pas à Noémie le temps de se

310

changer et c'est crottée de terre boueuse qu'elle s'assit face à son ordinateur. Le contraste avec la salle immaculée de l'institut médico-légal et ses instruments chirurgicaux brillants comme des couverts en argent était saisissant. Le légiste enfila ses gants et s'adressa à Noémie par écran interposé pour cette seconde autopsie en visioconférence.

— Quand mon assistant a vu arriver un nouveau fût, il a failli défaillir, si vous me permettez le jeu de mots. Je vous rappelle que c'est déjà lui qui est allé chercher dans la mélasse organique la pièce de dix centimes de francs trouvée dans le fût d'Alex Dorin.

— Vous le remercierez quand il ira mieux.

— Ce sera fait. Passons à ce nouvel enfant. Comme vous le savez, il n'est pas totalement formé, je ne peux donc pas vous certifier le sexe. J'utiliserai la même méthode de prélèvement ADN que la dernière fois en forant les ostéoblastes. Pour la datation, pas de certitudes non plus mais, vu les circonstances de la découverte, soit un gosse dans un fût, et dans un lac, il n'est pas incohérent de présumer qu'il date lui aussi de 1994, mais ça, ce sont des suppositions d'enquêteur, je vous en laisse la charge.

— Je suis surtout intéressée par la cause de la mort. Si je reprends vos déclarations, le premier enfant, Alex Dorin, aurait succombé d'une « nette fracture au niveau de la colonne vertébrale, due à une violente torsion, comme s'il avait été simplement plié en deux ». Vous avez aussi précisé qu'infliger une telle blessure n'avait pas pu être fait à la main. Qu'en est-il aujourd'hui ?

Le légiste déplaça la caméra et la déposa sur la table en inox, à proximité du corps.

— Celui-ci est différent. Son bassin est brisé, et toutes les côtes sont cassées au même endroit, à l'arrière de la cage thoracique, comme s'il avait été percuté de plein fouet dans le dos. J'ai déjà vu ça sur des cas d'accidents de la route violents.

— Ça pourrait correspondre avec l'autopsie d'Alex ?

— Malheureusement, non. Si lui aussi avait été renversé par un véhicule ou même s'il avait été dans ledit véhicule au moment de l'accident, nous aurions d'autres cassures ou fêlures. Dans son cas, seule la vertèbre cervicale a été touchée.

— Vous me dites que je cherche, sur deux victimes décédées au même moment et retrouvées au même endroit, deux causes de mort différentes ?

— J'en ai bien peur.

54

Après une longue journée qui avait ressemblé davantage à des fouilles archéologiques qu'à une enquête de police, Noémie était rentrée salie de boue et de limon, depuis les bottes jusqu'aux cheveux. Une longue douche effaça sans peine la terre de l'ancien Avalone qui se mélangea à l'eau chaude, glissant sur ses épaules, son dos, le long de ses fines jambes jusqu'à la bonde qui avalait cette eau brune et malpropre. Lorsque Hugo la rejoignit, elle en oublia même sa fatigue.

Noémie s'était lovée en cuillère contre son plongeur, dans le grand lit de la chambre. Sa plus grande crainte était de s'assoupir face à lui et qu'il la regarde dormir mais, dans cette position, elle se sentait à la fois en sécurité et apaisée.

— Tu leur as menti ? s'étonna Hugo.

— Quelque chose cloche entre les Dorin et Pierre Valant.

— Pierre Valant ? Le père de Romain ? Ton adjoint ?

— Je sais. Ça craint pas mal. Et tant que je ne sais pas ce que c'est, je préfère avancer seule. Je n'ai pas menti, j'ai juste différé l'information.

313

— Joue sur les mots si tu veux, mais ils pourraient t'en vouloir. Le manque de confiance dans l'équipe, c'est un virus sournois.

Elle colla un peu plus son dos contre le ventre d'Hugo pour sentir sa chaleur.

— Toute cette journée j'ai pensé à ce que nous aurions trouvé sous les décombres si tu ne t'en étais pas sorti. Je me suis imaginé ton corps, bloqué sous la poutre. Je ne l'aurais pas supporté.

— Je suis là, maintenant.

— Et demain ?

— Demain ? Je croyais que j'étais juste le coup d'un soir ? ironisa-t-il.

Elle se retourna enfin.

— Le coup d'un soir ? Je te rappelle qu'on n'a toujours rien fait, toi et moi.

— Ça, ça peut s'arranger tout de suite…

*
* *

Le lendemain Noémie arriva au bureau avec une heure d'avance et y retrouva toute son équipe déjà sur le pont, café coulé et pain au sucre sur la table. Elle s'en servit une part et croqua dedans comme si elle n'avait pas mangé depuis une semaine.

— On est d'accord pour dire que c'est dégueulasse, ça ? déclara-t-elle en s'étouffant.

Bousquet et Valant s'esclaffèrent devant un Milk peiné.

— C'est de la fouace. Une spécialité locale. C'est ma mère qui l'a faite.

— Lui répète pas, mais c'est vraiment imbouffable.

Elle s'assit à son bureau et remarqua sur son clavier une enveloppe mentionnant « personnel » à ses nom et prénom. Les résultats des comparaisons des ogives 8 mm. La balistique avait fait vite et l'information resterait « différée ». Elle alluma son ordinateur et, parmi ses mails, cliqua sur celui qui venait du laboratoire génétique. La comparaison avait été faite entre l'ADN du nouveau corps sorti la veille de la maison communale et le matériel biologique prélevé sur les sous-vêtements et les brosses à dents des gamins le jour de leur disparition.

Et bien sûr, il correspondait à l'un d'eux. Cyril ou Elsa.

Ses trois flics s'assirent. Romain sur le bord de son bureau, les deux autres sur les chaises en face d'elle.

— C'est Cyril Casteran, annonça Chastain.

Valant se massa le visage de ses deux mains comme lorsque l'on peine à se réveiller.

— On fait quoi pour la famille ? demanda-t-il.

— André Casteran m'a demandé un service. Je compte respecter ma parole. On l'informe, lui. Juste lui. Il décidera s'il en parle à sa femme ou non. Je crains qu'on la perde ou qu'elle fasse une bêtise si elle venait à savoir. Elle ne tient plus que par l'espoir.

— De toute façon, ajouta Bousquet, nous n'avons pas l'obligation de contacter toute la famille. On le dit au mari, ensuite, ce qui se dira ou non chez eux, ce n'est pas notre responsabilité.

— Quelqu'un lui avouera bien un jour où l'autre, s'inquiéta Milk.

— Elle ne le croira que si on lui colle les résultats ADN sous le nez, et encore, assura Noémie. Convoquez M. Casteran.

— Et je dis quoi, s'il me demande la raison ?

— T'inquiète, il comprendra bien ce qui se passe si la police l'appelle.

Noémie laissa tomber un sucre dans son café, qu'elle touilla la tête dans les nuages. Elle regarda à nouveau cette enveloppe qu'elle allait devoir discrètement dissimuler dans un tiroir jusqu'à ce qu'elle se décide à leur parler de ces munitions 8 mm préoccupantes. Une dans la tête d'un inconnu enterré à la hâte, l'autre dans l'appuie-tête d'une fourgonnette. Le tout avec vingt-cinq ans d'écart. Mais un détail l'alerta : ce pli aurait dû voyager en interne, du labo au commissariat de Decazeville. Il n'avait donc aucune raison d'être timbré. Or cette enveloppe l'était. Elle la regarda alors de plus près et constata qu'elle avait été envoyée d'Espagne. Elle s'enfonça dans son fauteuil et la décacheta avec minutie. Elle sortit la lettre qu'elle contenait en la tenant par un coin, évitant de mettre ses empreintes digitales partout au cas où l'on devrait l'analyser. Pourtant quelqu'un avait semble-t-il décidé de lui faciliter le travail en apposant au centre de la feuille, et en rouge, une belle empreinte volontaire, visiblement un pouce adulte. Elle regarda la trace de plus près et constata que le rouge n'était pas de l'encre. Un rouge chargé, parfois carmin, irrégulier. Du sang. Et dessous, une adresse, ainsi qu'une instruction.

« Casanova. Église de Bielsa. Espagne. Seulement vous. »

Une empreinte digitale et de l'ADN frais. Quelqu'un se manifestait, à elle et à elle seule, et voulait qu'elle soit sûre de trouver son identité. Elle aurait pu envoyer le tout au labo et attendre les résultats, mais elle savait déjà avec certitude qui cherchait à attirer son attention.

— Du nouveau ? demanda Milk, qui la voyait froncer les sourcils sur son courrier.

— Rien. Ou si. Une tuile. Je n'ai pas vu le temps passer et j'ai raté mon entretien psy sur Paris. Je suis tenue de m'y rendre, là.

— Vous devez monter dans le Nord ? s'exclama le petit policier pour qui un tel trajet semblait une aventure.

— À moins qu'un malin ait déplacé la capitale pendant la nuit, je crois bien.

— C'est obligatoire ? Je peux leur dire, moi, à Paris, que vous êtes totalement cinglée et qu'il faut surtout pas que vous quittiez Decazeville.

— T'es adorable, Milk, mais oui, c'est obligatoire. Si Hugo veut bien m'y emmener, on est à Paris ce soir et je suis de retour avec vous demain dans la journée.

Elle attrapa son manteau et le jeta sur ses épaules.

— Romain, tu préviens Roze, s'il te plaît ?

Et elle les planta là, tous un peu surpris par ce départ précipité.

*
* *

Noémie fouilla dans l'armoire de sa chambre, glissa sa main entre deux pulls et en sortit la petite mallette de transport de son arme. Elle l'ouvrit, saisit son pistolet par la crosse et le canon se mit à trembler. Ils étaient encore deux étrangers et cela ne pouvait pas durer ainsi. Elle disait être redevenue flic, mais le flingue allait avec la fonction. Elle se promit alors, dès son retour d'Espagne, de surmonter ce dernier blocage. De le surmonter, elle et elle seule, sans l'aide de Melchior.

Sur le perron, elle tapota la tête de Picasso en lui ordonnant d'être sage, puis elle jeta son sac à l'arrière du tout-terrain Ford d'Hugo, garé devant la maison.

— J'ai prévu quelques affaires, au cas où l'on doive rester dormir sur place. Tu ne prends rien ?

— J'ai toujours ce qu'il faut dans mon coffre. Matériel de plongée perso, parce qu'on peut toujours croiser un beau site, et quelques affaires de rechange, parce qu'on peut toujours croiser une belle capitaine.

Noémie fit la grimace.

— Je crois que je suis pas encore prête pour le mot « belle ».

— Ça, c'est ton problème.

Chastain eut tout le mal du monde à faire sortir Picasso de la voiture et, quand il entendit enfin raison, c'est auprès d'Hugo qu'elle dut s'expliquer.

— Tu crois que je déraille ?

— Je crois que tout le monde s'est cassé les dents sur cette enquête et que tu es la seule à l'avoir fait avancer. Mais est-ce que tu es sûre de toi ? Attendre les résultats ADN du sang ou ceux de l'empreinte digitale, c'était pas une mauvaise idée, tu sais.

— Tu me parles sciences, je te réponds flair et déduction. Je dois m'adapter à cette affaire. Ne plus me cacher derrière la technique. Me mettre à la place des protagonistes. C'est ce que j'ai fait. Moyennant quoi je sais très bien qui m'a envoyé ce courrier. Il y a un type qui a dû fuir la France en 1994 sous des accusations de kidnapping et même de pédophilie. Il a dû tout abandonner et se refaire une vie, certainement dans un autre pays. Aujourd'hui, on retrouve deux de ses supposées victimes dans l'ancien village. Tu repasseras pour le kidnapping. J'ai l'impression qu'il veut retrouver son honneur.

— Fortin ?

— Ouais. L'ogre de Malbouche. Et je voudrais qu'il me raconte ce qui s'est passé la nuit où il a quitté Avalone.

— Et nous, on y va à la fraîche, sans menottes, ni flingues, alors qu'il a très bien pu tuer les trois enfants dans le village et fuir ensuite.

— Ça a toujours été une de mes hypothèses. Mais ce courrier me dit autre chose. Il ne se serait jamais manifesté s'il était coupable. C'est un type qui a envie de parler qui m'a écrit. Et moi, j'ai envie de l'écouter.

Convaincu, Hugo entra l'adresse dans le GPS et démarra le moteur.

— On y sera dans cinq heures et des miettes.

55

Ils furent à Toulouse en deux heures. Changement de conducteur et, deux heures plus tard, ils longeaient le parc national des Pyrénées pour atteindre enfin la frontière franco-espagnole. Il leur fallut une heure de plus et quelques erreurs de trajectoire pour arriver à Bielsa, l'un des premiers villages frontaliers, autre Andorre, paradis des alcools, parfums et tabacs détaxés, posé sur les bords du Rio Cinca, au pied du massif du Mont-Perdu.

Trouver l'église ne fut pas compliqué : un clocher de quinze mètres de haut avec ses trois nefs, dans une architecture tout en longueur. Mais, une fois garés, ils se retrouvèrent devant une énigme autrement délicate : Casanova.

Était-ce un hôtel ? Un restaurant ? Une personne ? Ni leur Smartphone ni leur GPS ne les aidèrent. L'enquête se faisait décidément à l'ancienne.

— Faisons les touristes, et demandons, proposa Hugo.

— Vas-y toi. Avec ma tête, je préfère rester dans la voiture.

— Il va vraiment falloir qu'on discute, toi et moi.

— Je sais. Ne m'emmerde pas, s'il te plaît, dit-elle doucement.

À une vingtaine de mètres de l'église, à la terrasse du café *Los Valles*, Hugo passa de table en table sans rencontrer personne d'autre que des touristes à casquettes, appareils photo et sacs à dos.

— *Casanova aqui ?* répétait-il dans un espagnol approximatif.

Les réponses négatives, en français, en italien ou en allemand, manquèrent de lui faire perdre espoir, quand une bonne âme vint à sa rencontre.

— *Buscando Casanova ?*

— *Si*, répondit Hugo.

— *Te vas a decepcionar.*

Quelques instants plus tard, Hugo toqua à la vitre du Ford, une canette de soda frais à la main.

— J'ai trouvé Casanova.

— C'est un lieu ?

— Non. C'est un mort. Viens.

Ils contournèrent l'église par un chemin en pente pour arriver, à l'arrière de la bâtisse, sur un petit carré recouvert d'une pelouse à la pousse anarchique.

— Encore ? enragea Noémie. J'en peux plus, des cimetières !

Çà et là, des pierres tombales de travers, souvent cassées, surmontées de stèles de guingois et de croix en fer forgé pas plus droites. Les mauvaises herbes s'imposaient partout et la mousse verte occupait l'espace restant. Noémie se balada parmi la trentaine de sépultures avant de s'arrêter devant l'une d'elles, en vulgaire béton gris, sur laquelle on avait déposé des fleurs violettes en plastique de terriblement mauvais goût. Gravé dans la pierre, on lisait : « Joaquina Casanova, 1901-1955 ».

— 1955, on est loin du vrai Casanova, fit remarquer Hugo.

— Les tombes qui me mènent en bateau, je commence à connaître.

— Et on est censés faire quoi ?

— Aucune idée. Il n'y avait pas d'autre indication sur la lettre. J'imagine qu'on doit attendre.

Bien que visiblement à l'abandon, l'endroit avait un charme gothique à la Tim Burton et ils prirent le temps, puisqu'ils l'avaient, de passer d'une tombe à l'autre. Ainsi, ils n'aperçurent pas l'homme en soutane qui avait fait demi-tour à leur vue.

— J'ai aussi un certain Dom Juan, ici, découvrit Hugo, amusé.

La pierre tombale était brisée en huit morceaux et entre chacun d'eux avait poussé une fougère.

— Sauf que Dom Juan est un personnage imaginaire et que j'ai surtout l'impression qu'on s'est foutu de nous.

Alors qu'ils hésitaient à quitter les lieux après trente minutes d'attente, une femme en simple robe blanche et large pull bleu descendit le chemin pentu qu'ils avaient emprunté et entra dans le cimetière, un bouquet à la main. Elle suivit respectueusement les allées rendues invisibles par la nature en liberté, puis s'arrêta devant une tombe à quelques mètres d'eux, remplaçant les fleurs fanées par celles qu'elle avait apportées.

Hugo et Noémie échangèrent un regard interrogateur.

— Je vous avais demandé de venir seule, dit la jeune femme sans se retourner.

Noémie réalisa alors à quel point elle s'était plantée dans ses déductions. Mais, maintenant, tout devenait évident.

— Elsa Saulnier ?

— Vous avez l'air surpris. C'est bien moi que vous cherchez depuis des semaines, non ?

— Entre autres, bafouilla Noémie, encore sous le coup de la stupeur.

Du plat de la main, avec une douceur infinie, Elsa balaya les feuilles mortes qui recouvraient la tombe qu'elle venait de fleurir.

— Entre autres, évidemment, s'agaça-t-elle. Je suis sûre que vous courez toujours après Fortin. Vous ne comprendrez décidément jamais…

Noémie s'intéressa donc à la tombe et à sa stèle au nom d'un certain Matéo Chapiro, mort trois années plus tôt.

— Qui est-il ? demanda Noémie.

— Matéo ? Quand nous sommes arrivés ici, il y a longtemps, toute la police française était à ses trousses. Nous avons même dû changer de nom et devenir la famille Chapiro.

Et, pour la deuxième fois, les certitudes de Noémie basculèrent cul par-dessus tête.

— Je m'appelle Elsa Fortin. Votre monstre, c'est mon père. Et il n'a jamais fait que me protéger en m'emmenant loin d'Avalone. Si je vous ai contactée, c'est pour lui. Parce qu'il est mort en fugitif, haï et humilié.

Noémie s'était effectivement trompée sur l'identité de celle qu'ils venaient de découvrir, mais elle avait vu juste pour le motif. Il s'agissait bien d'une question d'honneur.

— Vous connaissez un endroit où on peut boire quelque chose de fort ? demanda-t-elle.

À la terrasse du café *Los Valles*, le soleil tapait vaillamment sur les parasols. Elsa, Noémie et Hugo s'installèrent à une table ombragée.

— Comment avez-vous su que nous étions arrivés à Bielsa ? demanda Chastain.

— Je suis serveuse dans le bar où nous sommes assis. Et le prêtre de l'église est bien plus qu'un ami. Je leur ai donné une copie de la une de *La Dépêche* où l'on vous voit nettement. J'ai appris votre arrivée avant même que vous sortiez de votre voiture. Faut dire que…

— Que je suis facilement reconnaissable ? compléta Noémie.

— Pardon, mais ouais.

Puis elle se tourna vers Hugo, silencieux depuis le début de la conversation.

— Lui aussi, c'est un flic ? demanda Elsa en le désignant.

— Je suis plutôt le petit copain.

— Et flic quand même, mais de la Brigade fluviale de Paris, préféra corriger Noémie en toute honnêteté. C'est lui qui a retrouvé Cyril, sous le lac.

La jeune femme sembla en partie rassurée.

— De toute façon, je ne parlerai qu'au procureur, prévint-elle.

— Alors pourquoi m'avoir contactée ?

— Parce que, si je l'avais appelé directement, il m'aurait envoyé la police. Autant le faire moi-même. Et puis ce n'est pas la police que j'ai avertie, c'est vous. Je vous ai choisie.

— Pourquoi moi ?

— J'ai les chaînes internationales et Internet, comme tout le monde. Voilà un mois que je vous regarde vous débattre toute seule pour retrouver Alex et Cyril. Et vous avez l'avantage de ne pas être d'Avalone. Je garde une certaine méfiance, justifiée, envers les gens de ce village. Si vous aviez lu tout ce qu'ils ont dit sur mon père à l'époque ! Nous avons dû fuir, changer d'identité, tout recommencer et vivre dans la peur d'être reconnus.

— Vous aviez dix ans. Comment vous souvenez-vous de tout ça ?

— J'ai passé une bonne partie de mon adolescence ici, cloîtrée dans notre appartement, avec un espace de jeu assez restreint, il faut avouer. Les gamins qui s'ennuient fouillent sans même en avoir conscience et j'ai découvert des articles de presse que mon père avait gardés. Il a dû tout me raconter. J'avais quinze ans quand j'ai appris la vérité : l'enlèvement d'Alex et de Cyril dont on l'accusait à tort et qui faisait qu'on le traitait de monstre de l'autre côté de la frontière. J'ai alors compris pourquoi on se cachait pendant les périodes de vacances françaises, pourquoi on ne quittait jamais ce village de cinq cents habitants. Pourquoi on était enfermés dehors, en somme.

Le serveur déposa un café, une bière et une vodka noyée dans les glaçons et salua amicalement Elsa en lui posant une main sur l'épaule.

— Quand nous avons fui Avalone, il a d'abord fallu retourner à Paris, poursuivit la jeune fille. Mon père y avait un ami de son ancienne vie, capable de lui faire de fausses pièces d'identité à nos deux noms. Je suis devenue Elsa Chapiro ce jour-là. À notre arrivée ici, mon père a trouvé une main tendue chez un homme qui ne juge pas les autres hommes : le prêtre de l'église de Bielsa avec son cimetière des faux-semblants, Dom Juan, Casanova... Je vous ai dit que nous étions bien plus que des amis. Il est devenu mon parrain et il m'a vue grandir. Mon père a été engagé comme homme à tout faire et n'a jamais eu à répondre à la moindre question. Le prêtre ne le jugeait qu'à ses actes du moment sans se soucier de l'avant, et lorsqu'il est mort, pour éviter les démarches administratives qui auraient pu me mettre en danger, il a accepté qu'il repose ici, avec Casanova et Dom Juan. Des homonymes qui font la fierté du village. Pour ma sécurité, nous nous sommes mis d'accord pour ne pas l'enterrer sous son vrai nom, mais préférer Chapiro, notre identité de fugitifs. Le prêtre s'est entendu avec le responsable du cimetière pour que, sans certificat de décès, il commande tout de même une stèle et une pierre tombale. Un trou de plus ou un trou de moins, personne n'y a rien vu.

Comme dans le cimetière d'Avalone, se dit Noémie. Et les mots « stèles » et « tombes » se mirent à danser dans son esprit. Ne les reliant à rien et impatiente d'en savoir plus, elle poursuivit son flot de questions.

— Comment est-il mort ? demanda Noémie.

— Un cancer, a dit le médecin. Sauf qu'il n'a pas pu le soigner. Trop cher. Trop dangereux, toujours à cause des faux papiers. Moi je sais qu'il est mort des accusations qu'on a portées contre lui et contre lesquelles il n'a jamais pu se défendre. Vous voulez vraiment savoir ce qui s'est passé ce soir-là, à Avalone ? Il a été piégé par quelqu'un.

— Par qui ?

*
* *

Devant le café, Noémie marchait de long en large, le commandant Roze à l'autre bout de la ligne.

— Elle ne veut parler qu'au procureur, l'informat-elle.

— Ça peut se comprendre. Mais vous, comment êtes-vous tombée dessus ? Je vous croyais à Paris pour votre entretien psy et je vous retrouve en Espagne.

— C'est une longue histoire. Désolée d'avoir dû vous mentir.

Et d'un coup, Chastain changea diamétralement de stratégie.

— Mais vous pouvez avertir tout le monde, maintenant.

— Vous parlez de votre équipe ?

— Non, tout le monde. Le maire, Saint-Charles et même la mère de Milk si vous voulez. Nous serons de retour ce soir dans la nuit. Vous prévenez le proc ?

57

Noémie installa Elsa dans la seconde chambre de la maison du lac qui, vu sa petite taille, devait certainement avoir été celle de Romain Valant lorsqu'il était enfant.

— Tu sais que ça va être une drôle de journée, demain ?

— Je l'attends depuis tellement longtemps ! Revenir ici et, grâce à votre enquête, dire enfin la vérité…

Noémie jeta un drap et une couverture épaisse propres sur le lit.

— Tu pourrais me parler maintenant, tu sais.

— Je me méfie de la police, même si j'ai envie de croire en votre bonne foi. C'est juste que vous êtes un simple maillon, et si vous, vous êtes un maillon honnête, le reste de la chaîne est pourri. En parlant directement au procureur, j'évite le téléphone arabe. Rien de ce que je dirai ne sera modifié, biaisé, tronqué ou dissimulé.

Après vingt-cinq années de cache-cache, la gamine était devenue farouchement anti-flics et même Chastain pouvait le comprendre.

— Je te laisse t'installer. La salle de bains est juste à côté. On ouvre une bouteille de vin et on t'attend au salon ?

— Passer une soirée avec des flics ! Chez une flic ! J'aurais pas parié dessus il y a deux mois, s'amusa Elsa.

— J'aurais pas parié sur toi il y a douze heures, rétorqua Noémie.

Elle s'apprêtait à quitter la chambre quand la jeune disparue lui posa une dernière question.

— Comment va Mme Saulnier ?

— Pour elle, tu n'es jamais partie, avoua Chastain. Elle pense encore vivre avec toi.

— Je voudrais aller la voir.

— Si tu penses que c'est bien pour elle… Tu décideras demain. Mais chaque chose en son temps.

Noémie ferma doucement la porte derrière elle et, avant de retrouver Hugo, passa dans sa propre chambre. Sans en allumer la lumière, elle se dirigea vers l'armoire où se trouvait sa mallette, qu'elle ouvrit. Puis elle fit glisser ses doigts sur le métal froid de son pistolet et lui parla comme à un vieil ami trop longtemps délaissé.

— C'est une belle soirée pour se retrouver, tu ne penses pas ?

Noémie se servit un verre, le dos contre le feu encore timide de la cheminée.

— Même si je la vois, j'ai encore du mal à y croire.

Hugo restait silencieux. Silencieux ou contrarié ?

— Tu fais la gueule ? demanda-t-elle.

— Non, bien sûr que non. Je suis seulement un peu perdu. D'abord tu joues les flics infiltrés, à

330

cacher l'avancée de l'enquête à ton équipe, ensuite tu balances au village entier la découverte d'Elsa Saulnier en Espagne. Ça n'a pas de sens.

— J'imagine qu'au bureau les garçons n'ont pas dû comprendre non plus quand Roze les a informés de notre petit détour ibérique. Mais c'est uniquement parce que je dois changer de méthode. Presque aucun flic n'a bossé sur des *cold cases*. Il n'y a pas de technique particulière parce qu'il n'y a plus aucune preuve, ni indice. On doit imaginer, supposer, mettre en ordre et défaire pour ordonner différemment, mais de manière toujours crédible. Il faut que je trouve la bonne histoire et Elsa ne peut m'en raconter qu'une toute petite partie. Si son père est innocent dans cette affaire, elle peut nous expliquer de quelle manière et pourquoi il a dû fuir Avalone. Mais ça n'explique pas la mort de Cyril et d'Alex, les coups de feu sur Valant, l'incendie de sa ferme, l'Africain découvert dans la tombe surnuméraire et la bagnole mystérieuse qui m'a envoyée compter les fleurs dans le ravin. Ajoute qu'à chercher Casanova pour découvrir Elsa il y a une autre question qui a été soulevée.

— Et je dois deviner ou tu vas me le dire ?

— La stèle de son père porte un faux nom : Chapiro. Il a bien fallu la commander et, pour cela, ils ont reçu l'aide du prêtre et du responsable du cimetière.

— Jusque-là, je te suis.

— Dans le même ordre d'idées, une fois que le corps de notre inconnu africain a été balancé dans un trou du cimetière d'Avalone, qui a commandé la stèle et la pierre tombale au faux nom de Pauline Destrel ?

Hugo accusa le coup, comme si par cette simple question, c'était l'ensemble du décor autour de lui qui avait changé.

— Tu penses à Casteran ? finit-il par proposer.

— Lui, ou son successeur au poste de gardien. Il est de toute façon trop tôt pour les mettre sur le gril. Des tas de sons de cloche ne font pas une musique, il faut d'abord les accorder.

— Et tu penses qu'en informant tout le monde de l'existence d'Elsa il va y avoir des réactions ?

— C'est exactement ça. Son retour doit foutre une peur bleue à celui qui est mouillé dans l'affaire. J'espère du mouvement, des actions irréfléchies, des réflexes de peur, des comportements suspects. Le village va bouger ce soir et demain. Les pions vont danser sur l'échiquier et il nous suffira d'être vigilants.

— En gros, tu essaies de créer de nouvelles preuves ?

— Je n'ai pas vraiment d'autre choix.

Il vint à son côté pour profiter des flammes, passa son bras autour de ses épaules, laissa glisser sa main dans le dos de Noémie et suspendit son geste au contact du métal.

— Le flingue sous ton pull, ça ne me rassure pas.

— Je t'avoue que l'on vient juste de refaire connaissance, lui et moi, mais je ne crois pas à l'affrontement direct. Personne ne viendra ici. Si ça bouge, ce sera dans Avalone. Ce n'est pas moi leur ennemi.

— Alors pourquoi cette précaution ?

— Parce qu'il y a quelques mois je pensais interpeller un dealer, le placer en garde à vue, l'envoyer en prison et rentrer chez moi pour attendre ma médaille. Mais jamais rien ne se déroule comme on l'imagine.

Picasso s'était collé sous le moteur encore chaud du Ford. D'ici une heure ou deux, il viendrait chouiner à la porte de sa maîtresse qui ne résisterait pas long-temps avant de lui ouvrir.

À une vingtaine de mètres de là, derrière la maison, la porte qui menait au sous-sol et à la chaudière était ouverte. Une silhouette la referma prudemment avant de quitter les lieux le plus discrètement possible.

La bouteille fut finie en quelques verres et le feu mourut tranquillement sans qu'on l'alimente davan-tage. Elsa leur souhaita une bonne nuit, même s'il y avait fort à parier qu'elle ne fermerait pas l'œil, inca-pable de se calmer à la veille des révélations qu'elle allait asséner à tous.

Hugo débarrassa la table basse des quelques reliefs qu'ils avaient grignotés et, en descendant l'escalier vers la cuisine, dut se tenir un instant à la rambarde, vic-time d'un léger étourdissement. Presque douze heures de voiture dans les jambes et un petit marcillac plus efficace que prévu pouvaient expliquer ce vertige et il se ressaisit rapidement. Il déposa les couverts dans l'évier, manqua de perdre l'équilibre à nouveau et laissa échapper un verre qui se cassa au sol. Le bruit, étrange, sembla se répercuter sur les murs sans pouvoir s'arrêter. Il se baissa pour ramasser les éclats les plus gros, puis en toute hâte, attrapa la poubelle pour vomir dedans. Un dernier hoquet douloureux et il resta assis à même le sol, incapable de bouger, les yeux grands ouverts.

Noémie ! pensa-t-il avant toute chose.

Dans la salle de bains, Noémie rangeait les affaires de toilette qu'elle avait prévues dans l'éventualité d'une nuit espagnole. Derrière elle, près de la douche, elle entendit un bruit et se retourna. Une ombre se dessina derrière le rideau. Elle l'écarta d'un coup sec en faisant s'entrechoquer les anneaux sur la tringle et découvrit, dans une eau saumâtre, un squelette flottant. Un violent étourdissement lui donna l'impression que l'on projetait le sol sur elle et elle se retrouva le visage contre le carrelage, dont elle voyait maintenant les moindres détails, comme sous un microscope. Un étage en dessous, elle entendit un verre se briser dans la cuisine. Hugo !

Elle ferma un poing et le posa fermement sur le sol. Puis fit de même avec le second et se décolla avec autant de peine que si elle s'extrayait de sables mouvants. Elle chuta à plusieurs reprises alors qu'autour, les murs se mettaient à fondre. Par la baie vitrée du salon enfin atteint, elle aperçut un monstre hideux et difforme qui sautait partout en hurlant. Elle fit un pas de plus, et s'écroula.

Dehors, Picasso, affolé, aboyait à tout rompre. Lorsqu'il vit Noémie s'effondrer, il se mit à hurler comme un loup. Il recula, courut et percuta de plein fouet le double vitrage qui ne céda pas. Projeté à terre, étourdi, il recommença et se fracassa le museau à la seconde tentative manquée. La gueule en sang, le flanc endolori, il fila en boitant et disparut dans la nuit.

Hugo avait trouvé la force de se traîner sur le sol et de se hisser une marche après l'autre pour retrouver

Noémie. Elle n'était pas évanouie, seulement immobile, toujours consciente. Sans plus d'énergie, il tomba lourdement, inanimé. La vision d'Hugo si mal en point sortit Chastain de sa torpeur. Elle fit glisser son bras, lourd comme le plomb, jusqu'au creux de ses reins, dégagea son arme et pria pour que sa main ne tremble pas. Le canon, droit comme l'horizon, ne vacilla pas d'un millimètre et elle tira deux fois. Le premier projectile traversa la baie vitrée de part en part, ne laissant de son passage qu'un minuscule trou. Le deuxième l'étoila largement. Le verre se fissura en trois éclairs, mais le double vitrage tenait toujours bon. Elle tenta d'appuyer une nouvelle fois sur la détente mais l'arme lui échappa et termina sur le plancher. Avalone garderait son mystère et Noémie regarda Hugo une dernière fois.

Puis la baie vitrée explosa en mille éclats.

Deux mains puissantes la soulevèrent et elle se sentit emportée à l'air libre dont elle remplit ses poumons. Elle vit un homme, de dos, retourner dans la maison, un foulard enroulé autour de sa bouche, et se saisir du corps d'Hugo. Lorsqu'il le déposa à son côté, Noémie reconnut Vidal, son voisin légionnaire. Picasso, reconnaissant, sautillait tout autour de son ancien tortionnaire.

— Elsa…, réussit-elle à chuchoter.

Vidal entra de nouveau et, quelques secondes plus tard, apparut en ombre chinoise, un corps de jeune fille sur les épaules qu'il déposa doucement sur l'herbe, inanimé.

Hugo reprit connaissance après quelques respirations. Il réussit péniblement à rejoindre Noémie, qui s'approchait du corps sans vie d'Elsa. Elsa et tous ses secrets.

— C'est un empoisonnement, articula-t-il avec difficulté.

Noémie plongea la main dans sa poche pour en sortir son portable. Elle composa le numéro des pompiers malgré sa vue encore trouble. Même la simple lumière de son écran de téléphone désormais brisé lui brûla les yeux.

— C'est l'air de la maison, poursuivit Hugo. Et si c'est un empoisonnement, il continue à agir. Ils n'arriveront jamais à temps.

Hugo se tourna vers Vidal et lui désigna le garage.

— Ma voiture. Bouteille d'oxygène pur.

L'homme fonça et réapparut avec toutes les bouteilles qu'il avait trouvées dans le coffre du Ford et qui, dans ses bras puissants, n'avaient pas l'air plus lourdes que des brindilles. Il les déposa devant Hugo qui repoussa les bouteilles d'air comprimé destinées à plonger et attrapa celle réservée aux cas d'urgence, lors des accidents de décompression, remplie d'oxygène pur. Il colla le détendeur dans la bouche d'Elsa qui, inspiration après inspiration, revint doucement à elle. Lorsqu'elle ouvrit les yeux, le détendeur passa de l'un à l'autre, Noémie, Hugo, Elsa, dans l'attente des secours.

Les gyrophares illuminèrent d'abord l'intérieur de la forêt, puis apparurent enfin sur le chemin de la maison du lac. Noémie regarda autour d'elle, mais Vidal avait déjà disparu. Picasso fouettait l'air de sa queue et elle arracha une touffe d'herbe grasse pour essuyer son museau qui saignait encore un peu.

— Toi aussi, on va te soigner, mon beau.

Il fourra sa truffe humide dans le cou de sa maîtresse et posa une patte sur son ventre comme s'il
devait encore la protéger.

— N'en profite pas, saloperie, lui dit-elle en le
repoussant affectueusement.

Ce soir-là, pour leur sauver la vie, il avait fallu un
chien tout déglingué, une brute à la main lourde et
l'oxygène pur d'un plongeur.

58

À 2 heures du matin passées, le médecin de garde des urgences de l'hôpital de Decazeville consulta le dossier de ses nouveaux arrivants et reconnut, parmi les trois identités, une patiente qu'il connaissait déjà.

— Noémie Chastain ? Elle se fout de moi ou quoi ?

Il traversa le long couloir qui menait aux chambres, toqua et entra sans attendre de réponse.

— La campagne n'est pas bonne pour tout le monde, à ce que je vois. Vous n'aimez pas la vie, c'est ça ? Vous n'avez plus de voiture alors vous passez au suicide collectif au monoxyde de carbone ?

Après avoir ouvert toutes les fenêtres et les portes, les pompiers étaient allés vérifier le sous-sol et avaient découvert plusieurs traces de pesées sur la chaudière. Une dégradation assez importante pour provoquer une mauvaise évacuation des produits de combustion. Ainsi, la plus grande partie des fumées, inodores, incolores et non irritantes, avaient été dirigées vers l'intérieur de la maison.

— Ce n'était toujours pas un accident, doc' !

— Si vous le dites… Mais je vais avoir de plus en plus de mal à vous croire.

Il tourna les pages du dossier et lista avec eux les symptômes de l'empoisonnement.

— Nausées ? Vertiges ? Hallucinations ?

— Vous pouvez cocher les trois, confirma Hugo.

— L'idée de l'oxygène pur, c'était de qui ?

— La mienne.

— Bien joué. Il a accéléré la dissociation du monoxyde de carbone de l'hémoglobine. Vous êtes du métier ?

— Juste plongeur pour la police. Je m'y connais un peu en empoisonnement du sang.

— Bon réflexe. Mais vous n'étiez pas trois dans cette histoire ?

— Mlle Saulnier est juste à côté, précisa Noémie.

Chastain patienta quelques minutes pour s'assurer de ne pas interrompre l'examen médical d'Elsa et se décida à aller la voir dans sa chambre.

— Les pompiers m'ont parlé d'empoisonnement de l'air. On a essayé de nous tuer ou je rêve ? l'accueillit la jeune femme.

— Ce n'est malheureusement pas une première pour moi, avoua Noémie. À dire vrai, c'est la troisième fois en moins de quatre mois.

— Bon rythme. Respect.

— Et les deux dernières tentatives étaient pour me faire arrêter cette enquête. Alors ? Ça te va comme preuve de ma bonne foi ?

— Faudrait être difficile. Je m'excuse. Et je vous remercie aussi.

— Je n'y suis pas pour grand-chose. Des croquettes pour mon chien et on sera quittes.

Chastain ferma la porte pour plus d'intimité et s'assit sur le lit.

— Écoute, Elsa, il est 2 heures et demie du matin. Je ne vais pas pouvoir attendre le lever du jour et un trajet jusqu'au procureur du tribunal de grande instance pour apprendre l'histoire de ton père. À l'heure qu'il est, tout le village sait que tu es revenue et je dois être à l'écoute du moindre frémissement. Les événements risquent de s'accélérer et, si je ne connais rien de la mélodie, je ne saurai pas discerner la fausse note. Tu me comprends ?

La lumière blanche émanant du plafond donnait à l'endroit un air désagréable de bloc opératoire ou de salle d'interrogatoire. Noémie alluma la lampe de chevet, éteignit le néon et l'atmosphère se fit plus propice aux révélations.

Elsa hésita un instant, à moins qu'elle ne cherche seulement par quels mots elle allait aborder un quart de siècle de mystification.

— J'aimerais vous dire que mon père était un ange, dit-elle, mais ce serait débuter par un mensonge. Mes parents étaient des gamins de vingt ans quand ils m'ont eue. Je n'ai pas été désirée, mais j'ai été gardée. Ils avaient tous les deux des addictions sévères et mon père s'est mis à braquer des petits commerces pour avoir de l'argent frais tous les jours. Jusqu'à ce qu'il se fasse attraper, qu'il recommence, qu'il se fasse de nouveau attraper et que ça finisse par agacer la justice. Entre un papa braqueur multirécidiviste en prison et une maman toxico, le juge n'a pas réfléchi longtemps et ils ont été déchus de leurs droits parentaux. À trois ans, j'ai été placée en famille d'accueil chez les Saulnier, à Avalone, loin de Paris.

— Comment ton père a-t-il retrouvé ta trace ?

— Il m'a vue à la télé, quand j'avais environ sept ans. Un reportage sur le début du chantier du barrage. Nous, on était en visite scolaire, comme tous les mois, pour voir l'avancement du projet. Le journaliste en a profité pour habiller son sujet et nous poser des questions. C'est là que je suis apparue à l'écran et que mon père m'a reconnue. À sa sortie de prison en 1991, il est donc venu chercher du travail dans la région, et c'est dans la plus grande exploitation agricole qu'il a été engagé. Chez Pierre Valant.

— Comme ouvrier saisonnier, si j'en crois l'enquête.

— Ouais, saisonnier la première année. Puis à plein temps, non déclaré, contre une paie au black et un des lits de l'annexe de la ferme. Ça arrangeait tout le monde. Un jour, Valant l'a croisé alors qu'il regardait d'un peu trop près la cour de récréation, et les enfants qui y jouaient. Mon père n'a pas voulu s'expliquer et Valant a réalisé qu'il ne savait pas grand-chose de son étrange ouvrier. Il s'est donc décidé à fouiller ses affaires. Affaires dans lesquelles il a trouvé une photo de moi. Avant d'appeler les flics, et aussi parce qu'il risquait d'avoir l'inspection du travail sur le dos, Valant a confronté mon père au sujet de la photo, et mon père lui a raconté son histoire. Son passé criminel qu'il avait laissé derrière lui. Son interdiction de me voir et même de m'approcher. Pendant longtemps, il m'a regardée grandir de loin et ça lui a suffi. Puis, quand mon père d'accueil est mort d'un bête accident, il a osé m'aborder. Je ne vais pas vous raconter comment une gosse de neuf ans prend comme un cadeau le retour de son vrai papa et comment on en est arrivés à se voir tous les jours en secret, juste avant le repas du soir, pour se raconter notre journée. Mme Saulnier pensait que j'étais avec Alex et Cyril, elle n'en a jamais rien su. C'étaient les années 1990 et nous étions à la campagne, les gosses faisaient les quatre cents coups jusqu'à la tombée de la nuit et ça ne choquait personne. Par contre, de notre rapprochement, Valant n'a jamais rien ignoré. Les deux hommes sont même devenus assez proches un temps.

— Proches ? s'étonna Chastain. Ce n'est pas du tout la manière dont il en a parlé lors de ses auditions.

— Ça, je n'en doute pas. La vérité est que mon père était même parfois invité à leur table pour le dîner. Mais un jour, en toute fin d'après-midi, Valant a déboulé complètement affolé dans l'annexe en disant à mon père que les flics allaient débarquer à la ferme, qu'ils l'avaient retrouvé, lui, Fortin, affirmant qu'ils allaient l'interpeller parce qu'il avait repris contact avec moi, que Marguerite Saulnier nous avait vus et qu'elle l'avait balancé à la police, qu'il allait retourner en prison, qu'il ne me verrait plus jamais, qu'il fallait qu'on parte au plus vite et qu'il allait l'aider.

Noémie interrompit cette avalanche de menaces un peu faciles.

— On prévient parfois l'employeur d'une interpellation mais c'est assez exceptionnel. En tout cas, cela n'apparaît nulle part dans la procédure. Ton père n'a pas trouvé ça louche ?

— C'est votre analyse de flic. Et à froid. Bien sûr qu'aujourd'hui j'ai compris que les flics n'ont jamais appelé Valant. Mais il faut voir cette histoire à travers les yeux d'un père qui a enfin récupéré sa fille et qui risque d'en être séparé de nouveau en retournant en prison. Toujours est-il que j'en ai beaucoup voulu à Marguerite de nous avoir dénoncés et qu'à notre rendez-vous du soir j'ai accepté de partir avec lui, en ne gardant que les vêtements que j'avais sur le dos. Valant nous a laissés prendre une de ses fourgonnettes et nous avons quitté Avalone sans nous retourner. Moi, j'avais un peu le cœur en miettes d'abandonner Alex, seulement mon papa était plus important. Mais le lendemain matin, quand nous sommes arrivés à Paris, ç'a été la douche froide.

— Le piège ?

— C'est ça. La radio et la télé ne parlaient que de nous. Enfin, de Fortin, surtout. Le monstre qui avait enlevé trois enfants dans un village de l'Aveyron. Les photos d'Alex, de Cyril et de moi tournaient en boucle et Fortin devenait l'ennemi numéro un. Il a donc fallu quitter la France, et une de ses connaissances a accepté de prendre la fourgonnette de Valant pour aller la brûler quelque part dans l'Est, alors que nous filions vers le sud, pour rejoindre l'Espagne.

L'intégration des nouvelles pièces du puzzle et le réagencement des informations étaient presque douloureux dans le cerveau de Noémie. Ainsi, le jour du meurtre d'Alex et de Cyril, Valant facilitait la fuite de Fortin avec Elsa en inventant une fausse intervention de police à la ferme. Et, de cette manière, Fortin devenait l'ogre de Malbouche. Mais, si Valant avait eu besoin de créer un faux coupable, c'est que, d'une manière ou d'une autre, il avait une responsabilité dans l'affaire. Cela pouvait-il expliquer l'incendie de sa grange et les tirs sur sa ferme ?

Perdue dans ses questionnements, Noémie sursauta lorsque Hugo ouvrit la porte à la volée, son portable à l'écran brisé à la main.

— C'est Valant !

— Comment tu sais ? s'étonna Chastain.

— Ton téléphone a sonné, c'est Valant, Romain Valant, ton adjoint. Il est chez son père. On vient de lui tirer dessus.

— Sur qui, putain ? Sur mon flic ou sur le maire ?

— Le maire.

— Et tu sais qui ?

— Bruno Dorin, si j'ai bien compris. Ils sont tous à la ferme. La situation est en cours, ils te demandent de venir. Bousquet passe te chercher. T'avais raison, ça bouge !

Noémie se leva d'un bond.

— Tu restes avec elle, dit-elle en désignant Elsa. Tu ne la quittes pas des yeux une seconde.

— T'es pas sérieuse ? protesta Hugo. C'est toi que je ne dois pas quitter des yeux !

— C'est le dénouement, je le sens. Je te jure que je ne risque plus rien. Et la parole d'Elsa est trop importante. Elle doit arriver jusqu'au procureur, sinon c'est toute l'enquête qui est réduite à néant. Je t'en supplie, fais-moi confiance.

Puis elle l'embrassa sur la bouche.

Pendant ce baiser, Hugo posa ses mains sur le visage de Noémie et, cette fois, elle posa doucement ses mains sur les siennes.

59

Avalone.
Ferme de Pierre Valant.
4 heures du matin.

À plus de cent kilomètres à l'heure sur les routes sinueuses de campagne, Bousquet tenta de comprendre un dénouement qui lui échappait.

— Vous foutiez quoi, encore à l'hôpital, capitaine ?

— Je t'expliquerai plus tard, si tu veux bien.

Presque vexé, Bousquet accepta tout de même de ne pas en savoir davantage.

— Tu fais la gueule ou t'es concentré ? demanda Noémie.

— C'est assez difficile de vous faire la gueule, vous savez. Vous avez envoyé des plongeurs sous le lac, puis vous l'avez fait vider, vous avez ensuite réussi à retrouver un nouveau cadavre dans le cimetière d'Avalone et, en grand final, vous retrouvez Elsa en Espagne. Alors je m'incline, parce que j'ai jamais vu un flic comme vous, et parce que j'imagine que vous savez exactement ce que vous faites.

— Je crois, répondit-elle, à moitié convaincue.

— Je vais m'en contenter.

Dans un nuage de terre, Bousquet pila dans la cour, face à la ferme Valant, illuminée par les seuls phares de la voiture et dont les fenêtres, récemment explosées au 8 mm, étaient protégées par des bâches en plastique.

— Vous êtes équipée ? demanda Bousquet en se dirigeant vers la porte d'entrée.

— Non. Mon arme est restée à la maison du lac. De toute façon, si on sort les flingues, c'est que je me serai mal débrouillée.

Elle poussa la porte et se retrouva dans le vestibule, au pied d'un escalier en demi-cercle. Là, les traces d'une altercation étaient encore visibles. Les bottes sales et les vestes chaudes gisaient à terre et un meuble était tombé au sol, déversant son contenu de photos sépia, de courriers et de factures, comme s'il avait été éventré.

— En haut, capitaine ! entendit-elle, reconnaissant la voix de Romain.

Arrivée à la dernière marche, elle embrassa la scène d'un coup d'œil. Le salon de Pierre Valant trahissait sa solitude. Dans un coin, une table basse devant une vieille télé laissait deviner de longues soirées monotones. Au centre, un bureau recouvert d'une pile de dossiers sur laquelle traînait une paire de lunettes à la branche cassée réparée avec du Scotch. Assis devant ce bureau, Pierre Valant se tenait la jambe, les mains ensanglantées. Posté derrière, Bruno Dorin, un fusil à la main, braquait le canon sur la nuque du maire. À un mètre d'eux, Romain avait visiblement

346

dû se séparer de son pistolet qui reposait maintenant à ses pieds. Les poings serrés, le visage empourpré de colère, il n'attendait qu'un moment d'inattention pour reprendre son arme, faire feu et libérer son père. Serge Dorin était assis sur un fauteuil élimé à larges accoudoirs, terrassé, comme spectateur, le regard dans le vide, et n'essayait même pas de retenir son fils.

La première question que posa Chastain déstabilisa tout le monde.

— Tu tiens le coup, Bruno ?

Valant, avec sa balle dans la jambe, la regarda, estomaqué. Un instant, le canon du fusil de Bruno se baissa mais, tout aussi rapidement, il se reposa au même endroit, menaçant.

— Il se fout de nous ! Ça fait vingt-cinq ans qu'il se fout de nous !

— Je sais. Elsa m'a tout raconté.

— Elle devait être morte, elle aussi, hurla-t-il, des larmes dans les yeux. Pourquoi elle est vivante ? Pourquoi, putain ?

— Parce que Valant l'a laissée partir avec Fortin. Son père.

La nouvelle figea l'assistance. Chastain devait profiter de cette courte fenêtre avant que le jeune homme commette l'irréparable. Elle n'aurait pas d'autre chance, tout devait s'imbriquer maintenant, même s'il lui manquait des éléments.

— Les gosses n'ont jamais été enlevés par Fortin, leur révéla-t-elle. Il est parti seul avec Elsa, à la demande de Valant, le jour de la supposée disparition d'Alex et de Cyril.

Bousquet et Romain se regardèrent, interdits. Paumés, ils n'avaient plus qu'à laisser leur capitaine aux commandes.

— Je vous parle, monsieur le maire. Pourquoi avoir inventé cette opération de police pour faire fuir Fortin ? Pourquoi le qualifier d'ouvrier saisonnier quand il a passé près de deux années complètes à se cacher chez vous ? Pourquoi lui avoir permis de partir avec Elsa et nous avoir laissés la chercher en creusant et en plongeant dans tout Avalone ?

Devant le silence de Valant, le canon du fusil le tapa plein fouet sur le haut du crâne. Un filet de sang coula et tacha le col de sa chemise.

— Parle ou crève ! aboya Bruno.

Le maire leva les yeux vers son fils, comme pour implorer son pardon à l'avance. Sa douleur à la jambe, il n'y pensait presque plus.

— Je l'ai fait pour Avalone, céda-t-il, incapable de répondre à toutes les accusations de Noémie. Je l'ai fait pour nous tous. Pour sauver le barrage. Pour sauver ce qui a permis au village de ne pas mourir pendant près de dix années. Les gosses n'ont jamais été assassinés, ni enlevés. Ils ont trouvé une entrée à travers une partie du grillage descellée. Ils sont allés jusqu'aux fosses des fondations, et ils sont tombés dans un trou d'une vingtaine de mètres.

L'un sur la tête, se souvint Noémie, provoquant une torsion de la colonne vertébrale. L'autre sur le dos, écrasant tout l'arrière de sa cage thoracique. Il n'y avait donc pas deux causes de mort différentes, comme le supposait le légiste, mais juste deux chutes différentes.

— Le chef de chantier a été averti par un de ses ouvriers et il a eu le choix, poursuivit Valant. Soit appeler la police, soit m'appeler moi, le maire. Je me suis battu pour ce projet, il savait bien que je ferais mon possible pour qu'il n'y ait pas de répercussions.

— Cacher cet accident juste pour un chantier ?

— Juste un chantier ? Mais vous ne comprenez rien ! La mort de deux gosses et c'est tout qui s'arrête le temps de l'enquête. Des millions perdus en retard pris. Tous les engins et des centaines d'ouvriers immobilisés. Encore des millions de dommages et intérêts. La responsabilité de Global Water Energy engagée pour un défaut dans la sécurité. Le projet entier fragilisé. Avalone menaçait de perdre son école, La Poste avait déjà fermé un an auparavant, le chômage nous bouffait, le village se désertifiait, c'était impossible. Permettre à Fortin de fuir à ce moment, avec son passé criminel, c'était la meilleure manière d'en faire un coupable idéal.

Noémie avança ses pions pour diriger Valant là où elle voulait, l'enfermant de plus en plus dans la suite logique des événements passés.

— Alors vous vous êtes retrouvé avec deux corps d'enfants à faire disparaître.

— Oui, et il fallait faire vite avant que le jour se lève et que le chantier reprenne.

— Sale soirée, Pierre, concéda Chastain. Pourquoi avoir choisi la maison communale d'Avalone ?

— Le déménagement des établissements publics avait déjà commencé mais, à ce moment-là, seule la maison communale avait été fermée, et les vieilleries qui restaient dedans n'avaient plus de valeur. Personne n'y retournerait, encore moins dans l'ancienne cave à charbon. Je suis allé chercher deux fûts plastiques dans ma grange, nous avons sanglé les corps et les avons fait remonter.

— Qui, « nous » ? demanda Chastain.

— Le chef de chantier et moi, précisa Pierre Valant.

Devant le silence de plomb qui accueillit ses propos, il poursuivit :

— Puis je suis allé à la maison communale pour y cacher les enfants. Ils étaient morts, on ne pouvait plus rien faire. Que l'on sache la vérité ou non, ça n'aurait rien changé à la peine des parents mais la vérité aurait mis l'avenir du village entier en danger.

Serge Dorin se redressa, une haine fatiguée dans les yeux.

— Pourquoi m'avoir dit qu'ils étaient enterrés sous le chantier, alors ?

— Parce que tout ne s'est pas passé comme prévu.

Noémie restait concentrée, à l'écoute de chacun de leurs mots, attentive à chacune de leurs attitudes, tapie comme un animal qui attend le bon moment pour jaillir. Elle planta ses griffes dans la rancœur de Dorin.

— Valant vous a donc assuré que les enfants étaient morts accidentellement sur le chantier et qu'ils y étaient restés. Mais vingt-cinq ans plus tard, quand votre fils Alex a été retrouvé à la surface du lac à plusieurs centaines de mètres de là, vous avez compris que quelque chose ne collait plus. D'où votre altercation au cimetière. Mais c'est la suite qui ne fonctionne pas. Pourquoi n'être pas allé aussitôt en parler à la police ? Vous n'aviez rien fait de mal. Balancer Pierre Valant, c'était la chose la plus simple à faire. À moins que vous aussi, vous ayez quelque chose à vous reprocher dans cette affaire. Quelque chose qui vous empêchait de parler aux autorités. Quoi qu'il en soit, vous avez tout de même réagi. Le lendemain de l'enterrement d'Alex, la grange de Pierre Valant était incendiée et on lui tirait dessus au 8 mm, comme si l'on se vengeait. Je pourrais prendre l'arme posée sur la nuque de Valant pour la faire analyser par la balistique, c'est d'ailleurs certainement ce que j'aurais fait avant. Mais je n'en ai pas besoin pour savoir que c'est avec elle que vous avez tiré sur la ferme, ce soir-là. Et qu'elle est chargée avec du 8 mm.

— Mon père n'a rien fait, l'interrompit Bruno, le fusil toujours braqué sur la nuque du maire. C'est moi qui ai voulu faire payer à Valant ses mensonges. C'est moi qui ai foutu le feu et c'est moi qui ai canardé sa maison.

Noémie sortit alors un de ses principaux atouts de sa poche.

— Sauf qu'il y a une information que j'ai gardée pour moi, annonça-t-elle. La balistique a révélé que la munition retrouvée dans l'appuie-tête de la voiture de Pierre Valant porte les mêmes rayures que l'ogive retrouvée dans le crâne de notre Africain inconnu. Bruno, vous n'aviez que huit ans à l'époque. J'en déduis qu'à l'autre bout du canon du fusil se trouvait votre père.

Noémie se tourna alors vers Serge Dorin.

— Ainsi, le soir où vous apprenez que votre enfant a chuté dans un trou de vingt mètres, vous abattez cet homme ? C'est peu cohérent. Vous irez en prison pour ça, mais vous ne prendrez pas une année de plus si vous me racontez comment vous êtes devenu un assassin. Et surtout, par la faute de qui ?

Les mots « assassin » et « prison » touchèrent Serge Dorin plus douloureusement que deux balles tirées en plein ventre. Il se leva, furieux et accusateur, le regard rivé sur Valant qui ne réagissait plus, comme s'il avait accepté d'être exécuté.

— Valant ne m'a jamais parlé d'un accident. C'est un meurtre qu'il est venu m'annoncer ce soir-là. Avec ma femme, nous avions cherché Alex une bonne partie de la nuit, dans la forêt, dans les champs, partout où il aimait s'amuser. Pierre est venu me voir, il m'a dit que mon gosse avait été tué par un ouvrier, qu'il savait où le trouver, qu'il avait été prévenu par le chef de chantier qui hésitait à appeler la police. Mais, pour un père, quand on lui annonce que son enfant est mort, la police, il n'en a rien à faire. J'ai pris mon fusil, je suis monté dans sa voiture et nous sommes allés là-bas, vers les baraques du chantier. Valant m'a montré l'Africain, enfermé dans l'une d'elles. Quand nous sommes entrés, il était déjà terrifié, avec des larmes dans les yeux. Ça m'a rendu fou. Je lui ai sauté dessus, je l'ai frappé, je lui ai demandé où était mon fils, mais il répétait à chaque fois la même chose. « Moi c'est Sékou. » Et plus il répétait cette phrase, plus je le cognais avec rage.

Sékou. Le pauvre type qui avait découvert les enfants dans l'une des fosses et qui avait prévenu le chef de chantier. Le pauvre type qui était devenu un témoin gênant et un homme à éliminer. Sékou. L'inconnu du cimetière avait enfin retrouvé son identité.

— Il vous a suffi des simples paroles de Pierre Valant pour croire que cet homme avait tué votre fils ? s'étonna Chastain.

— Non. Évidemment. Il avait trouvé ça, dans son casier.

Serge Dorin fouilla sa poche de pantalon, puis jeta sur la table un lourd bracelet d'argent. Une gourmette au nom d'Alex. La gourmette.

— Quand il me l'a montrée, je suis devenu quelqu'un d'autre. Je n'avais plus de place que pour la haine. Cet homme devait mourir, pour Alex, et de mes mains. Nous nous sommes éloignés vers une zone à l'écart des baraquements, j'ai posé le canon du fusil sur sa tête et j'ai été incapable d'appuyer sur la détente. Je voulais d'abord voir mon fils. C'est là que Pierre a parlé. Il m'a dit : « C'est un nègre assassin. Il n'a que ce qu'il mérite. Dieu seul sait ce qu'il leur a fait subir avant de les tuer. » J'ai imaginé mon enfant dans ses bras. J'ai regardé sa gourmette. Et j'ai tiré.

Chastain visualisa le mur de son bureau et cette photo de Mme Jeanne Dorin, pendue à la poutre de la grange, apprêtée de tous ses bijoux et de la gourmette.

— Comment s'est-elle retrouvée en votre possession, monsieur Valant ?

— Pendant le transport des corps, elle a dû se détacher. Je l'ai ramassée sur le tapis de sol, à l'arrière de ma fourgonnette. Les enfants étaient déjà dans des fûts, à la cave, je n'ai pas voulu y retourner. Je l'ai gardée avec moi. Et je l'ai sortie au bon moment, pour faire accuser l'Africain.

— Et comment s'est-elle retrouvée ensuite au poignet de votre femme, monsieur Dorin ?

— Juliette Casteran et Marguerite Saulnier sont devenues folles d'angoisse à l'annonce de l'enlèvement de leurs enfants. Folle tout court pour la vieille Saulnier. Ma femme suivait ce chemin, je ne voulais pas ça pour elle. Je voulais qu'elle sache, qu'elle puisse essayer de vivre avec, et ne plus passer chaque seconde de la journée à côté du téléphone, comme s'il était une ligne de vie. Alors je lui ai tout raconté quelques semaines plus tard. Et je lui ai donné la gourmette pour lui prouver que je disais vrai. Ce jour-là, je lui ai passé la corde au cou sans même le savoir.

— Bruno semble aussi connaître la vérité, puisqu'il a tiré sur la ferme de Valant. Vous lui avez tout avoué, malgré la réaction de votre femme ?

— Pour lui, c'était différent. Il a dû grandir avec un frère fantôme et une mère suicidée. Son adolescence a été très compliquée. Drogue, violence et dépressions, c'était une autre forme de suicide. Un soir, aidé par pas mal d'alcool, j'ai décidé de lui raconter. J'avais tué l'assassin d'Alex, il ne restait plus de place à la vengeance. Il fallait vivre et pas se détruire à petit feu comme il le faisait. Après ça, Bruno s'est assagi et il a mis toute son énergie dans notre exploitation. Le sujet d'Alex n'est jamais revenu dans les conversations. La page était tournée. En tout cas, nous faisions comme si.

Noémie recentra rapidement le flux des paroles vers cette nuit, sur le chantier. Comme lors d'une confrontation, il ne fallait laisser ni à Dorin ni à Valant le temps de s'adapter à leurs déclarations respectives.

— Valant transforme donc son témoin gênant en assassin et vous provoque pour que vous l'abattiez. Évidemment, Sékou pouvait parler, se confier, faire chanter Global Water Energy. Ça se tient. Toujours est-il qu'après ce meurtre, vous vous retrouviez avec un corps à faire disparaître hors du chantier, et plus question de perdre du temps à chercher à voir votre fils une dernière fois. Il fallait trouver une planque au plus vite où personne ne pourrait le trouver. Mais justement, pourquoi ne pas l'avoir enterré sur place ?

— Déplacer les corps des enfants en pleine nuit, c'était sans risque, répondit Valant. Mais à ce moment-là, l'aube se levait, nous n'avions pas le temps de déplacer l'Africain ni de creuser un trou.

— Vous avez donc décidé de vous rendre au cimetière d'Avalone.

— C'est le seul endroit qui nous est venu à l'esprit. Les forêts peuvent être rasées, les maisons détruites, les champs labourés, mais les cimetières, personne ne touche jamais aux cimetières. Sauf en cas d'inondation d'un village, bien sûr, mais ça ne risquait pas de nous arriver une seconde fois.

— J'imagine que c'est là qu'intervient André Casteran ? Lui aussi venait de perdre son fils et Valant lui a servi la même histoire de « nègre tueur » pour qu'il vous fasse une place dans son nouveau cimetière.

Valant leva enfin les yeux et trouva le courage de croiser le regard de Dorin.

— Non. André n'a rien fait, assura le maire. Nous avons seulement profité du déménagement des tombes.

La tombe de Casanova, celle de Dom Juan, mais surtout celle de Fortin, sous le faux nom de Chapiro, revinrent à la mémoire de Chastain et s'insérèrent parfaitement dans sa démonstration.

— Impossible, objecta-t-elle. Balancer un corps dans un trou, vous pouviez le faire en secret. Mais il y a une pierre tombale, et une stèle, gravée à un nom inventé. Il a fallu obligatoirement la participation du gardien du cimetière, monsieur Casteran, pour qu'elles soient commandées sans acte de décès. Vous savez, Casteran tremble à partir de 10 heures du matin. Quarante-huit heures de garde à vue au régime sec et il devrait craquer sans efforts.

Les deux hommes restèrent silencieux et Chastain considéra cela comme un aveu suffisant.

— De cette manière, monsieur Valant, vous avez éliminé votre témoin, et avec ces deux pères aveuglés par la douleur, vous vous êtes construit deux complices qui, à aucun moment, même lorsque l'on a découvert les enfants à l'opposé de là où ils devaient être, ne pouvaient contacter la police sans se retrouver avec une affaire d'homicide sur le dos.

— Je ne suis pas un cerveau criminel. Tout ça s'est fait sur le moment, sans presque y réfléchir. Des réflexes de survie. Un immigré sacrifié contre l'avenir de mon village et celui de tous les gens qui m'ont donné leur confiance. Cela m'a paru presque juste à l'instant.

— Le juge appréciera certainement. Mais, si vous avez réussi à les persuader de la culpabilité de ce pauvre ouvrier, pourquoi organiser la fuite de Fortin ?

— Je savais que l'affaire allait défrayer la chronique. Je savais aussi que nous avions sûrement commis tout un tas d'erreurs, que l'on remonterait facilement jusqu'à nous si on enquêtait trop à Avalone. J'ai offert Fortin en pâture aux flics ; ils ont cherché partout, sauf ici.

— Malheureusement pour vous, j'ai commencé à fureter autour du cimetière et ça vous a fait peur. Assez pour m'envoyer dans le décor. C'est bien sûr l'un de vous. Casteran, Dorin ou Valant. Et je me fous de savoir qui, puisque vous avez imaginé ça à trois. Mais, si je sais une chose, c'est que quelques mois derrière les barreaux anéantiront votre fragile entente. Vous parlerez, vous vous accuserez, vous rejetterez les responsabilités les uns sur les autres, comme ils le font tous.

Pour la première fois, Serge Dorin osa faire face à la capitaine.

— Vous aviez prévu de fouiller le cimetière après avoir découvert qu'il y avait quelque part une tombe en trop. Vous alliez découvrir l'Africain. Il fallait juste mettre l'enquête en pause quelque temps pour nous laisser déterrer le corps. J'ai pris ma fourgonnette. J'ai choisi de le faire. Mais ça n'a servi à rien, vous aviez sécurisé le cimetière.

— Vous auriez pu vous douter que je n'allais pas laisser l'endroit sans surveillance.

— Nous ne sommes pas des pros. On a réagi comme on se noie, n'importe comment, à la va-vite. Mais je vous jure qu'on ne voulait pas vous tuer.

— Une chute de cent treize mètres, il y avait quand même des risques. Mais j'aime à penser que je suis devenue immortelle. Surtout depuis ce soir et cette seconde tentative d'homicide.

Bousquet et Romain se regardèrent, interdits et interrogateurs, comme si chacun cherchait à deviner ce que l'autre savait.

— C'est pour ça que je suis allé vous récupérer à l'hôpital ? demanda Bousquet.

— Exact. Empoisonnement au monoxyde de carbone à la maison du lac. Et j'en arrive à ma déduction la plus simple, monsieur Valant. Si vous êtes capable de cacher un accident au bénéfice du bon déroulement du chantier du barrage, si vous êtes capable de faire tuer un innocent juste parce qu'il a vu les gosses dans une des fosses des fondations, et si vous pouvez faire accuser Fortin et le forcer à se cacher toute sa vie pour diriger l'enquête hors d'Avalone, j'imagine que rentrer dans votre propre maison et saboter votre propre chaudière pour qu'Elsa Saulnier ne puisse pas arriver jusqu'au procureur n'a pas dû vous poser trop de problèmes.

Une dernière fois, Valant baissa les yeux, écrasé par vingt-cinq longues années d'une vie de mensonges et de secrets.

— Bruno, conclut Noémie. Tu connais maintenant toute la vérité et il y a deux chemins qui s'ouvrent à toi. Sur le premier, tu tires une balle dans la tête de Valant et je te promets que je t'en voudrais pas trop…

Romain, ahuri de tout ce qu'il avait entendu, se laissa gagner par la peur. Valant était un raciste, un salaud, un menteur, un assassin, mais il était toujours son père.

— Mais ce chemin t'emmènerait vers vingt ans de prison, poursuivit Chastain. Sur le second, tu baisses ton arme et tu ne répondras que d'une dégradation par incendie. Le juge comprendra ton histoire et tu ne feras pas un seul jour de détention. Maintenant, choisis, mais choisis vite.

Serge fit un pas vers lui.

— Je vais avoir besoin de quelqu'un à la ferme, fils. Ne gâche pas ta vie pour nous.

Bruno baissa le canon de son fusil. Son père lui retira doucement l'arme des mains et la tendit à Noémie. Calmement, Bousquet attrapa ses poignets et passa les menottes à Serge Dorin.

— Dépose-le en cellule au commissariat, ordonna Chastain, réveille Milk et foncez chez Casteran.

Elle se dirigea ensuite vers Romain, les bras ballants, incapable de réagir.

— Accompagne Bousquet au service, je me charge du reste.

Elle se tourna enfin vers le maire et l'aida à se relever.

— Debout, on retourne à l'hôpital.

L'aube accueillit Noémie et Pierre Valant, menotté, alors qu'ils sortaient de la ferme. La ligne des arbres de la forêt était encore légèrement brumeuse et à quelques mètres se dessinait la silhouette des restes de la grange, dévorée par les flammes.

Malgré les instructions de sa capitaine, Romain n'était pas monté dans la voiture de Bousquet. Il attendait Noémie appuyé contre le capot de sa voiture, le regard sombre. En douceur, elle installa Valant à l'arrière et ferma la portière avant de retrouver son adjoint.

— Ç'a été un peu violent, tout ça…

— Ouais, un peu, concéda-t-il, les mâchoires serrées.

— Tu m'en veux parce que je l'ai joué en solo ?

— Tu pouvais difficilement être moins réglo.

Si Noémie avait réussi à se mettre dans la tête des suspects, elle pouvait faire de même avec son adjoint dont elle venait d'interpeller le père. L'agressivité de Romain était compréhensible et elle tenta de s'expliquer.

— Regarde le nombre de personnes impliquées et qui savaient tout depuis le début. Tu peux accepter que je me sois demandé à qui faire confiance.

À ces mots, son adjoint perdit le contrôle et frappa du plat de la main sur le capot.

— Mais on est ton équipe, merde ! La confiance, c'est justement ce qui nous tient !

Noémie sursauta face à cette violence inattendue.

— Calme-toi, Romain. Je sais tout ça. Mais la confiance, ça se gagne, et je ne suis là que depuis sept semaines.

Il respira un grand coup, comme pour évacuer un trop-plein de tension, et retrouva un semblant de maîtrise.

— Seulement ? J'ai l'impression que tu es arrivée sur le quai de la gare de Decazeville il y a des années.

Puis il se retourna vers son père, les poignets enferrés, son âme envolée, ne laissant plus qu'une enveloppe corporelle vide.

— Je voudrais assister à son audition, demanda-t-il.

— Tu ne pourras pas, je suis désolée. D'ailleurs, personne ici ne le pourra. Tu es lieutenant, en charge de cette enquête, et c'est ton père. Ajoute qu'en tant que maire il est le premier flic d'Avalone. Cette affaire va être obligatoirement délocalisée et le tribunal va saisir la PJ de Toulouse pour s'assurer d'une totale objectivité.

— Mon objectivité ? Que le procureur se rassure, si je pouvais le jeter moi-même en prison, je le ferais.

— Je sais. Rentre chez toi, va voir ta famille. Profite du peu de calme qu'il reste à Avalone avant que l'orage éclate.

60

Arrivée au commissariat de Decazeville, Chastain confia son prisonnier à Roze. Interpeller le maire allait faire trembler le village mieux qu'un séisme et le commandant ne prit aucun plaisir à diriger l'édile vers les cellules de garde à vue.

Épuisée par cette nuit sans sommeil, Noémie resta sur le perron et s'alluma une cigarette. Elle vit alors débouler la voiture sérigraphiée conduite par Bousquet et, lorsqu'il pila presque au frein à main, elle comprit qu'un nouveau problème venait s'ajouter à une liste déjà bien chargée.

Milk descendit du véhicule le premier et courut vers elle.

— C'est la merde, capitaine, on a fouillé toute la maison, Casteran n'est pas chez lui et, selon sa femme, à cette heure, il devrait encore cuver son vin.

— Qu'est-ce qu'on fait ? demanda Bousquet qui les avait rejoints. On lance des recherches, on met les brigades en tenue sur le coup ?

Noémie tira tranquillement sur ce qu'il restait de sa cigarette.

— Tout le monde est au courant du retour d'Elsa. Lui aussi, certainement. Il passe ses journées au bar, l'information a bien dû transiter par là. Il devait se douter que leur château de cartes allait s'écrouler.

— OK. Et ? chercha à comprendre Milk.

— Quelle heure est-il ? demanda Noémie, si fatiguée qu'elle n'avait même plus le courage d'attraper son portable.

— 8 heures.

— Alors vous foncez à l'hôpital récupérer Elsa pour l'emmener chez le procureur. Au passage, vous déposerez mon homme à la maison du lac si ça ne vous dérange pas. Dites-lui que je serai là dans une heure.

— Et Casteran ? rappela Milk.

— Je ne l'oublie pas. Il se doute que c'est sa dernière journée, et il lui reste encore une chose à faire. Laissez-moi m'en occuper.

*
* *

Noémie poussa les lourdes grilles en fer forgé du cimetière d'Avalone et emprunta l'allée principale. À dix mètres d'elle, André Casteran, les bras le long du corps, replié sur lui-même, regardait les deux porteurs faire descendre le petit cercueil de son fils Cyril. En tant qu'ancien gardien de cet endroit, il avait demandé ce service en urgence, sans public ni curé, et sans souhaiter s'expliquer davantage.

Chastain s'assit sur le muret et plongea les mains dans les poches de son manteau en attendant la fin de la cérémonie.

L'inhumation se termina rapidement et, en se retournant, Casteran aperçut la policière. Noémie s'autorisa alors à aller à sa rencontre. La flic et le coupable se saluèrent comme deux vieilles connaissances.

— Bonjour, capitaine.

— Bonjour, André.

Ils restèrent côte à côte, face à la tombe.

— Vous m'avez fait une promesse, au sujet de ma femme.

— Ne vous leurrez pas. Cette affaire va faire trop de bruit. Elle apprendra la mort de votre fils d'une manière ou d'une autre.

— Et je ne serai plus là pour la soutenir.

— Oui. Désolée, ça se goupille mal.

Casteran serra la main du jeune gardien du cimetière et glissa un billet dans la poche de l'un des porteurs avant de les remercier. L'instant d'après, Noémie et lui étaient enfin seuls.

— Je sais bien que je suis complice pour l'Africain, même si je n'ai pas fait grand-chose. Et je savais aussi pour votre accident de voiture. Je m'y suis opposé. Je tenais à vous le dire. Mais quand ils ont pris la décision, j'ai laissé faire. Je ne vaux pas mieux.

— Je ne vous en veux pas, André.

— Vous devriez, pourtant.

— Un père qui a perdu son enfant. C'est tout ce que je vois.

Noémie glissa la main dans sa poche, sentit le contact froid du métal de ses menottes et changea d'avis.

— Vous me dites quand vous êtes prêt ?

— Encore une minute, si vous voulez bien.

— Le temps qu'il vous faudra.

61

Des promesses, Noémie n'en avait pas fait qu'à André Castéran. Après plus de quatre heures d'audition chez le procureur, Elsa avait été raccompagnée à Avalone et elle retrouva Chastain et le commandant Roze sur le perron de la maison de Mme Saulnier.

— J'avais davantage pensé à des retrouvailles en comité restreint, dit Elsa, contrariée, en détaillant de pied en cap ce policier qu'elle ne connaissait pas.

— Tu as trente-cinq ans, aujourd'hui, lui fit remarquer Noémie. Mme Saulnier ne connaît qu'une Elsa de dix ans. Je l'ai moi-même rencontrée deux fois et je ne suis pas sûre qu'elle sache qui je suis. Par contre, le commandant Roze n'a jamais quitté la région et elle l'a figé dans le temps, avec elle. Ça devrait la rassurer.

Un coup de sonnette et l'intérieur de la maison s'anima. Il se passa bien deux minutes entre le bruit du carillon et le moment où Mme Saulnier ouvrit la porte, comme si elle s'était perdue en chemin.

— Mon petit Arthur !

— Bonjour, Marguerite. Vous vous souvenez du capitaine Chastain ?

— Oui, oui, dit-elle avec une hésitation qui assurait clairement le contraire.

— Et voici une autre jeune femme que je voudrais vous présenter.

Il fit un pas de côté, révélant la présence d'Elsa. La revenante et la vieille femme se firent enfin face. Marguerite retrouva le sourire gêné des vieillards perdus. Elle rapprocha ses mains et entremêla ses doigts comme si elle voulait y faire des nœuds. Son regard s'embua, ses paupières se gorgèrent de larmes sans qu'elle sache réellement pourquoi. Puis, d'une voix fluette, elle leur proposa d'entrer.

C'est Arthur Roze qui, cette fois-ci, se dévoua pour faire un café, et il disparut derrière le rideau de perles de la cuisine pour laisser un peu d'intimité aux trois femmes, assises au salon.

Une partie du cerveau de Marguerite savait très bien qui était cette inconnue aux yeux si familiers. Mais, pour se protéger, cette partie était depuis si longtemps mise à l'écart et confinée que l'autre partie du cerveau l'empêchait d'y croire.

« À cause de son apnée du sommeil, j'ai passé deux ans à la regarder dormir », avait avoué Marguerite à leur dernière visite. Malgré le temps écoulé et un physique désormais adulte, il lui était impossible de ne pas être troublée.

— Merci de nous accueillir, dit Elsa.

La vieille dame lui caressa le dos de la main de ses doigts noueux, perdue dans la contemplation des traits de son visage. Elle respirait calmement, apaisée, le regard serein, comme si une longue attente angoissée venait de prendre fin.

— Il faut rester, souffla Marguerite. Il faut attendre le retour d'Elsa. Vous lui ressemblez comme une sœur. Mais elle n'en fait qu'à sa tête. Elle rentre quand elle veut. Vous voulez la voir ? J'ai tellement de photos. J'avais un appareil, mais je ne le retrouve plus. C'est embêtant, ça.

Une avalanche de sentiments contraires, de certitudes et de doutes. Elle perdait doucement pied et s'embrouillait dans une suite de phrases sans liens, un peu plus qu'à l'accoutumée. Elsa lui prit la main et la berça paisiblement.

— Bien sûr que je vais rester. Et bien sûr que je veux voir vos photos. Toutes vos photos, même.

— Alors ça va, se rassura Marguerite en se levant.

L'ancien Avalone reprit vie au cours de cet après-midi hors du temps, au fil des pages des albums écornés. La colle séchée ne retenait plus toutes les photos qui, parfois, tombaient en voletant jusqu'au sol ou sur la table.

— Je suis sûre que tous les garçons sont amoureux de vous, affirma la vieille femme en ouvrant le premier classeur. Exactement comme pour mon Elsa.

C'est toute une enfance qui se raconta alors, au gré des événements immortalisés. Roze avait pris place sur le large canapé au côté de Noémie et participait avec une nostalgie agréable à ce bond en arrière.

Une photo avec le trio rieur, Alex, Cyril et Elsa, à courir autour d'un chiot tout blanc. Des Noëls de toutes les années, avec des pulls d'hiver plus improbables les uns que les autres et des sapins surchargés de décorations. Alex et Elsa, main dans la main, en train de regarder des canetons à la surface d'une

367

mare. Une série d'anniversaires, de gâteaux colorés, de papiers cadeau arrachés, de petits invités déguisés pour l'occasion et de joues gonflées, prêtes à souffler les bougies, toujours plus nombreuses, page après page.

Sur l'une d'elles, à l'écart des autres enfants, un petit cow-boy avec son étoile de shérif argentée semblait malheureux. Sur une autre, caché dans un coin de la photo, le même enfant regardait Elsa comme on admire les étoiles, belles, mais trop lointaines pour qu'on puisse les toucher. Noémie le reconnut et posa la main sur la page afin que Marguerite ne la tourne pas encore.

— Le petit garçon, là, vous vous en souvenez ?

— C'est petit Romain, mon garçon triste, affirma Saulnier.

Elsa Fortin se pencha vers l'album, intriguée.

— Romain Valant ! Le fils du maire, dit-elle avec la voix dont on parle des souvenirs. Il n'est venu qu'une fois à la maison, au tout début, parce que j'avais invité la classe entière.

— Garçon triste. Je vous ai déjà entendu l'appeler de cette manière, madame Saulnier, reprit Noémie. Pourquoi triste ?

— Parce que l'amour rend les garçons tristes et les filles bêtes. Et lui aussi, il est très amoureux d'Elsa, jura Mme Saulnier, qui n'arrivait à parler des enfants qu'au présent. Elle vous le dira, quand elle rentrera.

— Et moi, je vous le confirme, assura Elsa. Le fils du maire, c'est comme ça qu'on l'appelait. Mon père ceci, mon père cela, il n'arrêtait pas de se vanter en disant que son père était le chef du village. Je me souviens qu'il fallait qu'on se cache pour qu'il ne puisse par nous suivre. Je ne sais pas s'il était triste, mais il était sacrément bizarre. Inquiétant, même.

Noémie fronça les sourcils, avec le désagréable sentiment d'avoir été baladée.

— Vous voulez dire que vous vous connaissiez ?

— Nous, pas spécialement, puisqu'on l'évitait. Mais il voulait faire partie de notre groupe. Pour être honnête, je crois qu'on l'a un peu maltraité, mais son côté harceleur nous foutait la trouille.

— Pardon de douter, mais vous êtes sûre de vous ?

— Bien sûr que je suis sûre, répondit Marguerite Saulnier à la place d'Elsa. Il l'attend même souvent à la grille et il part en courant quand il l'aperçoit. Trop timide pour lui parler, mon Romain. Mais ses petits cœurs, ils disent tout.

— Le cœur gravé sur le mur de l'école ? percuta Chastain.

— Et celui sur la pierre de ma maison. Mais aujourd'hui, je ne le retrouve plus. Il y était c'est certain.

— Ouais, le coup des cœurs, c'était vraiment flippant, confirma Elsa. Mais il y avait aussi les lettres, les dessins et les cadeaux sur le rebord de ma fenêtre. Je me souviens même que mon père est allé parler au sien, parce que Romain rôdait toujours autour de notre maison.

— C'est impossible ! s'emporta presque Noémie. Il ne vous connaît pas, il me l'a répété plusieurs fois.

— Alors il m'a oubliée, mais moi, je me souviens très bien de lui. Je m'en souviens d'autant plus que j'ai pensé à Avalone tout au long des premiers mois passés à Bielsa. Tout est resté gravé dans ma mémoire.

Romain voulait toujours nous emmener sur le chantier. Mon père ceci, mon père cela, mon père peut nous faire entrer quand je veux, je connais tous les endroits, c'est mon royaume. Si bien qu'à la fin il y était toujours fourré, dans son chantier, à se raconter des histoires d'horreur pour se faire peur.

Noémie resta tout simplement bouche bée et Roze, de son côté, n'arrivait pas y croire.

— Il n'a pas d'amis, le pauvre, l'excusa Marguerite. Il ne mérite pas ça. Il joue sans personne. Garçon triste. Vous auriez dû le voir, quand tous les enfants sont partis. Il est resté seul dans le village. Petit Romain. Lui aussi, il attendait le retour d'Elsa.

— Quand tous les enfants sont partis ? répéta Noémie.

Puis elle se leva d'un bond.

— Quand tous les enfants sont partis !

Sur le perron de la maison de Marguerite, Arthur Roze, qui s'était demandé ce qui pouvait lui arriver de pire que de placer en garde à vue le maire d'une de ses communes, commençait à avoir un début de réponse. Noémie, elle, était agrippée à son téléphone, furieuse et bouillonnante.

— Tu fonces aux locaux de *La Dépêche*, ordonnat-elle, c'est au bas de la rue Gambetta, et tu demandes après Saint-Charles. Je veux voir tous les numéros du journal de novembre à fin décembre 1994.

— Tu me rejoins ?

— Je fais au plus vite, Hugo.

Lorsqu'elle raccrocha, Roze lui fit part de sa perplexité.

— Pourquoi ne pas demander à Milk ou à Bousquet ?

— Parce que j'ai besoin d'eux pour autre chose. Romain Valant est normalement chez lui, envoyez-les sur place pour une surveillance discrète. Racontez-leur ce qu'on vient de découvrir, je ne veux plus les mettre à l'écart. Et si Valant sort, qu'ils le suivent. Moi, je dois vérifier un dernier détail avant de lui parler. On se retrouve là-bas, patron.

— Et Elsa ? On la laisse ici ?

— Non. Elle aussi je vais en avoir besoin.

62

Hugo et Saint-Charles se retrouvaient dans la salle de réunion du journal *La Dépêche*, dont la table centrale était recouverte des éditions demandées.

— On cherche quoi ? demanda Hugo à Noémie qui venait juste d'arriver.

— Un article sur une colonie de vacances, juste après la disparition des gosses. Donc après le 21 novembre.

— En quoi vous intéresse-t-elle ? demanda le journaliste sans lever les yeux de ses recherches.

— Je veux juste m'assurer de quelque chose.

— Vous savez que vous me devez une histoire ? lui rappela-t-il.

— Nous nous sommes serré la main, le rassura Noémie.

Concentré, Hugo ne les écoutait pas et feuilletait les vieilles éditions quand son geste se suspendit.

— La grande colonie. Des vacances pour oublier, annonça-t-il. Global Water Energy offre deux semaines de vacances à la montagne aux enfants d'Avalone. Le village se vide de toute sa jeunesse.

— C'est ça ! confirma Chastain. Il est daté de quand ?

— Du 5 décembre 1994. Je ne sais pas ce que tu cherches, mais il n'y a pas grand-chose d'autre, ni même de photo.

— Je sais. J'ai cet article sur le mur de mon bureau. C'est exactement pour trouver ce qui manque que nous sommes là.

Puis elle se tourna vers Saint-Charles, parfaitement conscient que quelque chose d'inattendu se passait dans le dénouement de l'enquête et qu'il était aux premières loges.

— Vous prenez tout le temps des photos, dit Chastain. J'espère que votre prédécesseur faisait la même chose. Et surtout, que vous les gardez.

— Bien sûr, affirma le journaliste. Notre journal, c'est la mémoire de nos villages. Nous archivons tout. Répétez-moi la date ?

Sur l'écran de l'ordinateur, Saint-Charles faisait défiler les photos. Celles utilisées, comme celles qui avaient été écartées, par manque de place dans l'édition du jour ou par manque d'intérêt. Ici, la réfection de la tour du fort d'Aubin. Là, le concours international de feux d'artifice. Enfin, la photo de tous les enfants d'Avalone, en groupe, le sourire aux lèvres, les bonnets bien vissés sur les têtes, devant le bus qui allait les emmener en vacances.

— Au risque de me répéter, ironisa Hugo, on doit trouver quoi ?

— C'est justement ce qu'il n'y a pas, que je cherche. Vous pouvez zoomer ?

— À vos ordres, obéit Saint-Charles.

373

Noémie fouilla dans sa poche et posa par-dessus le tas de journaux ouverts sur la table une photo volée dans l'un des albums de Marguerite Saulnier.

— C'est ce gosse que je serais étonnée de retrouver dans cette colonie.

Hugo regarda avec attention le cliché d'anniversaire.

— Il ressemble à ton adjoint.

— Parce que c'est lui.

Pour la deuxième fois, elle avait contrôlé un à un les visages.

— Et il ne fait pas partie du groupe.

Saint-Charles leva un sourcil enthousiaste, presque avide.

— Vous êtes en train de me dire que vous soupçonnez votre adjoint d'être mêlé à cette affaire ?

— Vous vouliez la primeur ? Ça commence maintenant.

Hugo gara son Ford tout-terrain à une vingtaine de mètres de la maison de Romain Valant, le cachant ainsi dans le coude d'un virage. Noémie attrapa la radio police coincée entre ses cuisses.

— Bousquet pour Chastain.

— Bousquet à l'écoute, je vous reçois cinq sur cinq, capitaine.

— Il a bougé de chez lui ?

— Non. C'est calme.

— Sa femme et sa fille sont avec lui ?

— On est dimanche, capitaine. La gosse a joué dix minutes dehors puis elle est rentrée. Aucune certitude pour la mère.

— OK. Je vais y aller seule, mais promis, je ne joue pas les héros. Dès que j'arrive devant la porte, vous vous rapprochez, mais jamais à vue. Reçu ?

— On vous lâche pas, capitaine.

— Roze pour Chastain, annonça-t-elle sur les ondes en changeant d'interlocuteur.

— Roze à l'écoute.

— Pas avant mon signal, d'accord ?

— Cinq sur cinq.

Noémie se prépara pour sa dernière passe d'armes, elle l'espérait. Hugo lui embrassa les mains avant qu'elle sorte de la voiture.

— T'as ton flingue ? lui demanda-t-il.

— J'ai mon équipe.

Elle ajusta son oreillette, mit sa radio en mode porteuse afin que tout le monde puisse l'entendre, et marcha calmement sur la distance qui la séparait de la maison. Dans les voitures en planque alentour, son souffle régulier s'entendait dans un grésillement, retransmis par la radio.

Un bref coup de sonnette, et quelques instants après, la porte s'ouvrit à peine.

— Salut, No, je savais pas que tu venais.

Chastain dut baisser le regard pour voir la petite.

— Salut, Lily. Disons que je passe à l'improviste. Ton père est là ?

Sans répondre, la gamine disparut en courant et en criant « papa » à tue-tête. Noémie contrôla sa respiration. Bruits de pas. Un escalier que l'on descend. Romain apparut alors sur le seuil.

— No ? Tout va bien ?

— Je viens juste voir comment tu vas. Ta femme est là ?

— Elle est à l'Auberge du Fort, elle prépare le service du soir.

— C'est une journée compliquée pour toi, j'imagine.

— Je suis encore en train de digérer tout ça, merci de l'attention. Tu veux rentrer boire un café ? Ou un truc plus fort, peut-être ?

— Non. On est bien, là.

Si Noémie avait du flair, Valant n'en était pas dépourvu, et il sentit immédiatement le flottement de sa capitaine. Ça, et l'oreillette radio qu'elle portait, reliée au fil qui disparaissait sous son manteau. Il regarda par-dessus Chastain, de gauche à droite, comme si le danger pouvait venir de n'importe où.

— Tu veux me parler de quelque chose, capitaine ? demanda-t-il, résolument sur ses gardes.

— Je suis venue te proposer un choix… Il y a deux chemins qui s'ouvrent à toi.

Romain entendait cette introduction pour la seconde fois de la matinée.

— Sur le premier, tu me racontes tout, sans que je te pose une seule question. Ça ne changera rien à la suite des événements, mais tu en sortiras la tête haute. Sur le deuxième, tu me forces à te faire parler.

— Tu m'inquiètes, No. Je sais pas du tout où tu veux en venir, là.

— D'accord, répondit-elle, déçue. Ce n'est pas le chemin que j'aurais choisi, mais d'accord.

Elle fouilla dans son manteau et en sortit deux photos qu'elle lui tendit. Celle d'un anniversaire et celle d'un départ en colonie.

— Tu connaissais Alex et Cyril. Encore plus Elsa, dont tu étais fou amoureux. Toi et tes petits cœurs de garçon triste. Tu m'as menti.

Romain s'assombrit aussitôt.

— Tu connaissais chaque endroit du chantier comme ta poche. C'était ton terrain de jeu, grâce aux contacts de ton père. Ton royaume, comme tu l'appelais. Tu m'as menti.

Romain regarda cette fois-ci derrière lui, comme s'il craignait que Lily puisse entendre.

— Tu n'es jamais parti dans cette colonie de vacances. Tu es resté seul au village pendant ces deux semaines. Tu m'as encore menti. Et tout devient plus clair, étrangement.

— J'espère pour toi, parce que je ne vois pas ce que ça change, la défia-t-il.

— Alors, si je me trompe, dis-moi simplement pourquoi tu t'es foutu de moi pendant toute cette enquête ? Je t'écoute.

Romain resta silencieux, incapable de s'expliquer.

Dernière passe d'armes, se dit Chastain. Dernière passe d'armes.

Le bras le long du corps, elle serra le poing et Roze reconnut le signal. Il démarra sa voiture, roula au pas jusque devant la maison de Romain et s'arrêta sans à-coup. La portière s'ouvrit et Elsa en sortit. Elle resta là, visible mais à bonne distance. Romain la fixa un instant, perdu dans le souvenir. Elsa et son visage qu'il n'avait jamais oublié…

Chastain profita de son trouble évident.

— On ne ment pas gratuitement. Et trois mensonges doivent certainement couvrir un secret bien lourd. Il n'y avait aucune raison pour que tu ne partes pas en colonie avec les autres gosses. Pourquoi te laisser seul à Avalone quand tous les enfants font des boules de neige en essayant d'oublier qu'on inonde leurs maisons et leurs chambres ? Tout simplement parce qu'un gosse de dix ans, ça parle. Ça se confie aux autres, et aux moniteurs. Ton père ne pouvait pas courir le risque de ne pas te garder sous son contrôle. Une parole malheureuse, et c'est toute sa machination fragile qui s'écroulait. Mais qu'est-ce que tu pouvais bien dire de si dangereux, si ce n'est que tu étais là au moment de l'accident ? Ton père n'a jamais voulu protéger Avalone, ni même le barrage. C'est toi qu'il a voulu sauver. Et je comprends mieux tout le mal qu'il s'est donné. Parce que c'est toi qui as emmené Alex et Cyril sur le chantier. Et ce secret qui vous liait de manière insupportable vous a séparés au lieu de vous unir. C'est en tout cas ce qu'il est en train de raconter en audition depuis que Bousquet lui a montré ces mêmes photos.

Petit mensonge et coup de pression. Elle découvrit pour la première fois chez Romain un visage qu'elle ne lui connaissait pas. Mauvais et colérique. Même sa voix devint grave et agressive. Il regarda à nouveau Elsa, à quelques mètres de lui.

— Tu l'as dit. C'était un accident. J'aurai été le gosse par qui le malheur est arrivé. Tu peux reprocher à un père de protéger son enfant ? Je leur ai montré la fosse. Alex a glissé et, en tombant, il a attrapé Cyril. Vingt-cinq ans après, il te reste quoi contre moi ? Tu m'accuses de quoi, à part d'avoir été un gosse imprudent ?

— Je ne t'accuse de rien. Tu le fais très bien. Tu savais qu'Elsa n'avait pas pu mourir avec les autres enfants, puisqu'elle n'était pas avec vous. Tout au long de l'enquête, tu m'as laissée la chercher et me mettre en danger. Tu savais que sa parole allait incriminer ton père et, après mon accident de voiture, tu te doutais qu'il était prêt à tout pour la faire taire. Même si Hugo et moi devions y passer. Mais tu ne m'as rien dit. C'est une complicité par omission. La complicité d'une triple tentative d'homicide. Tu vas prendre vingt ans, tu ne seras plus jamais flic et tu ne mettras plus jamais les pieds à Avalone. Une vie de Fortin, c'est tout ce que tu mérites.

Noémie enleva alors son oreillette et, devant son adjoint, elle coupa sa radio. Le reste ne se passa qu'entre eux.

— Il reste pourtant quelque chose que je ne m'explique pas, reprit-elle. Je n'arrive pas à croire que tu aies pu supporter toutes les conséquences de ce que tu prétends être un simple accident. Fortin a dû partir avec Elsa, cette gamine que tu aimais tant. Jeanne Dorin s'est suicidée dans sa grange. Mme Saulnier est devenue folle. Juliette Casteran reste confinée dans sa maison, devant ses photos. Et tu as assisté à tout ça, au fil des années. On a ensuite essayé de me tuer deux fois et on a même tenté de tuer Elsa. Et tu aurais été témoin de ces vies brisées, tu aurais couvert ces crimes, pendant si longtemps, pour une imprudence d'enfant ?

Valant n'avait pas cillé, droit et amer.

— Continue, capitaine. Tu y es presque.

— Est-ce que Cyril et Alex sont tombés, Romain ? Ou les as-tu poussés pour garder Elsa pour toi ? Les faits remontent à si longtemps qu'ils sont prescrits. Tu ne risques rien, mais j'ai besoin de savoir.

Il se pencha alors à son oreille.

— Tu sais déjà tout, No.

Milk et Bousquet sortirent de leur voiture et se dirigèrent vers la maison. Ils se trouvèrent un peu bêtes devant celui qui avait été leur chef de groupe bien avant Chastain, et elle dut les secouer.

— Milk, passe-lui les menottes.

Le bébé policier lui lança un regard de « pourquoi moi ? », ahuri.

— Il est temps de grandir.

Alors que le lieutenant Valant se faisait escorter vers la voiture de police, tête baissée et bras dans le dos, une petite frimousse passa par l'embrasure de la porte.

— Qu'est-ce qui se passe, No ?

— Je suis désolée, Lily. Je suis désolée.

ÉPILOGUE

Noémie trouva le commandant Roze dans son bureau, face à sa fenêtre, dans la même position que le jour où elle l'avait rencontré, à son arrivée au commissariat de Decazeville. Et, comme la première fois, il lui parla sans se retourner.

— La police judiciaire de Toulouse est sur le chemin. L'affaire va être délocalisée. Ils vont reprendre la procédure. Il faudra rester à leur disposition, ils voudront entendre l'équipe.

— C'est mieux pour tout le monde, concéda Chastain.

— Les disparus d'Avalone ont été la toute première enquête sérieuse de ma carrière, dit-il songeur. Et ils seront la dernière. Vous avez été une vraie bombe à fragmentation, capitaine. Il va nous falloir un nouveau lieutenant pour remplacer Romain, et un nouveau maire pour Avalone. Mais je crois que je suis un peu fatigué pour ce job, maintenant. Je viens d'envoyer mon rapport.

— La retraite ?

— Non, répondit-il en retournant à son bureau. Je ne vais pas partir comme un voleur. Je termine au moins l'année. Mon rapport est une demande de passage au grade de commandant. Pour vous. Un nouveau commandant, c'est tout ce qu'il faut à ce commissariat.

Gênée, Chastain ne sut quoi répondre et Roze nota son embarras.

— Vous aviez prévu autre chose ?

— Il faut que je passe un coup de fil au Bastion, patron.

Il se leva et déplaça son téléphone fixe au milieu de la table.

— Vous serez plus tranquille à mon bureau pour appeler Paris. Je vous laisse la place.

Avant de quitter la pièce, Roze lui posa une main sur l'épaule.

— Vous seriez bien, ici, Noémie.

*
* *

Le secrétariat du Bastion annonça la capitaine Chastain sur la ligne. Le directeur central de la PJ ne décrocha pas tout de suite, se laissant le temps de visualiser leur conversation. La sixième sonnerie fut la bonne.

— Capitaine Chastain, vous êtes sur toutes les chaînes d'info.

— Je n'ai trouvé que ça pour ne pas me faire oublier, ironisa-t-elle en provoquant le rire nerveux de son interlocuteur.

— Je vous l'avais dit, non ? Ce séjour à la campagne vous a retapée et rendue encore meilleure que vous ne l'étiez déjà. Vous deviez faire l'audit d'un commissariat en vous la coulant douce mais, à la place, vous résolvez une affaire que tout le monde pensait impossible et dont le retentissement est tel que vos petits policiers de campagne ne risquent pas de voir fermer leur service de sitôt. Nous sommes très fiers de vous, ici. Vous savez que votre nom a été cité pour un passage de grade ?

— J'ai entendu ça, oui.

— Bien. Maintenant, organisons votre retour. Votre groupe vous attend et, si vous voulez vous débarrasser d'Adriel, c'est sans problème. De toute façon, il n'a pas fait beaucoup d'étincelles pendant votre absence.

— Je ne me suis pas absentée, vous m'avez écartée.

— Ne nous bagarrons pas sur les mots, capitaine. Si vous pensez que je vous ai mise à l'écart, alors considérez que vous avez gagné.

Noémie appuya sur le haut-parleur du téléphone, se leva et se posta devant la fenêtre du bureau de Roze. Elle contempla le village, apaisée.

— Vous connaissez l'Aveyron, monsieur ?

— Pas bien, non. Mais je doute que votre service fasse jamais le poids face au légendaire 36. Votre carrière, elle n'est pas ailleurs.

Dehors, elle aperçut Milk en grande conversation avec une jolie brune plus âgée que lui, un plat à gâteau recouvert d'un chiffon blanc entre les mains. Probablement sa mère. Et très certainement son imbouffable fouace au sucre.

— Monsieur ?

— Capitaine ?

— Allez vous faire foutre avec votre légendaire 36.

Le sourire aux lèvres et son avenir dégagé pour la première fois depuis des mois, il lui restait encore un coup de fil à passer.

— Chloé Vitali, j'écoute.

— Même en congé maternité tu te présentes comme un flic ? se moqua-t-elle.

— Noémie ? C'est toi ?

Les larmes montèrent aux yeux de Chastain et sa gorge se noua. Les mots peinèrent à sortir.

— Je t'ai un peu abandonnée, ma chérie, finit-elle par murmurer.

— Arrête. Je t'interdis de dire ça. C'est incroyable ce que tu as fait là-bas.

— J'étais pas toute seule, mais merci. Parlons plutôt de toi. Comment va le bébé ?

— Moche et fripé, comme tous les bébés. Je vois juste les jours défiler et je suis terrorisée par la reprise. Être jeune maman, aux Stups, avec nos horaires, ça va vite devenir un enfer. Je vois venir le coup : moi aussi, on va me dégager…

— Justement, à ce propos. Tu connais l'Aveyron ?

— Tu déconnes ?

— Non. Il me faut un nouveau lieutenant. Et une femme, tant qu'à faire. Entre un adjoint qui me vire du Bastion et un autre qui couvre ceux qui veulent me tuer, j'aurais bien besoin de quelqu'un de confiance.

— L'Aveyron…, répéta Chloé, songeuse.

— Tu comprendras vite qu'il faut être folle pour vivre à Paris.

386

Hugo gara son Ford sur le parking du commissariat. Sur le siège côté passager, il avait déposé son bagage. Noémie vint à sa rencontre, le ventre déjà tout brouillé.

— Tu restes ? lui demanda-t-il.

— Tu pars ?

— Je suis rappelé par la Fluviale. Je ne pouvais pas éternellement rester. J'ai un job, à Paris.

— On le sait tous les deux depuis le début, non ?

La gueule en bazar, Picasso pointa le bout de sa truffe par la fenêtre arrière du tout-terrain.

— Désolé, il a refusé de rester à la maison du lac.

Il ouvrit la portière et le chien vint se coller immédiatement à la cuisse de sa maîtresse.

Hugo embrassa doucement Noémie en lui tenant les mains.

— Tu connais mon adresse, j'habite sur un bateau sur la Seine.

— Tu connais la mienne, j'habite dans un petit village au sud de Paris.

Alors que la voiture s'éloignait, Noémie s'agenouilla devant son chien déglingué.

— Alors ? On reste ensemble, en fin de compte ? Je te préviens, j'ai un chat bizarre dans la tête.

Pour toute réponse, Picasso lui lécha le visage.

— Saint-Charles a laissé un message au service, annonça Bousquet qu'elle n'avait pas vu approcher.

Il voudrait vous inviter à déjeuner. Paraît que vous avez des choses à vous dire.

Picasso s'impatienta et se mit à mordiller le bout des chaussures du policier.

— Vous voulez que je m'occupe de votre prisonnier ?

— Oui, tenez, dit Noémie en lui tendant la cordelette qui faisait office de laisse. Vous me le collez en garde à vue avec de l'eau et une part du gâteau de Milk.

— À vos ordres, capitaine. Capitaine ou commandant ?

— Les nouvelles vont vite.

Au loin, le Ford disparut dans un virage.

— Il va revenir, le plongeur ?

— Je sais pas. Ça va dépendre des courants.

*
* *

Noémie aligna ses sacs devant la baie vitrée explosée de la maison du lac et en ferma les portes pour la dernière fois. Milk lui avait promis que sa mère lui retrouverait un endroit tout aussi charmant et moins chargé de mauvais souvenirs. Pour les jours à venir, une chambre à l'Hôtel du Parc l'attendait.

La forêt disparut lentement, rétrécissant au fur et à mesure dans son rétroviseur. Longeant le lac asséché pour quitter Avalone, elle aperçut deux enfants qui se couraient après dans les rues désertes, parmi les maisons écroulées. Elle ralentit un peu, le cœur serré, et les gosses levèrent la tête. Cyril et Alex lui firent un salut de la main avant de disparaître en nuage, comme s'ils étaient faits de sable.

Elle toucha son visage et sourit.
Elle était à nouveau Noémie.
Il faudrait qu'elle en parle à Melchior.

JE REMERCIE

Les policiers du commissariat de Decazeville et le commandant Verlaguet, protecteurs de leurs six communes. Pour leur générosité, leur patience et ce lien social important qu'ils savent préserver avec la population, lien si souvent détérioré dans les grandes villes.

Francine Bousquet, libraire de cœur. Je décide en effet officiellement que le « Presse-Bulle » de Decazeville est une librairie. Pour ta gentillesse et ton sourire. Désolé de te faire passer pour une commère dans ce roman.

La Brigade fluviale de Paris et plus particulièrement le commandant Berjot qui a supporté mon mal de mer (sur la Seine !) et m'a permis de rencontrer Nicolas Leclerc et Serge Denis pour baliser l'intrigue sous-marine. Merci, messieurs, de m'avoir appris ce qui se passait sous la surface.

Sébastien Lissarague, plongeur aventurier, découvreur de réseaux aquatiques encore inconnus.

Marc Taccoen, mon médecin légiste depuis le tout premier roman. Au vu des si nombreux meurtres sur lesquels nous avons collaboré, je vous décerne le titre de serial killer littéraire.

Le colonel Melchior Martinez de l'hôpital Percy, psychiatre pour nos soldats gueules cassées et nos flics abîmés. Réparateur d'âmes.

Marie-Dominique Colas pour tout ce que j'ai appris dans *Le Visage des hommes*, éditions Lavauzelle.

Babeth. Noémie Chastain te doit beaucoup. Elle a ton courage et ta force.

Stéphane Delfosse, simple et « merveilleux ». Si ton accident ne t'a pas fait mettre un genou à terre, rien ne le fera.

Jamix, l'homme sans mémoire, parce que tu sais ce que c'est que de se reconstruire.

Benjamin Fourré et Benoît Abbas, experts en balistique… merci pour le 8 mm.

Le docteur Cayot et l'urgentiste Denis Gruszka de l'hôpital de Decazeville, qui m'ont aidé à maltraiter puis réparer mon héroïne.

Florence Bonneviale, pour notre escapade espagnole aux côtés de Casanova et de Dom Juan.

Mes primo-lecteurs pour ce nouveau roman, Martine, Claude Wikipapa, Babeth, Bruno, Dodo, Caroline, Julie, Bernard-Hugues, Martin, Lili La, Aurélie et Anaïs.

Dodo, policière H24, maman H24, sauveuse d'animaux perdus H24, inventrice des journées de 72 heures.

Aubin, mon village.

Ma famille. Martine, Claude, Corinne et Victor. J'ai un jour rêvé de la fin du monde et je souriais, puisque nous étions dans notre maison familiale d'Aubin, assis ensemble à regarder le ciel s'enflammer.

Denise Solignac. Je regrette tous les mots que je n'ai pas pu te dire une fois devenu adulte.

Michel Lafon. Quelle aventure, patron, quelle aventure !

Huguette Maure. Je ne vous connaissais pas il y a six ans, et aujourd'hui, je ne pourrais rien écrire sans vous. Je vous aime.

Béatrice Argentier, spécialiste des coquilles et des répétitions. Retournons au café Pouchkine !

Margaux Mersié, si tu étais une pièce d'une maison, tu serais ma panic room.

Honorine Dupuy d'Angeac, qui envoie mes livres dans le monde entier… Russie, Espagne, Italie, Allemagne, Angleterre… J'ai encore de la place sur mon passeport !

Anissa Naama et Anaïs Ferrah, le duo magique qui m'a fait traverser la France de salons en librairies.

Alain Deroudilhe, pour cette année incroyable et ce grand chelem promotionnel. Si on se voit, je préfère cuisiner. (Désolé, Martin !)

Claire Germouty, par qui tout a commencé.

Les éditions Pocket, Carine, Charlotte, Emmanuelle, Bénédicte, Camille et la mystérieuse Mme Pocket… On peut donc se marrer en travaillant !

Mathieu Thauvin, l'artiste de mes couvertures, toujours plus belles.

Bruno Chabert, photographe officiel de mes aventures littéraires, musicien de la bande originale de notre amitié depuis nos dix-sept ans, mon autre frère.

Manu, calme et serein… comme l'œil du cyclone. Merci pour ces soirées qui me permettent de déconnecter (parfois un peu trop !). On passe au niveau supérieur en 2019… tu mérites le meilleur bro'.

Victor, mon petit frangin, la version la plus réussie des Norek. Vogue vers ta nouvelle vie canadienne !

Les flics du SDPJ 93, ceux du commissariat de Bobigny… et les flics en général. Encore une année compliquée sans personne pour vous remercier. En Argentine, la police est si corrompue que nul ne fait le 17. Imaginons une société où nous ne pourrions pas appeler à l'aide !

Les librairies, les maisons de la presse, les grandes enseignes, dans les grandes villes ou les petits patelins, ceux qui se battent pour rester ouverts, ceux qui ont le courage d'ouvrir, même ceux qui vendent les livres de Nicolas Lebel…

Les blogueurs… surtout pour vos mots sur *Entre deux mondes* : vous avez largement contribué au succès de ce livre et permis de transmettre le message qu'il contenait. Vous êtes les nouveaux chroniqueurs littéraires du polar. Complices de chaque nouvelle intrigue et de chaque nouveau cadavre, vous découvrez, vous mettez en lumière, vous aimez ou vous détestez… en toute objectivité.

Les journalistes qui m'ont accompagné de leur bienveillance, mais que je ne peux pas citer, sinon ça fait copinage.

Julie Casteran, ceinture rose de Krav Maga, la seule psy sans empathie. J'aimerais voir ton diplôme un jour, juste pour vérifier.

Les auteurs du polar, ma famille littéraire. Sans vous et sans les salons, c'est 80 % du plaisir qui disparaîtrait.

Cyril Canizzo, mon agent hyperactif. Agent et j'espère même un peu plus.

La ligue de l'Imaginaire pour m'avoir accueilli dans son groupe de gentlemen extraordinaires.

Gilles Paquet Brenner pour le film *Entre deux mondes*, et Michel Montheillet, pour la bande dessinée du même livre. Adam, Kilani et Ousmane sont entre vos mains. Et je suis confiant.

Nicolas Cuche, Éric Jehelmann et la formidable Solène Bouton, cette année est pour nous !

Marianne, Xavier et Chloé : des bises du pire parrain de la planète !

Mes amis de toujours : Benjamin, François M., Mathias, Valérie B., Aline et Marie Chacha.

TABLE DES MATIÈRES